PLEURE, Ô PAYS BIEN-AIMÉ

Né à Pietermaritzburg le 11 janvier 1903, Alan Paton fait ses études au collège de sa ville natale. Professeur de 1924 à 1936, il assume ensuite les fonctions de directeur d'une école pour jeunes délinquants. En 1948, il remporte un grand succès avec Pleure, ô pays bien-aimé. *Il milite en faveur d'une politique libérale en Afrique du Sud, alors que l'accession au pouvoir du docteur Malan précipite le pays vers le totalitarisme racial.*
Alan Paton, après avoir publié The Land and People of South Africa *(1955), assure la présidence du Parti libéral de 1956 à 1958, puis de 1961 à 1968. En 1960, le gouvernement d'Afrique du Sud lui retire son passeport (il ne le lui rendra qu'en 1970) et met tout en œuvre pour entraver son action.*

Le Révérend Stephen Koumalo, pasteur noir d'un petit village d'Afrique du Sud, a plusieurs parents à Johannesburg : son frère John, le menuisier, sa sœur cadette, Gertrude, partie avec son petit garçon à la recherche de son mari, et son fils unique, Absalon. Sur la foi d'une lettre qui l'appelle auprès de Gertrude, Koumalo se rend à Johannesburg et découvre la réalité brutale de l'apartheid, de la misère et de la déchéance qui règnent parmi les Noirs transplantés dans la grande ville.
Son frère John est devenu un homme politique en vue, luttant pour la libération de ses compagnons de race. Gertrude mène une vie dissolue, à la limite de la prostitution.
De longues et pénibles recherches conduisent enfin Koumalo jusqu'à son fils Absalon. Pour avoir tué, lors d'un cambriolage, celui-ci attend son jugement dans un pénitencier. Au terme d'un pèlerinage aux sources de la détresse et de l'injustice, le pasteur rentrera au village, n'emmenant ni John, ni Gertrude mais seulement la femme de son fils, dont l'exécution est imminente.
Témoignage émouvant sur les rapports entre la minorité blanche et la majorité opprimée des gens de couleur, l'œuvre d'Alan Paton a parfois été considérée comme *La Case de l'Oncle Tom* de l'Afrique du Sud.

Paru dans Le Livre de Poche :

QUAND L'OISEAU DISPARUT.

ALAN PATON

Pleure,
ô pays bien-aimé

(CRY THE BELOVED COUNTRY)

TRADUIT DE L'ANGLAIS
PAR DENISE VAN MOPPÈS

ALBIN MICHEL

Le cadre religieux de ce livre est anglican. Et c'est à l'Église anglicane qu'appartiennent les évêques, prêtres ou pasteurs, pères, nonnes, qui jouent un rôle dans le récit. *(Note de l'Éditeur.)*

L'Union *Sud-Africaine compte environ onze millions d'habitants. Deux millions et demi sont des blancs, descendants d'immigrés européens : Hollandais, Anglais, Français, Allemands, etc. ; huit millions sont des noirs dont les ancêtres africains vivant en tribus et venant du Nord rencontrèrent les immigrés blancs qui arrivaient du Sud. Entre blancs et noirs, une lutte sanglante s'engagea, dans laquelle l'homme blanc, supérieur en armes, fut vainqueur.*

Le colon blanc alloua des terres aux tribus vaincues, mais en quantité toujours insuffisante, nous nous en apercevons aujourd'hui. En somme, une politique de séparation des races avait commencé. Elle eût pu se poursuivre de cette façon pendant des siècles. Une petite communauté blanche supérieure, instruite, armée, aurait pu vivre indéfiniment au milieu d'une vaste communauté noire, illettrée, désarmée et organisée en tribus.

Mais l'Histoire ne devait pas permettre à l'Afrique du Sud de demeurer un pays pastoral, à l'écart du monde. De grandes richesses minérales y furent découvertes et de grandes villes commencèrent à s'élever. Du sein des tribus, un flot continu de noirs s'écoula vers les villes ; là, séparés de ce qui faisait le fonds de la vie des tribus et lui donnait un sens, ils rejetèrent peu à peu leurs antiques coutumes et adoptèrent des habitudes nouvelles sans racines profondes, et commandées uniquement par la nécessité économique.

Mais l'industrialisation ne fut pas la seule cause de destruction des tribus. L'homme blanc n'apportait pas seulement des villes et des usines, mais aussi des alcools nouveaux, la lecture et l'écriture, des marchandises séduisantes, des fusils, des maladies inconnues et les idées et l'idéal chrétiens. L'élément le plus destructif pour les noirs fut la constatation, plus ou moins consciente, que le système des tribus était désormais un instrument entre les mains des blancs et non plus l'élément vital du peuple africain, fait de guerre, de tambours, de plaisir ; de chasse, de danse et d'amour ; d'esprits et de présages ; de piété filiale et de graves discussions.

L'industrialisation porta un coup fatal, non seulement à ce mode ancestral d'existence, mais au système entier grâce auquel la petite communauté blanche pouvait vivre avec le maximum de sécurité et le minimum de précautions au milieu d'une communauté noire infiniment plus nombreuse. Les vieilles craintes raciales qui s'étaient, dans une certaine mesure, éloignées, prirent soudain un caractère dominant. Le blanc s'inquiéta ouvertement de son infériorité en nombre, non seulement dans l'Union Sud-Africaine, mais sur tout le continent. C'est pourquoi il envisage aujourd'hui un retour à une politique plus sévère de séparation raciale, un retour, en fait, à la situation qui aurait pu se prolonger si le processus d'industrialisation n'était venu la troubler.

C'est de ce pays, à ce stade particulier de son histoire, que traite le présent ouvrage. On s'y est efforcé de révéler les deux côtés de ce problème humain : la peur de l'homme blanc, en infériorité numérique sur le continent noir, le malheur de l'homme noir qui, arraché à son univers, se voit introduit dans un monde nouveau qui ne veut rien d'autre de lui que son labeur.

A. P.

LIVRE PREMIER

I

IL y a une jolie route qui mène d'Ixopo dans les collines. Ces collines sont couvertes de prairies, vallonnées et plus charmantes qu'on ne pourrait dire ou chanter. La route y monte pendant douze kilomètres jusqu'à Carisbrooke, et, de là, lorsqu'il n'y a point de brouillard, l'on découvre à ses pieds l'une des plus belles vallées d'Afrique. Alentour s'étendent herbages et fougères et l'on entend au loin le cri mélancolique du titihoya [1], l'un des oiseaux du veld [2]. Plus bas, coule l'Umzikulu qui vient du Drakensberg et s'en va vers la mer et, de l'autre côté du fleuve, les hautes chaînes de collines se dressent les unes derrière les autres jusqu'aux montagnes d'Ingeli et d'East Griqualand.

La prairie est riche et touffue, l'on ne voit pas le sol. Elle retient la pluie et le brouillard qui pénètrent dans la terre, alimentant des ruisseaux dans tous les ravins. Elle est bien entretenue et il n'y a pas trop de troupeaux pour la paître, pas trop d'incendies pour la dévaster. Déchaussez-vous pour y marcher, car cette terre est sacrée et telle qu'elle

1. Onomatopée, désigne un oiseau de la famille du pluvier.
2. Nom african, signifie prairie. Peut également servir à désigner l'herbe. Exemple : ce veld est pauvre.

sortit des mains du Créateur. Protégez-la, gardez-la, nourrissez-la, car elle protège les hommes, garde les hommes, nourrit les hommes. Détruisez-la et l'homme est détruit.

L'herbe alentour est riche et touffue et l'on n'aperçoit pas le sol. Mais les riches collines vertes s'interrompent. Elles descendent vers la vallée et, en descendant, changent de nature. Elles deviennent rousses, elles se dénudent ; elles ne retiennent plus la pluie ni le brouillard, et les ruisselets sèchent dans les ravins. Trop de troupeaux en paissent l'herbe et trop d'incendies les dévastent. Chaussez-vous bien pour marcher sur cette terre, car elle est rude et dure et les pierres sont coupantes sous les pieds. Elle n'est point entretenue, ni gardée, ni nourrie, elle ne protège plus les hommes, ne garde plus les hommes, ne nourrit plus les hommes. Et il y a bien longtemps qu'on n'entend plus ici le cri du titihoya.

Les grandes collines rousses se dressent, désolées, et la terre s'en arrache comme de la chair. Les éclairs flamboient au-dessus d'elle, les nuages se déversent sur elle, les ruisseaux morts se remettent à couler gonflés du sang rouge de la terre. En bas, dans les vallées, les femmes grattent ce qui reste de terre arable et le maïs atteint à peine à la hauteur d'un homme. Ce sont des vallées de vieillards, de femmes et d'enfants. Les hommes sont partis, les jeunes sont partis. Le sol ne peut plus les nourrir.

II

LA petite fille courut jusqu'à l'église de bois et de tôle, l'air important, la lettre à la main. A côté de l'église, il y avait une maison et elle frappa timidement à la porte. Le Révérend Stephen Koumalo, qui écrivait à la table, leva la tête et cria : « Entrez.»

La petite fille poussa la porte avec précaution comme si elle eût craint de l'ouvrir trop brusquement dans une maison aussi auguste et elle entra d'un pas timide.

– J'apporte une lettre, umfundisi [1].

– Une lettre, eh ? D'où la tiens-tu, mon enfant ?

– Du magasin, umfundisi. L'homme blanc m'a demandé de vous l'apporter.

– C'est gentil à toi. Va bien, petite.

Mais elle ne s'en alla pas tout de suite. Elle frottait ses pieds nus l'un contre l'autre et caressait du bout du doigt le bord de la table de l'umfundisi.

– Peut-être que tu as un peu faim, petite ?

– Pas très faim, umfundisi.

– Peut-être un petit peu faim ?

– Oui, un petit peu faim, umfundisi.

---

1. Mot zoulou, se prononce approximativement oumfoundisi. Signifie pasteur. Terme de respect.

– Va trouver la mère, alors. Peut-être qu'elle a quelque chose à manger.

– Je vous remercie, umfundisi.

Elle marchait légèrement comme si ses pieds craignaient d'abîmer une si belle maison, une maison où il y avait des tables et des chaises, et une pendule, et une plante dans un pot, et beaucoup de livres, encore plus de livres qu'à l'école.

Koumalo regarda sa lettre. Elle était sale, surtout autour du timbre. Elle avait passé par de nombreuses mains sans doute. Elle venait de Johannesbourg. Il avait plusieurs parents à Johannesbourg. Son frère John, le menuisier, s'était installé là-bas et il avait une boutique à lui à Sophiatown. Sa jeune sœur Gertrude, sa cadette de vingt-cinq ans, l'enfant de la vieillesse de ses parents, y était partie avec son petit garçon, à la recherche de son mari qui n'était jamais revenu des mines. Enfin son propre fils, son fils unique, Absalon, y était parti à son tour à la recherche de sa tante Gertrude et n'était jamais rentré. Et beaucoup d'autres membres plus éloignés de sa famille habitaient également là-bas, si bien que l'on ne pouvait guère deviner de qui venait cette lettre, car il y avait si longtemps qu'aucun de ces parents n'avait écrit qu'on ne se rappelait plus très bien leur écriture.

Il tourna et retourna la lettre mais elle ne portait aucun signe qui montrât de qui elle venait. Il éprouvait une certaine appréhension à l'ouvrir, car, une fois ouvert un message de ce genre, on ne peut plus le refermer.

Il appela sa femme :

– Est-ce que la petite est partie ?

– Elle mange, Stephen.

– Qu'elle mange. Elle a apporté une lettre. Est-ce que tu as idée de ce que ce peut être ?

– Comment pourrais-je en avoir idée, Stephen ?

– C'est vrai. Regarde-la.

Elle prit la lettre et la tâta. Mais il n'y avait rien dans le contact de l'enveloppe qui annonçât de qui elle pouvait venir. Elle lut tout haut l'adresse, lentement et soigneusement.

RÉVÉREND STEPHEN KOUMALO,
Église Saint-Marc
Ndotshéni
(NATAL)

Elle rassembla son courage et dit :

– Ce n'est pas de notre fils.

– Non, dit-il. Et il soupira. Ce n'est pas de notre fils.

– Peut-être qu'il s'agit de lui tout de même, dit-elle.

– Oui, dit-il. C'est bien possible.

– Ce n'est pas de Gertrude, dit-elle.

– Peut-être que c'est de mon frère John.

– Ce n'est pas de John, dit-elle.

Ils se turent, puis elle dit :

– Une lettre comme ça on l'attend, on l'attend, et quand elle arrive, on a peur de l'ouvrir.

– Qui a peur ? dit-il. Ouvre-la.

Elle l'ouvrit lentement et soigneusement, car elle n'avait pas souvent des lettres à ouvrir. Elle étala le feuillet devant elle et le lut lentement et si doucement qu'il n'entendait pas bien du tout.

– Lis plus haut, dit-il.

Elle la relut tout haut, en épelant comme les Zoulous épellent l'anglais.

25-9-46.

"Mon cher frère en Jésus-Christ,

"J'ai eu l'occasion de rencontrer une jeune femme ici à Johannesbourg. Son nom est Gertrude Koumalo et j'apprends qu'elle est la sœur du Révérend Stephen Koumalo, église Saint-Marc, Ndotshéni. Cette jeune femme est très malade et c'est pourquoi je vous demande de venir tout de suite à Johannesbourg. Venez chez le Révérend Théophile Msimangu, à la Mission, Sophiatown, et là je vous donnerai quelques renseignements. Je vous trouverai aussi un logement où la dépense ne sera pas très considérable.

"Je suis, cher frère en Jésus-Christ,

"Votre dévoué,

Théophile Msimangu."

Ils se turent longtemps. Enfin elle dit :

– Eh bien, mon mari ?

– Eh bien, qu'y a-t-il ?

– Cette lettre, Stephen. Tu l'as entendue maintenant.

– Oui, je l'ai entendue. Ce n'est pas une lettre facile.

– Non, ce n'est pas une lettre facile. Qu'est-ce que tu vas faire maintenant ?

– Est-ce que la petite a mangé ?

Elle alla à la cuisine et revint avec l'enfant.

– As-tu mangé, mon enfant ?

– Oui, umfundisi.

– Alors, va bien, mon enfant. Et merci d'avoir apporté la lettre. Tu remercieras de ma part l'homme blanc du magasin.

18

– Oui, umfundisi.

– Alors, va bien, mon enfant.

– Restez bien, umfundisi. Restez bien, mère.

– Va bien, mon enfant.

La petite fille alla d'un pas léger jusqu'à la porte et la referma doucement derrière elle en faisant tourner lentement le bouton comme si elle avait eu peur de le lâcher trop brusquement.

Quand l'enfant fut partie, la femme dit :

– Qu'est-ce que tu vas faire, Stephen ?

– A propos de quoi, ma femme ?

Elle lui répondit patiemment :

– A propos de cette lettre, Stephen.

Il soupira.

– Apporte-moi l'argent de Saint-Chad, dit-il.

Elle sortit et revint avec une boîte de fer-blanc qui avait contenu du café ou du cacao et elle la lui tendit. Il la tint dans ses mains, l'examinant comme si elle eût renfermé une réponse, jusqu'au moment où la femme reprit :

– Il faut le faire, Stephen.

– Comment pourrais-je dépenser cet argent ? dit-il. C'était pour envoyer Absalon à Saint-Chad.

– Absalon n'ira jamais à Saint-Chad.

– Comment peux-tu dire cela ? fit-il vivement. Comment peux-tu dire une chose pareille ?

– Il est à Johannesbourg, dit-elle avec lassitude. Quand les gens vont à Johannesbourg, ils ne reviennent plus.

– Tu l'as dit, dit-il. Et maintenant c'est dit. Cet argent qui avait été économisé pour cela, ne servira jamais à cela. Tu as ouvert une porte et, parce que tu as ouvert une porte, il faut que nous la passions. Et *Tixo* [1] seul sait où cela nous mènera.

---

1. Mot xosa désignant le Grand Esprtit.

– Ce n'est pas moi qui l'ai ouverte, dit-elle blessée par cette accusation. Il y a longtemps qu'elle est ouverte, mais tu ne voulais pas le voir.

– Nous avions un fils, dit-il durement. Les Zoulous ont beaucoup d'enfants mais nous n'avions qu'un fils. Il est parti pour Johannesbourg et, comme tu dis : quand les gens vont à Johannesbourg, ils ne reviennent pas. Ils n'écrivent même pas. Ils ne vont pas à Saint-Chad pour recevoir l'instruction sans laquelle un homme noir ne peut vivre. Ils vont à Johannesbourg et ils sont perdus et personne n'entend plus parler d'eux. Et cet argent...

Mais elle se taisait et il continua :

– Il est là dans ma main.

Et comme elle ne disait toujours rien, il répéta :

– Il est là, dans ma main.

– Tu te fais mal, dit-elle.

– Je me fais mal ? Je me fais mal ? Je ne me fais pas mal, ce sont eux qui me font mal. Mon propre fils, ma propre sœur, mon propre frère. Ils s'en vont et ils n'écrivent plus. Peut-être qu'ils ne se rendent pas compte que nous souffrons. Peut-être que cela leur est égal.

Sa voix s'élevait en paroles irritées.

– Va, va demander à l'homme blanc, dit-il. Peut-être qu'il y a des lettres. Peut-être qu'elles sont tombées sous le comptoir ou bien qu'elles se cachent entre les sacs d'épicerie. Regarde là-bas dans les arbres, peut-être que le vent les y a fait s'envoler.

Elle lui cria :

– Tu me fais mal à moi aussi.

Il se reprit et dit humblement :

– Que je ne fasse pas cela.

Il lui tendit la boîte de fer-blanc.

– Ouvre-la, dit-il.

Les mains tremblantes, elle prit la boîte et l'ouvrit. Elle la vida sur la table. Il en sortit quelques vieux billets très sales et un flot de monnaie d'argent et de cuivre.

– Compte, dit-il.

Elle compta laborieusement, retournant billets et pièces pour s'assurer de ce qu'ils valaient.

– Douze livres, cinq shillings et sept pence.

– Je vais prendre huit livres, les shillings et les pence, dit-il.

– Prends tout, Stephen. Il y aura peut-être des docteurs, l'hôpital, d'autres ennuis. Prends tout. Et prends le livret du compte postal. Il y a dix livres dedans. Prends-le aussi.

– J'avais mis ça de côté pour ton fourneau, dit-il.

– On n'y peut rien, dit-elle. Et l'argent de la boîte, on l'avait économisé pour Saint-Chad, mais je pensais qu'il servirait à t'acheter un nouveau costume noir, un chapeau neuf et des cols blancs.

– A ça non plus, on ne peut rien. Voyons, je partirai...

– Demain, dit-elle. De Carisbrooke.

– Je vais écrire tout de suite à l'évêque pour lui dire que je ne sais pas combien de temps je resterai parti.

Il se leva lourdement de sa chaise et s'approcha de sa femme.

– Je regrette de t'avoir fait mal, dit-il. Je vais aller prier à l'église.

Il sortit et elle le regarda par la fenêtre marcher lentement jusqu'à la porte de l'église. Puis elle vint s'asseoir à la table et y posa la tête, silencieusement avec la douleur patiente des femmes noires, avec la douleur des bœufs, avec la douleur des créatures muettes.

*

TOUTES les routes mènent à Johannesbourg. A travers les longues nuits, les trains roulent vers Johannesbourg. Les lampes des compartiments projettent leurs lumières sur les remblais, sur l'herbe et les pierres d'une campagne endormie. Heureux les yeux qui peuvent se fermer.

III

LE petit train qui ressemble à un joujou monte sur son étroite voie du fond de la vallée de l'Umzikulu dans les collines. Il monte jusqu'à Carisbrooke, et quand il s'y arrête on peut descendre un instant et contempler la vaste vallée d'où l'on est venu. Il n'y a guère de danger que le train reparte sans vous, car les voyageurs sont peu nombreux et tout le monde vous aura remarqué. Et même s'il repartait sans vous, cela n'aurait pas beaucoup d'importance, car, à moins d'être infirme ou très vieux, vous n'auriez qu'à courir après pour le rattraper.

Par temps de brouillard, vous n'apercevrez rien de la vaste vallée. Le brouillard s'enroulera autour de vous, au-dessus de vous, et le train et ses voyageurs formeront un petit monde isolé. Certaines personnes n'aiment pas ce temps, elles le trouvent froid et mélancolique. Mais d'autres l'apprécient, elles y découvrent un charme mystérieux et comme un prélude à l'aventure et un appel de l'inconnu. Le train roule au milieu d'un univers un peu fantastique et l'on aperçoit, à travers les vitres doublées de brouillard, de vagues remblais couverts d'herbe et de fougères. Ici, en leur saison, poussent l'agapanthus bleu, la glycine sauvage et la sauge rouge feu, et l'on y voit aussi parfois des arums dans un vallon. Et toujours, derrière les fleurs, la muraille brumeuse des acacias comme des fantômes dans le brouillard.

Attendre le train à Carisbrooke tandis qu'il grimpe hors de la grande vallée est une occupation pleine d'intérêt. Les gens bien informés peuvent vous dire à chaque coup de sifflet l'endroit exact où il se trouve, à quel carrefour, à quelle ferme, à quelle rivière. Mais, bien que Stephen Koumalo soit arrivé ici une grande heure en avance, il n'écoute point ces propos. C'est un long voyage qu'il entreprend et une très grosse dépense. Et qui sait dans quel état il va trouver sa sœur malade et combien d'argent cela va coûter ? Et s'il doit la ramener, que de frais encore ! Et Johannesbourg est une grande ville avec tant de rues qu'on dit qu'un homme pourrait passer sa vie à les parcourir et ne jamais passer deux fois par la même. Et puis il faut prendre des autobus, mais ce n'est point comme ici où le seul autobus qui passe est le bon. Car là-bas il y en a une multitude et un sur dix seulement, et même peut-être un sur vingt, est le bon. Si l'on se trompe d'autobus, l'on peut se trouver transporté dans un tout autre endroit. Et il paraît aussi qu'il est dangereux de traverser les rues, et pourtant il faut bien les traverser. La femme de Mpanza de Ndotshéni qui était allée là-bas parce que Mpanza y était mourant, avait vu son fils tué dans la rue. A douze ans, tout excité par la nouveauté, il s'était élancé au milieu des voitures, tandis qu'elle hésitait au bord du trottoir. Et le grand camion avait écrasé son enfant sous ses yeux.

Koumalo remuait toutes ces pensées dans sa tête, et une autre qui s'accompagnait d'une grande peur, d'autant plus grande qu'on l'exprimait plus rarement : Où était leur fils ? Pourquoi n'écrivait-il pas ?

Un dernier coup de sifflet et le train approcha enfin. Le pasteur se tourna vers son compagnon.

– Mon ami, je vous remercie de votre aide.

– Umfundisi, je suis heureux d'avoir pu vous aider. Vous n'y seriez pas arrivé tout seul. Ce sac est lourd.

Le train s'approche, il sera bientôt en gare.

– Umfundisi.

– Mon ami.

– Umfundisi. J'ai un service à vous demander.

– Demandez-le.

– Vous connaissez Sibéko ?

– Oui.

– Eh bien, la fille de Sibéko travaillait ici chez l'homme blanc Smith à Ixopo. Et quand la fille de Smith s'est mariée elle est partie pour Johannesbourg et la fille de Sibéko est allée là-bas travailler chez elle. Voici l'adresse avec le nouveau nom de cette dame. Sibéko n'a pas reçu un seul mot de sa fille depuis dix ou douze mois. Et il vous demande de vous renseigner.

Koumalo prit le bout de papier sale et corné et le regarda.

– Springs, dit-il. J'ai entendu parler de cet endroit. Ce n'est pas à Johannesbourg, mais je crois que c'est tout près. Mon ami, voici le train. Je ferai tout mon possible.

Il mit le papier dans son portefeuille, et ils regardèrent arriver le train. Comme tous les trains de campagne en Afrique du Sud, il transportait surtout des voyageurs noirs. Ce train-là, notamment, n'en contenait guère d'autres, car dans cette province les Européens ont tous leur voiture et ne voyagent presque plus par chemin de fer.

Koumalo monta dans le wagon pour non-Européens, déjà rempli des plus humbles gens de sa race, certains vêtus d'étranges accoutrements plus ou moins européens, certains avec des couvertures par-dessus leur étrange accoutrement, certains, ou plutôt certaines, car les hommes ne voyagent plus en costume primitif, avec des couvertures par-dessus la demi-nudité de leurs robes indigènes.

La journée était chaude et l'odeur forte dans le wagon. Mais Koumalo était un humble et y prêtait peu d'attention. L'on remarqua son col ecclésiastique et l'on se leva pour faire place à l'umfundisi. Il regarda autour de lui, espérant trouver là quelqu'un à qui parler mais personne ne lui parut appartenir à sa classe. Il se tourna vers la portière pour dire adieu à son ami.

– Pourquoi Sibéko n'est-il pas venu me voir lui-même ? demanda-t-il.

– Il a eu peur, umfundisi. Il n'est pas de notre Église.

– N'est-il pas de notre peuple ? Est-ce qu'un homme en difficulté ne peut aller que vers ceux de son Église ?

– Je lui dirai, umfundisi.

Koumalo élevait légèrement la voix comme un enfant, ou même une grande personne, qui veut se faire entendre du public.

– Dites-lui que lorsque je serai à Johannesbourg j'irai à cet endroit de Springs. – Il tapota la poche où se trouvait le papier, en sûreté dans son portefeuille. – Dites-lui que je me renseignerai sur cette jeune fille. Mais dites-lui que je serai très occupé. J'ai beaucoup de choses à faire à Johannesbourg.

Il se détourna de la fenêtre.

– C'est toujours pareil, fit-il comme pour lui-même, mais en réalité à l'intention des autres voyageurs.

– Je vous remercie pour lui, umfundisi.

Le train siffla et eut une secousse. Koumalo perdit presque l'équilibre. Il décida qu'il serait plus sûr et plus digne de se rasseoir.

– Restez bien, mon ami.

– Allez bien, umfundisi.

Il gagna sa place, et les gens regardèrent avec intérêt et respect l'homme qui allait si souvent à Johannesbourg. Le train prit son élan pour grimper au flanc des collines, surplomber des vallées abruptes, traverser les broussailles et les fleurs, pénétrer dans la pénombre des plantations d'acacias, passer Staiton, descendre sur Ixopo.

Le voyage avait commencé. Et la peur à présent revenait, la peur de l'inconnu, la peur de la grande ville où les petits garçons se faisaient écraser en traversant la rue, la peur de la maladie de Gertrude et, plus profondément enfouie en lui, la peur pour son fils. Profondément enfouie en lui, la peur d'un homme qui vit dans un monde qui n'est pas fait pour lui et voit son propre univers lui échapper, mourir, disparaître sans retour.

Voici déjà que faiblissent les genoux de l'homme qui, il n'y a qu'un instant, étalait sa petite vanité, débitait son petit mensonge, devant ces gens pleins de respect.

Koumalo sort humblement de sa poche son livre sacré et se met à lire. Là, est le seul univers où l'on trouve une certitude.

IV

D'Ixopo, le train-joujou grimpe parmi d'autres collines, les collines vertes et vallonnées de Lufafa, Eastwold, Donnybrook. De Donnybrook, un train à voie plus large descend vers la grande vallée de l'Umkomaos. C'est ici que vivent les tribus, et le sol y est malade et presque incurable. Le train remonte de l'autre côté de la vallée, traverse Hemuhemu dans la direction d'Elandspop. Il suit la longue vallée de l'Umsindusi, passe par Edensdale et les taudis noirs de Pietermaritzbourg, la jolie ville. Là, on descend et l'on prend un train plus grand encore, le train pour Johannesbourg. Voici encore un miracle comme en font les hommes blancs : un train qui n'a pas de locomotive, rien qu'une espèce de cage de fer sur la tête recevant l'énergie de cordes de fer tendues au-dessus de lui.

Il monte jusqu'à Hilton et jusqu'à la Rivière du Lion, jusqu'à Balgowan, Rosetta et jusqu'au fleuve Mooi, à travers des collines plus jolies qu'on ne pourrait dire ou chanter. Il gronde dans la nuit en roulant sur les champs de bataille d'autrefois, gravit le Drakensberg, redescend dans la plaine.

On se réveille dans le compartiment cahotant et vibrant, à la pâle lumière d'avant l'aube. Il y a de nouveau une locomotive qui fume et il n'y a plus de cordes au-dessus de la voie. Voici une nouvelle contrée, une étrange contrée qui s'étend aussi loin que porte le regard. Les noms sont différents ici, difficiles pour un Zoulou qui a appris l'anglais. Ces noms appartiennent au langage qu'on appelle african [1], langage qu'il n'a jamais entendu parler.

– Les mines ! crie-t-on, les mines ! Car beaucoup de ces voyageurs viennent ici travailler dans les mines.

Sont-ce les mines, ces lointains coteaux, blancs et aplatis ? Il peut le demander sans honte, car il n'y a plus personne ici de ceux qui l'entendirent hier.

– C'est le roc qu'on a sorti des mines, umfundisi. L'or en a été extrait.

– Comment sort-on le roc ?

– On descend et on creuse, umfundisi. Et quand le roc est trop dur pour qu'on puisse creuser, on s'en va, et les hommes blancs le font sauter avec des bâtons de feu. Alors on revient et on le ramasse, on le charge sur des chariots et il monte dans une cage, le long d'une cheminée plus haute que je ne peux vous dire.

– Comment est-ce qu'il monte ?

– Il y a une grande roue qui tourne. Attendez et je vous en montrerai une.

Il se tait et son cœur bat un peu plus vite, d'excitation et de peur.

– Voici la roue, umfundisi. Voici la roue.

Un grand échafaudage d'acier s'élève dans le ciel, surmonté d'une grande roue qui tourne si vite qu'on ne voit pas ses rayons. Alentour, de grands bâtiments, des tuyaux d'où sort de la fumée, des hommes

---

1. African : la langue parlée par les Africanders, version très simplifiée et très belle du hollandais, bien qu'elle soit tenue en mépris par certains Sud-Africains de langue anglaise et même par certains Hollandais. L'african et l'anglais sont les deux langues officielles de l'Union Sud-Africaine.

affairés. Un grand coteau blanc et une interminable file de chariots en train de le gravir. En bas, des autos, des camions, des autobus dans une grande confusion.

– C'est Johannesbourg ? demande-t-il.

Mais les voyageurs rient avec assurance. Certains d'entre eux sont de vieux habitués.

– Ce n'est rien, disent-ils. A Johannesbourg, il y a des maisons hautes, hautes comme... Mais ils ne savent dire comme quoi.

– Mon frère, dit un voyageur à un autre, tu connais la colline toute droite derrière l'enclos de mon père ? Hautes comme ça.

L'autre hoche la tête, mais Koumalo ne connaît pas cette colline ni cet enclos.

A présent, les bâtiments se suivent sans interruption, les bâtiments et les coteaux blancs et les grandes roues et les rues innombrables, et les autos, les camions et les autobus.

– C'est sûrement Johannesbourg, dit-il.

Mais ils rient encore. Ils commencent à être un peu fatigués. Ici, ce n'est rien, disent-ils.

Des rails, des rails à l'infini. A gauche, à droite, bien plus qu'il ne peut compter. Un train les croise à toute vitesse avec un soudain fracas qui le fait sursauter. Et, de l'autre côté, un autre va les rattraper puis ralentit et reste en arrière. Des gares, des gares... Il n'aurait jamais pu imaginer qu'il y en avait tant. Des centaines de gens y attendent ; mais le train file et les laisse déçus.

Les maisons sont de plus en plus hautes, les rues de plus en plus nombreuses. Comment trouve-t-on son chemin dans un pareil dédale ? C'est le crépuscule et les lumières s'allument dans les rues.

L'un des hommes lui désigne quelque chose.

– Johannesbourg, umfundisi.

Il voit de grands bâtiments très hauts, avec des

lumières vertes et rouges presque aussi hautes qu'eux. Elles s'allument et s'éteignent. De l'eau sort d'une gigantesque bouteille lumineuse jusqu'à ce que le verre soit rempli. Alors les lumières s'éteignent, et lorsqu'elles se rallument, voyez, la bouteille est pleine et redressée et le verre vide. Et voici que la bouteille s'incline de nouveau. Noir et blanc, dit l'inscription, noir et blanc, bien que ce soit rouge et vert. C'est incompréhensible.

Il se tait, il a mal à la tête, il a peur. Voici qu'on entre en gare, un endroit immense avec des quantités de passages souterrains. Le train s'arrête sous un grand toit, et il y a là des milliers de gens. Des escaliers s'enfoncent sous les quais, et voici le passage souterrain. Des noirs, des blancs, certains venant, certains s'éloignant, si nombreux que le passage est plein. Il marche avec précaution pour ne cogner personne, et tient son sac bien serré. Il débouche dans une vaste salle. Le flot humain monte un escalier et le voici dehors dans la rue. Le bruit est étourdissant. Les voitures se pressent les unes derrière les autres, plus nombreuses qu'il n'aurait jamais imaginé. Le flot humain traverse la rue, mais il se rappelle le fils de Mpanza et il n'ose pas le suivre. Les lumières changent du vert au rouge puis redeviennent vertes. Il a entendu parler de cela. Quand elles sont vertes, on peut traverser. Mais comme il va s'y décider, un grand autobus passe devant lui. Il doit y avoir un règlement qu'il ne comprend pas et il remonte sur le trottoir. Il va s'adosser à un mur, faire semblant d'attendre quelqu'un. Son cœur bat comme celui d'un enfant, il n'y a rien à faire pour le calmer. *Tixo*, protège-moi, dit-il tout bas. *Tixo*, protège-moi.

*

Un jeune homme vint à lui et lui parla dans une langue qu'il ne comprenait pas.

– Je ne comprends pas, dit-il.

– Vous êtes donc un Xosa, umfundisi ?

– Un Zoulou, dit-il.

– Où voulez-vous aller, umfundisi ?

– A Sophiatown, jeune homme.

– Alors venez avec moi et je vous conduirai.

Il se sentit reconnaissant de cette gentillesse, mais pas tout à fait rassuré et se félicita que le jeune homme ne lui offrît pas de porter son sac. L'inconnu parlait courtoisement d'ailleurs, bien que dans un zoulou un peu singulier.

Les lumières devinrent vertes et son guide descendit du trottoir. Une voiture allait de nouveau passer, mais le jeune homme continua d'avancer et elle s'arrêta. Cela donnait confiance.

Il ne pouvait comprendre tous les détours qu'ils firent au pied des hauts bâtiments, et la fatigue de son bras tiré par le poids du sac devenait presque intolérable lorsqu'ils arrivèrent enfin à un endroit où se trouvaient de nombreux autobus.

– Il vous faut faire la queue, umfundisi. Vous avez de l'argent pour prendre votre billet ?

Avec empressement, afin de bien montrer à ce jeune homme qu'il appréciait son amabilité, il posa son sac et ouvrit sa bourse. Il n'osait pas demander combien coûtait le transport et il sortit une livre.

– Voulez-vous que j'aille vous prendre votre billet, umfundisi ? Comme ça vous ne perdrez pas votre place dans la queue pendant que je serai au guichet.

– Merci, dit-il.

Le jeune homme prit la livre et s'éloigna. Comme il disparaissait au coin d'un bâtiment, Koumalo eut un peu peur. La queue avançait, et lui avec elle, serrant son sac. En avant, et encore en avant, et il lui faudrait bientôt monter dans un autobus mais il n'avait toujours pas de billet. Comme s'il se rappelait soudain quelque chose, il quitta la queue et gagna le coin du bâtiment où avait disparu le jeune homme. Il ne put le découvrir. Il rassembla tout son courage pour parler à quelqu'un et s'approcha d'un homme âgé, convenablement et proprement vêtu.

– Où est le guichet des billets, mon ami ?

– Quel guichet des billets, umfundisi ?

– Pour les billets d'autobus.

– On prend son billet dans l'autobus. Il n'y a pas de guichet.

L'homme paraissait honnête, et le pasteur lui parla humblement.

– J'ai donné une livre à un jeune homme, expliqua-t-il, et il m'a dit qu'il allait prendre mon billet au guichet.

– Vous vous êtes fait voler, umfundisi. Est-ce que vous voyez ce jeune homme ? Non, et vous ne le reverrez jamais. Allons, venez avec moi. Où allez-vous, à Sophiatown ?

– Oui, à Sophiatown. A la Mission.

– Ah ? Moi aussi, je suis anglican. J'attendais quelqu'un, mais je n'ai pas envie d'attendre plus longtemps. Je vais vous accompagner. Connaissez-vous le Révérend Msimangu ?

– Mais oui, j'ai une lettre de lui.

Ils reprirent place dans la queue et, quelques instants plus tard, s'installaient dans l'autobus. Celui-ci s'engagea bientôt dans l'encombrement des rues. Le chauffeur fumait avec insouciance et il était impossible de ne pas admirer son courage. Rue après rue, lumière après lumière, comme si cela ne devait jamais finir, parfois à une allure telle que l'autobus tanguait et que le moteur ronflait à vos oreilles.

Ils descendirent dans une petite rue, mais où circulaient quand même des milliers de gens. Ils marchèrent longtemps par des voies bondées. Son nouvel ami l'aida à porter son sac, mais il avait confiance en lui. Enfin, ils s'arrêtèrent devant une maison éclairée et frappèrent à la porte.

Un grand jeune homme en vêtement ecclésiastique leur ouvrit.

– Monsieur Msimangu, je vous amène un ami, le Révérend Koumalo de Ndotshéni.

– Entrez, entrez, mes amis. Monsieur Koumalo, je suis heureux de vous saluer. Est-ce la première fois que vous venez à Johannesbourg ?

Koumalo ne pouvait plus se vanter. Il venait d'être guidé avec bonté et accueilli avec chaleur. Il parla humblement.

– Je suis très confus, dit-il. Je dois beaucoup à notre ami.

– Vous êtes tombé en de bonnes mains. M. Mafolo est un de nos gros commerçants et un bon fils de l'Église.

– Mais il avait déjà été volé quand je l'ai rencontré, dit le commerçant.

Il fallut donc raconter l'histoire et Koumalo reçut beaucoup de marques de sympathie et de bons conseils.

– Mais vous devez avoir faim, Monsieur Koumalo. Monsieur Mafolo, voulez-vous rester souper ?

Mais M. Mafolo devait s'en aller. La porte se referma sur lui et Koumalo s'assit dans un grand fauteuil et accepta une cigarette, bien qu'il n'eût pas l'habitude de fumer. La pièce était claire et la grande ville ahurissante reculait derrière les murs. Il tirait sur sa cigarette comme un enfant et se sentait plein de gratitude. Le long voyage jusqu'à Johannesbourg était terminé et ce jeune pasteur à l'air ouvert lui plaisait. En temps voulu, sans doute, ils parleraient de la raison qui lui avait fait entreprendre ce long trajet heureusement à son terme. Il lui suffisait pour l'instant de se sentir en confiance et en sécurité.

V

– Je vous ai retenu une chambre, mon ami, dans la maison d'une vieille femme, Mme Lithébé, une de nos bonnes paroissiennes. C'est une Mosoutou mais elle parle bien zoulou. Elle sera très honorée de recevoir un prêtre dans sa maison. Ce n'est pas cher, trois shillings par semaine seulement, et vous pourrez prendre vos repas ici avec les gens de la Mission. Ah ! voici la cloche. Voulez-vous vous laver les mains ?

Ils se lavèrent les mains dans un lavabo très moderne, tout blanc. Il y avait de l'eau chaude et froide et des serviettes usées, mais très blanches. Les cabinets étaient également très modernes. Quand on avait fini, on pressait un petit bouton et l'eau se précipitait comme si l'on venait de casser quelque chose. Cela aurait été un peu effrayant, si l'on n'avait jamais entendu parler de choses pareilles.

Ils entrèrent dans une pièce où la table était mise et Koumalo fut présenté à de nombreux prêtres, blancs et noirs. Tous s'assirent après avoir dit les grâces et l'on commença à manger. Il était un peu perplexe devant la grande variété d'assiettes, de couteaux et de fourchettes, mais il regarda faire les autres et fit comme eux.

Il était assis à côté d'un jeune prêtre anglais aux joues roses qui lui demanda d'où il venait, et comment c'était chez lui. Et un autre prêtre noir de s'écrier :

35

– Moi aussi, je suis d'Ixopo. Mon père et ma mère y habitent encore, dans la vallée de Lufafa. Comment ça va là-bas ?

Et il leur parla de ces régions, des grandes collines et des vallées de cette lointaine province. Et il devait y avoir de l'amour dans sa voix, car tous se turent pour l'écouter. Il leur parla aussi de la maladie du sol et de la façon dont l'herbe avait disparu, et du lit des rivières à sec ; il leur dit que c'était un pays de vieillards, de femmes et d'enfants, où le maïs ne montait pas plus haut que la taille d'un homme ; il leur raconta comment la tribu était dispersée, détruite la maison, abattu l'homme, comment parmi ceux qui s'en allaient beaucoup ne revenaient jamais, beaucoup n'écrivaient même plus. Il leur dit que cela se passait ainsi, non seulement à Ndotshéni, mais dans les vallées de Lufafa, d'Imhlavni et d'Umkomaos et d'Umzikulu. Mais de Gertrude et d'Absalon, il ne dit rien.

Alors ils se mirent tous à parler de la maladie du sol et de la tribu dispersée et de la maison détruite et des jeunes hommes et des jeunes filles qui s'en allaient et oubliaient leurs coutumes et menaient une vie dissolue. Ils parlèrent d'enfants délinquants et de criminels plus âgés et plus dangereux, et ils dirent que les blancs de Johannesbourg vivaient dans la crainte des malfaiteurs noirs. L'un des convives alla chercher un journal, le *Johannesbourg Mail*, et montra à Koumalo une manchette en grosses lettres : DEUX VIEILLARDS ATTAQUÉS, BATTUS ET DÉVALISÉS DANS LEUR MAISON. ARRESTATION DE QUATRE INDIGÈNES.

– Cela arrive presque tous les jours, dit-il. Et il n'y a pas que les Européens qui ont peur. Nous aussi nous avons peur. Ici même à Sophiatown, il n'y a pas bien longtemps, une de ces bandes de garçons a attaqué une de nos jeunes filles africaines, ils lui ont pris son sac et son argent et ils l'auraient violée aussi si des gens n'étaient accourus.

– Vous apprendrez beaucoup de choses à Johannesbourg, dit le prêtre aux joues roses. La destruction ne sévit pas seulement chez vous. J'espère que nous nous reverrons. Je voudrais que vous me parliez encore de votre pays mais à présent il faut que je m'en aille.

La conversation s'interrompit donc et Msimangu emmena son visiteur dans sa propre chambre.

– Nous avons beaucoup de choses à nous dire, fit-il.

Quand Msimangu eut fermé la porte et qu'ils furent assis, Koumalo lui dit :

– Excusez mon impatience, mais je voudrais bien avoir des nouvelles de ma sœur.

– Oui, oui, dit Msimangu. C'est tout naturel. Vous devez me croire indifférent. Mais pardonnez-moi si je vous demande d'abord ce qu'elle est venue faire à Johannesbourg.

Cette question inquiéta Koumalo mais il répondit docilement qu'elle était venue à la recherche de son mari. Celui-ci avait été recruté pour le travail des mines. Mais, son temps terminé, il n'était pas rentré, il n'avait pas écrit un mot. Elle ne savait pas s'il était encore vivant. Alors, elle était partie avec son petit enfant dans l'espoir de le retrouver.

Puis, comme Msimangu ne disait rien, il demanda anxieusement :

– Elle est très malade ?

Msimangu répondit gravement :

– Oui, elle est très malade. Mais ce n'est pas de cette maladie-là, c'est une autre, pire. Je vous ai fait venir parce que cette femme est seule et que c'est la sœur d'un prêtre. Je ne sais pas si elle a jamais retrouvé son mari, mais je puis vous dire qu'elle n'a pas de mari.

Il regarda Koumalo.

– Il serait plus vrai de dire, ajouta-t-il, qu'elle a beaucoup de maris.

Koumalo dit :

– *Tixo ! Tixo !*[1]

– Elle habite à Claremont, pas loin d'ici. C'est un des pires quartiers de Johannesbourg. Après les rafles de la police, on y voit l'alcool couler le long des rues. On le sent, on ne sent rien d'autre dans tout le quartier.

Il se pencha vers Koumalo.

– Moi aussi je buvais de l'alcool, dit-il, mais c'était du bon alcool comme nos pères en faisaient. Maintenant, j'ai juré de n'en plus avaler une seule goutte. Cet alcool frelaté qu'on corse avec toutes sortes de choses auxquelles les nôtres n'ont jamais été habitués ! Eh bien, c'est cela son métier, elle fabrique de l'alcool et elle en vend. Je ne vous cacherai rien, bien que cela me fasse de la peine. Ces femmes couchent avec n'importe qui pour de l'argent. Un homme a été tué chez elle. On joue, on boit et on tue. Elle a été en prison, plus d'une fois.

Il se renversa dans son fauteuil et déplaça un livre sur la table.

– Ce sont là des nouvelles terribles pour vous, dit-il.

Koumalo hocha la tête sans répondre, et Msimangu sortit ses cigarettes.

– Prenez-en une, dit-il.

Koumalo secoua la tête.

– Je ne fume pas vraiment, dit-il.

– Cela apaise parfois de fumer. Mais il doit y avoir dans un homme une autre espèce de paix. Seulement ce n'est pas toujours facile de la trouver à Johannesbourg.

1. *Tixo :* Le Grand Esprit.

– Pourquoi : à Johannesbourg ? Partout, la paix de Dieu nous fuit.

Et ils se turent tous deux comme quand une parole vient d'être prononcée après laquelle toutes les autres paraissent futiles. Enfin, Koumalo demanda :

– Où est l'enfant ?

– L'enfant est avec elle. Mais ce n'est pas un endroit pour un enfant. Et c'est une des raisons pour lesquelles je vous ai fait venir. Peut-être, si vous ne pouvez pas sauver la mère, pourrez-vous sauver l'enfant.

– Où est cet endroit ?

– Ce n'est pas loin d'ici. Je vous y conduirai demain.

– J'ai un autre grand chagrin.

– Vous pouvez me le dire.

– Je serais heureux de vous le dire.

Mais là-dessus, il se tut, puis il essaya de parler et il n'y arrivait point, alors Msimangu lui dit :

– Prenez votre temps, mon frère.

– Ce n'est pas facile. C'est notre plus grand chagrin.

– Un fils, peut-être. Ou une fille ?

– C'est un fils.

– Je vous écoute.

– Absalon était son nom. Lui aussi est parti, à la recherche de ma sœur, mais il n'est jamais rentré et, au bout de quelque temps, il n'a plus écrit. Les lettres que nous lui avons envoyées, sa mère et moi, nous sont toutes revenues. Et maintenant, après ce que vous m'avez dit, j'ai encore plus peur.

– Nous allons tâcher de le retrouver, mon frère. Peut-être votre sœur sait-elle où il est. Vous êtes fatigué et je devrais vous conduire à la chambre que j'ai retenue pour vous.

– Oui, cela vaudra mieux.

Ils se levèrent et Koumalo dit :

– J'ai l'habitude d'aller prier à l'église Peut-être pourriez-vous me montrer où elle est.

– Elle est sur le chemin.

Koumalo dit humblement :

– Peut-être que vous voudrez bien prier pour moi.

– Je le ferai avec plaisir. Mon frère, j'ai naturellement mon travail, mais tant que vous serez ici, mes mains sont à vous.

– Vous êtes bon.

Quelque chose dans l'humble voix dut toucher Msimangu, car il dit :

– Je ne suis pas bon. Je suis un égoïste et un pécheur, mais Dieu étend ses mains sur moi, voilà tout.

Il prit le sac de Koumalo, mais avant d'avoir atteint la porte, celui-ci l'arrêta.

– Je voudrais vous dire encore une chose.

– Oui ?

– J'ai aussi un frère, ici à Johannesbourg. Lui non plus n'écrit jamais. John Koumalo, un menuisier.

Msimangu sourit.

– Je le connais, dit-il. Il n'a pas le temps d'écrire. C'est un de nos grands politiciens.

– Un politicien ? Mon frère !

– Oui, c'est un grand homme en politique.

Msimangu se tut.

– J'espère que je ne vais pas vous faire encore de la peine, reprit-il. Votre frère repousse l'Église à présent. Il dit que ce que Dieu n'a pas fait pour l'Afrique du Sud, c'est à l'homme de le faire. Voilà ce qu'il dit.

– C'est un voyage amer.

– Je le crois.

– Parfois j'ai peur... Qu'est-ce que l'évêque dira quand il le saura ? Un de ses prêtres...

– Que peut dire un évêque ? Il se passe quelque chose qu'aucun évêque ne peut arrêter. Qu'est-ce qui peut empêcher ces choses de se passer ? Il faut qu'elles continuent.

– Comment pouvez-vous dire cela ? Comment pouvez-vous dire qu'il faut que ces choses-là continuent ?

– Il faut qu'elles continuent, répéta Msimangu gravement. On ne peut pas empêcher le monde de suivre son cours. Mon ami, je suis un chrétien. Il n'est pas dans mon cœur de haïr un homme blanc. C'est un homme blanc qui a tiré mon père de l'obscurité. Mais pardonnez-moi si je vous parle franchement. La tragédie n'est pas que des choses soient brisées. La tragédie est qu'elles ne se réparent plus. L'homme blanc a brisé la tribu. Et c'est ma conviction – pardonnez-moi encore – qu'elle ne pourra être réparée. Mais la maison détruite et l'homme qui s'en va à vau-l'eau quand la maison est détruite, ça ce sont des choses tragiques. Et la conséquence de cela, c'est que des enfants défient les lois et que des vieillards blancs sont battus et dévalisés.

Il passa la main sur son front.

– L'homme blanc a trouvé utile de briser la tribu, continua-t-il gravement. Mais il n'a pas jugé utile de construire quelque chose à la place de ce qui était brisé. J'ai réfléchi là-dessus pendant bien des heures et il faut que je le dise, car c'est la vérité pour moi. Ils ne sont pas tous comme cela. Il y a des blancs qui consacrent leur vie à essayer de rebâtir ce qui est détruit.

« Mais ils ne sont pas assez nombreux, reprit-il. Ils ont peur, voilà la vérité. C'est la peur qui gouverne ce pays.

Il rit comme pour s'excuser.

– Ces choses sont trop compliquées pour les

discuter ce soir, dit-il. Ce sont des choses dont il faut parler calmement et patiemment. Il faudra que le Père Vincent vous en parle. C'est un blanc et il sait dire ce qu'il faut. C'est celui qui a des joues d'enfant, celui qui veut que vous lui parliez encore de votre pays.

– Je me le rappelle.

– Ils nous donnent trop peu, dit Msimangu d'un air sombre. Ils ne nous donnent presque rien. Venez, allons à l'église.

*

– Madame Lithébé, je vous amène mon ami, le Révérend Stephen Koumalo.

– Umfundisi, vous êtes le bienvenu. La chambre est petite mais propre.

– J'en suis sûr.

– Bonne nuit, mon frère. Vous verrai-je à l'église demain à sept heures ?

– Assurément.

– Et après cela, je vous emmènerai manger. Restez bien, mon ami. Restez bien, madame Lithébé.

– Allez bien, mon ami.

– Allez bien, umfundisi.

Elle conduisit Koumalo à la petite chambre propre et lui alluma une bougie.

– Si vous avez besoin de quelque chose, il faudra me le demander, umfundisi.

– Merci.

– Dormez bien, umfundisi.

– Dormez bien, mère.

Il resta un moment debout dans la chambre. Quarante-huit heures auparavant, lui et sa femme préparaient son sac, bien loin d'ici, à Ndotshéni.

Vingt-quatre heures auparavant, le train avec une cage sur la tête roulait dans une invisible campagne. Et maintenant, au-dehors, un bruit et un mouvement de gens innombrables et, derrière eux, à travers eux, le grondement d'une grande ville. Johannesbourg. Johannesbourg.

Cela était-il croyable ?

VI

CLAREMONT n'est pas loin. Les trois faubourgs se
suivent : Sophiatown où chacun a le droit d'être
propriétaire, Western Native Township qui appartient à la municipalité de Johannesbourg, et Claremont le champ d'épandage de la fière cité. A l'ouest
de ces faubourgs s'étend l'arrondissement européen
de Westdene.

– C'est dommage, dit Msimangu. Je ne suis pas
partisan de la séparation des races, mais c'est
dommage que nous ne soyons pas plus à l'écart. Il
y a des tramways qui partent du centre de la ville
et ils ont une classe pour les Européens et une pour
nous. Mais de jeunes brutes nous jettent souvent
hors de la voiture. Et nous avons nos brutes aussi,
toujours prêtes à la bagarre.

– Est-ce que les autorités permettent cela ?

– Non. Mais elles ne peuvent pas faire surveiller
tous les tramways. Et quand il y a une bagarre, qui
peut dire comment elle a commencé et qui croire ?
C'est dommage que nous n'ayons pas notre quartier
à nous. Regardez, vous voyez ce grand bâtiment ?

– Je le vois.

– C'est l'immeuble de la *Presse Bantou,* notre
journal. Bien sûr, il y a aussi des Européens dedans
et il est très modéré et ne dit pas tout ce qu'on
pourrait dire. Votre frère John n'a pas grande

opinion de la *Presse Bantou*. Lui et ses amis l'appellent la Ré-Press-ion Bantou.

Ils arrivèrent à Claremont et Koumalo fut frappé par sa misère et sa saleté, et par l'entassement des maisons et l'ordure des rues.

– Vous voyez cette femme, mon ami ?

– Je la vois.

– C'est une reine du commerce de l'alcool. On dit que c'est une des femmes les plus riches de notre race à Johannesbourg.

– Et ces enfants ? Pourquoi ne sont-ils pas en classe ?

– Les uns, parce que cela ne leur plaît pas, et d'autres parce que cela ne plaît pas à leurs parents, mais beaucoup parce que les écoles sont pleines.

Ils descendirent Lily Street (la rue des Lys) et tournèrent dans Hyacinth Street (la rue des Jacinthes), car les noms des rues sont très beaux dans ce quartier.

– C'est ici, frère. N° 11. Vous y allez seul ?

– Je crois que cela vaut mieux.

– Quand vous aurez fini, vous me trouverez à côté, au n° 13. Une femme qui appartient à notre Église habite là, une bonne femme qui essaie avec son mari d'élever de bons enfants. Mais c'est dur. Leur fille aînée, que j'avais préparée pour sa confirmation, s'est sauvée et vit à Pimville avec un jeune voyou des rues. Frappez là, mon ami. Vous savez où me trouver.

Il y a des rires dans la maison, le genre de rire qui fait peur, peut-être parce qu'on est déjà un peu effrayé, peut-être parce que c'est vraiment un mauvais rire. Une voix de femme et des voix d'hommes. Mais il frappe et elle ouvre.

– C'est moi, ma sœur.

N'en doute pas, c'est de la peur qu'il y a dans ses

yeux. Elle fait un pas en arrière et n'a pas un geste vers lui. Elle se retourne et dit quelque chose qu'il n'entend pas. On remue des chaises, on enlève des objets. Elle revient vers lui.

– Attends un instant, mon frère.

Ils se regardent, lui anxieux, elle effrayée. Elle se retourne encore et regarde dans la chambre. Une porte se ferme et elle dit :

– Entre, mon frère.

Alors seulement, elle lui tend la main, une main froide et sans vie.

Ils s'assoient. Elle se tait au bord de sa chaise.

– Je suis venu, dit-il.

– C'est bien.

– Tu n'as pas écrit.

– Non, je n'ai pas écrit.

– Où est ton mari ?

– Je ne l'ai pas retrouvé, mon frère.

– Mais tu n'as pas écrit.

– C'est vrai.

– Tu sais que nous étions inquiets ?

– Je n'avais pas d'argent pour écrire.

– Pas de quoi payer un timbre ?

Elle ne répond pas. Elle ne le regarde pas.

– Mais on m'a dit que tu étais riche.

– Je ne suis pas riche.

– On m'a dit que tu avais été en prison.

– C'est vrai.

– Était-ce à cause de l'alcool ?

Une lueur de vie s'allume en elle. Il faut qu'elle fasse quelque chose, elle ne peut pas se taire ainsi. Elle lui dit qu'elle n'était pas coupable. Tout était de la faute d'une autre femme.

– Tu habitais avec cette femme ?

– Oui.

– Pourquoi habitais-tu avec une femme pareille ?

– Je n'avais pas d'autre maison.

– Et tu l'aidais dans son commerce ?

– J'avais besoin d'argent pour l'enfant.

– Où est l'enfant ?

Elle regarde distraitement autour d'elle. Elle se lève et va dans la cour. Elle appelle, mais sa voix autrefois si douce a un autre ton maintenant, le ton des rires qu'il a entendus dans la maison. Sa voix la révèle à lui.

– J'ai envoyé chercher l'enfant, dit-elle.

– Où est-il ?

– On va l'amener, dit-elle.

Il y a de la gêne dans ses yeux. Elle reste debout et ses doigts tapotent le mur. La colère monte en lui.

– Où vais-je coucher ? demande-t-il.

Il voit la peur dans ses yeux, on ne peut s'y tromper. A présent, elle va s'ouvrir à lui, mais la colère le domine et il n'attend pas.

– Tu nous fais honte, dit-il à voix basse pour que les gens n'entendent pas. Une marchande d'alcool, une prostituée, tu as un enfant et tu ne sais même pas où il est. Toi, la sœur d'un prêtre. Comment as-tu pu nous faire ça ?

Elle le regarde d'un air morne comme un animal torturé.

– Je suis venu te chercher.

Elle tombe par terre et pleure, elle pleure de plus en plus haut, sans vergogne.

– On va nous entendre, dit-il d'un ton pressant.

Elle essaie d'étouffer ses sanglots.

– Tu veux rentrer chez nous ?

Elle acquiesce de la tête.

– Je n'aime pas Johannesbourg, dit-elle. Je suis malade ici. L'enfant aussi est malade.

– Du fond du cœur, tu désires rentrer ?

Elle acquiesce de nouveau. Elle sanglote aussi.

– Je n'aime pas Johannesbourg, répète-t-elle. Elle le regarde avec des yeux de détresse et il sent son cœur battre d'espoir.

– Je suis une mauvaise femme, mon frère. Je ne suis pas une femme qui peut rentrer.

Il sent ses yeux se remplir de larmes, sa profonde gentillesse renaît en lui. Il va à elle, la relève, l'assoit sur sa chaise. Il lui essuie le visage sans rien dire, rempli de pitié.

– Dieu nous pardonne, dit-il. Qui suis-je pour ne point pardonner ? Prions.

Ils s'agenouillent par terre et prient tout bas pour que les voisins n'entendent pas et elle ponctue d'*amen* ses oraisons. Quand il a fini, elle éclate en un torrent de prières, de confessions et d'implorations. Enfin réconciliés, ils s'assoient, la main dans la main.

– Et maintenant, je te demande ton aide, dit-il.

– Pour quoi, mon frère ?

– Notre enfant, as-tu de ses nouvelles ?

– J'en ai eu, frère. Il travaillait dans une grande maison à Johannesbourg et il habitait à Sophiatown. Où ? Je ne sais pas au juste. Mais je connais quelqu'un qui le saura. Le fils de notre frère John et ton fils étaient souvent ensemble. Il saura, lui.

– Je vais y aller. Et maintenant, ma sœur, il faut que je voie si Mme Lithébé a une chambre pour toi. Tu as beaucoup de choses ?

– Non, pas beaucoup. Cette table et ces chaises et un lit. Et un peu de vaisselle. C'est tout.

– Je trouverai quelqu'un qui viendra les prendre. Tu seras prête ?

– Mon frère, voici l'enfant.

Conduit par une fillette plus âgée, son petit neveu entra dans la chambre. Ses vêtements étaient sales et son nez coulait ; il mit un doigt dans sa bouche et regarda son oncle en écarquillant les yeux.

Koumalo le souleva dans ses bras, le moucha puis l'embrassa en le caressant.

– Cela vaudra mieux pour l'enfant, dit-il. Il sera dans un endroit où il y a de l'air et une école.

– Cela vaudra mieux, approuva-t-elle.

– Il faut que je m'en aille, dit-il. J'ai beaucoup à faire.

Il sortit dans la rue et des voisins curieux dévisagèrent l'umfundisi. Il retrouva son ami et lui raconta tout en lui demandant où il pourrait trouver un homme et une voiture pour transporter sa sœur, avec son enfant et ses meubles.

– Allons-y tout de suite, dit Msimangu. Je suis bien content pour vous, mon ami.

– J'ai un grand poids de moins sur le cœur, mon frère. Plaise à Dieu que mon autre démarche réussisse aussi bien.

*

IL revint la chercher dans l'après-midi avec une camionnette, au milieu d'une foule de voisins intéressés qui discutaient tout haut et très franchement de l'affaire, les uns avec approbation et d'autres avec le rire étrange des villes. Il se sentit soulagé quand la camionnette fut chargée et qu'ils partirent.

Mme Lithébé leur montra la chambre et fit manger la mère et l'enfant, tandis que Koumalo allait à la Mission. Ce soir-là, ils dirent leurs prières dans la salle à manger et Mme Lithébé et Gertrude ponctuèrent d'*amen* ses oraisons. Koumalo se sentait le cœur léger et joyeux comme un jeune garçon, plus joyeux qu'il n'avait été depuis des années. Un seul jour à Johannesbourg, et déjà la tribu se reformait, la maison se rebâtissait, l'âme était réconfortée.

VII

La robe de Gertrude, en dépit des richesses qu'elle avait pu un temps posséder, était sale et le bonnet noir en tricot crasseux qui la coiffait faisait honte à son frère. Bien que ses moyens fussent très modiques, il lui acheta une robe rouge et un chapeau blanc qu'on appelait un turban. Il acheta également une chemise, une culotte et un chandail pour le petit garçon et deux gros mouchoirs afin que sa mère pût le moucher. Il avait dans sa poche le livret du Compte Postal qui contenait les dix livres que sa femme et lui avaient économisées pour acheter un fourneau dont elle avait envie depuis longtemps. Économiser dix livres sur un traitement mensuel de huit demande beaucoup de temps et de patience, surtout pour un pasteur qui doit toujours être convenablement vêtu de noir. Ses cols ecclésiastiques étaient jaunis et effrangés, mais il faudrait attendre encore un peu pour les remplacer. Bientôt, il devrait entamer aussi les dix livres, mais les trains ne vous transportent pas pour rien et ils ne tireraient guère plus d'une livre ou deux des meubles de Gertrude. C'était curieux qu'elle n'eût rien conservé des profits de son triste métier qu'on disait si fructueux.

Gertrude aidait Mme Lithébé au ménage et il l'entendait chanter de temps en temps. Le petit garçon jouait dans la cour avec des débris de bois et de briques qu'un maçon y avait laissés. Le soleil brillait et, même dans cette grande cité, il y avait des oiseaux, de petits moineaux qui pépiaient et voletaient à travers la cour.

Il aperçut Msimangu qui montait la rue. Il repoussa la lettre qu'il était en train d'écrire à sa femme pour lui raconter le voyage, le train et la grande ville de Johannesbourg et le jeune homme qui lui avait volé une livre et la façon dont il avait si rapidement retrouvé Gertrude et le plaisir que lui donnait le petit garçon et, surtout, que, le jour même, il allait se mettre à la recherche de leur fils.

– Vous êtes prêt, mon ami ?

– Oui, je suis prêt. J'écrivais à ma femme.

– Bien que je ne la connaisse pas, faites-lui mes amitiés.

Ils montèrent la rue, en descendirent une autre, s'engagèrent dans une troisième. C'était vrai ce qu'on disait : l'on aurait pu suivre ces rues l'une après l'autre jusqu'à la fin de ses jours et ne jamais repasser deux fois par la même.

– Voici le magasin de votre frère. Vous voyez son nom.

– Oui, je le vois.

– Voulez-vous que j'entre avec vous ?

– Oui, je crois que ce serait bien.

Son frère John était assis sur une chaise et parlait avec deux autres hommes. Il avait engraissé et tenait ses deux mains sur ses genoux comme un chef. Il ne reconnut pas son frère, car la lumière de la rue était derrière les visiteurs.

– Bonjour, mon frère.

– Bonjour, monsieur.

– Bonjour, mon propre frère, fils de notre mère.

John Koumalo le regarda et se leva avec un grand sourire cordial !

– Mon propre frère ! Eh bien, eh bien, qui l'aurait cru ? Qu'est-ce que tu fais à Johannesbourg ?

Koumalo regarda les deux étrangers.

– Je suis venu pour affaires, dit-il.

– Je suis sûr que mes amis nous excuseront. Mon propre frère, le fils de notre mère, vient d'arriver.

Les deux hommes s'en allèrent et tout le monde dit :

– Restez bien et allez bien.

– Tu connais le Révérend Msimangu, mon frère ?

– Voyons, mais tout le monde le connaît ! Tout le monde connaît le Révérend Msimangu. Asseyez-vous, mes amis. Nous allons prendre le thé.

Il s'approcha d'une porte et dit quelque chose dans l'arrière-boutique.

– Ta femme Esther va bien, mon frère ?

John Koumalo sourit de son sourire joyeux et avisé.

– Voilà dix ans que ma femme Esther m'a quitté, mon frère, dit-il.

– Et tu es remarié ?

– Oh ! pas ce que l'Église appelle marié, tu comprends. Mais c'est une bonne femme.

– Tu n'as rien écrit de tout cela, frère.

– Non, comment aurais-je pu écrire ? Vous autres à Ndotshéni vous ne comprenez pas les façons de vivre de Johannesbourg. J'ai pensé qu'il valait mieux ne pas écrire.

– C'est pour ça que tu as cessé.

– Mais oui, peut-être bien. A quoi bon vous causer des soucis, frère.

– Mais je ne comprends pas. Pourquoi les façons de vivre sont-elles différentes à Johannesbourg ?

– Bah ! c'est assez difficile à dire. Ça t'ennuierait si je parlais anglais ? Je peux mieux expliquer ces choses-là en anglais.

– Alors, parle anglais, frère.

– Vois-tu, j'ai acquis de l'expérience à Johannesbourg. Ce n'est pas comme à Ndotshéni. Il faut vivre ici pour le comprendre.

Il regarda son frère et poursuivit :

– Quelque chose de nouveau est en train de se passer ici, dit-il.

Il ne s'assit pas, et se mit à parler sur un ton particulier. Il marchait de long en large, regardait à travers la fenêtre vers la rue, puis au plafond ou vers les coins de la pièce comme si quelque chose s'y cachait qu'il fallait faire sortir.

– Là-bas à Ndotshéni, je ne suis rien, comme tu n'es rien, mon frère. Je suis le sujet du chef qui est un ignorant. Je dois le saluer et me courber devant lui, mais c'est un homme sans instruction. Ici à Johannesbourg, je suis un homme de quelque importance et de quelque influence. J'ai mon affaire à moi et quand ça marche bien je peux gagner dix, douze livres par semaine.

Il se mit à se balancer d'avant en arrière, il ne leur parlait pas, il parlait à des gens qui n'étaient pas là.

– Je ne dis pas que nous soyons libres ici. Je ne dis pas que nous soyons libres comme des hommes devraient l'être. Mais, au moins, je suis libéré du chef. Du moins, je suis libéré d'un vieil ignorant qui n'est rien que le chien des blancs. C'est un instrument, un instrument qui sert à maintenir quelque chose que les blancs désirent maintenir.

Il sourit de son sourire avisé et malin et, pendant un moment, s'adressa à ses visiteurs.

– Mais on ne peut le maintenir. Cela tombe en morceaux. Je veux parler de votre société basée sur la tribu. Ici à Johannesbourg, on construit une nouvelle société. Quelque chose est en train de se passer ici, mon frère.

Il se tut un instant, puis il dit :

– Je ne voudrais point vous offenser, messieurs, mais l'Église elle aussi ressemble au chef. Vous devez faire ceci et cela. Vous n'êtes pas libre de tenter une expérience. Un homme doit être fidèle et docile et obéissant et il doit obéir aux lois, quelles qu'elles soient. C'est vrai que l'Église parle avec une belle voix et que l'évêque proteste quelquefois contre les lois. Mais voilà cinquante ans qu'il fait ça et les choses vont de mal en pis.

Sa voix s'élevait et il recommençait à haranguer des gens qui n'étaient pas là.

– Ici, à Johannesbourg, dit-il, ce sont les mines, tout vient des mines. Ces grands bâtiments, ce merveilleux hôtel de ville, ce beau quartier de Parktown avec ses belles maisons, tout cela a été bâti avec l'or des mines. Ce magnifique hôpital pour les Européens, le plus grand hôpital au sud de l'Équateur, il a été bâti avec l'or des mines.

Sa voix changeait, devenait sonore comme celle d'un taureau ou d'un lion.

– Mais allez voir notre hôpital, dit-il, allez voir nos malades couchés par terre. Ils sont si serrés qu'on ne peut pas les enjamber. Et ce sont eux qui déterrent l'or. Pour trois shillings par jour. Nous venons du Transkei et du Basoutoland et du Bechuanaland et du Swaziland et du pays des Zoulous. Et même de Ndotshéni. Nous vivons dans des camps, nous devons abandonner nos femmes et nos enfants. Et si l'on trouve de l'or, ce n'est pas nous qui serons payés davantage pour notre peine. Ce sont les actions des blancs qui monteront et vous pourrez le lire dans les journaux. Ils deviennent fous quand on découvre de l'or nouveau. Ils nous amènent en plus grand nombre vivre dans des camps pour creuser le sol à trois shillings par jour.

Ils ne se disent pas : Voici la possibilité de payer mieux nos travailleurs. Ils se disent seulement : Voici la possibilité de construire une plus grande maison et d'acheter une plus grosse voiture. Il est important de trouver de l'or, disent-ils, car toute l'Afrique du Sud est bâtie sur les mines.

Il grommela et sa voix devint puissante comme un lointain tonnerre.

– Mais elle n'est pas bâtie sur les mines, dit-il, elle est bâtie sur notre dos, de notre sueur, de notre travail. Chaque usine, chaque théâtre, chaque belle maison est construite par nous. Mais qu'est-ce qu'un chef sait de tout cela ? Nous, à Johannesbourg, nous le savons.

Il se tut. Ses visiteurs gardaient le silence, car il venait de parler sur un ton sans réplique. Et Stephen Koumalo le regardait et voyait un frère tout nouveau.

John Koumalo s'adressa à lui.

– L'évêque dit que c'est mal, fit-il, mais il vit dans une grande maison et ses prêtres blancs sont payés cinq ou six fois plus que toi, mon frère.

Il s'assit et s'essuya le visage avec un grand mouchoir rouge.

– Voilà mon expérience, dit-il. Voilà pourquoi je ne vais plus à l'église.

– Et voilà pourquoi tu n'as plus écrit ?

– Mais oui, c'était peut-être bien à cause de ça.

– De ça et de ta femme Esther ?

– Oui, oui, les deux peut-être. Ce sont des choses difficiles à expliquer dans une lettre. Nos coutumes sont différentes ici.

Et Msimangu demanda :

– Y a-t-il des coutumes ici ?

John Koumalo le regarda.

– Il y a quelque chose de nouveau qui grandit ici,

dit-il. Quelque chose de plus fort que n'importe quelle Église ou quel chef. Vous le verrez un jour.

– Et ta femme ? Pourquoi est-elle partie ?

– Bah ! dit John Koumalo avec son sourire avisé. Elle ne comprenait pas mon expérience.

– Vous voulez dire, fit Msimangu froidement, qu'elle tenait à la fidélité ?

John le regarda d'un air soupçonneux.

– Fidélité, répéta-t-il. Mais Msimangu vit bien qu'il ne comprenait pas.

– Peut-être devrions-nous parler zoulou, dit-il.

La colère gonflait les veines du grand cou de taureau et l'on ne sait pas quelles paroles de défi auraient été prononcées si Stephen Koumalo ne s'était hâté d'intervenir.

– Voici le thé, mon frère. C'est gentil à toi.

John Koumalo présenta à ses visiteurs la femme qui apportait le plateau, mais elle les servit humblement et se retira. Lorsqu'elle fut partie, Koumalo parla à son frère.

– Je t'ai écouté attentivement, mon frère. Beaucoup de ce que tu dis m'attriste, d'abord à cause de la façon dont tu le dis et ensuite parce que, en très grande partie, c'est vrai. Et maintenant j'ai quelque chose à te demander. Mais je dois te dire d'abord que Gertrude habite avec moi ici. Elle va rentrer à Ndotshéni.

– Eh bien, je dirai que ce n'est pas une mauvaise chose. Johannesbourg n'est pas un endroit pour une femme seule. J'ai essayé moi-même de l'en persuader, mais elle n'était pas d'accord et nous ne nous sommes plus revus.

– Et maintenant, il faut que je te demande : Où est mon fils ?

Il y a quelque chose comme de la gêne dans les yeux de John. Il joue avec son mouchoir.

– Eh bien, on t'a sûrement dit qu'il était lié avec mon fils.

– On me l'a dit.

– Bah ! tu sais ce que sont ces jeunes gens. Je ne les blâme pas entièrement. Vois-tu, mon fils ne s'entendait pas très bien avec sa seconde mère. Je n'ai jamais pu savoir pourquoi. Ni avec les enfants de sa seconde mère. Plus d'une fois, j'ai essayé d'arranger les choses mais je n'y ai pas réussi. Alors, il a dit qu'il voulait s'en aller. Il avait un bon métier et je ne l'ai pas retenu. Et ton fils est parti avec lui.

– Où cela, mon frère ?

– Je ne sais pas exactement. Mais j'ai entendu dire qu'ils avaient pris une chambre à Alexandra. Attends, attends. Ils travaillaient tous les deux en usine, je me rappelle. Attends que je regarde dans l'annuaire du téléphone.

Il s'approcha d'une table et Koumalo vit qu'elle supportait un appareil téléphonique. Il éprouva un peu de fierté à se voir le frère d'un homme qui possédait un tel objet.

– Là, voilà. Société des Textiles de Doornfontein, 14, Kranse Street. Je vais t'inscrire cela, mon frère.

– Est-ce qu'on ne pourrait pas leur téléphoner ? demanda Koumalo hésitant.

Son frère se mit à rire.

– Pour quoi faire ? répondit-il. Pour leur demander si Absalon Koumalo travaille là-bas ? Ou pour leur demander de l'appeler au téléphone ? Ou pour leur demander son adresse ? Ils ne font pas ce genre de choses pour un noir, mon frère.

– N'importe, dit Msimangu. Mes mains sont à vous, mon ami.

Ils firent leurs adieux et sortirent.

– Là, vous avez l'adresse.

– Oui, nous l'avons.

– C'est un grand homme dans le quartier, votre frère. Son magasin est toujours plein de gens qui parlent comme vous l'avez entendu parler. Mais on dit que c'est aux réunions publiques qu'il faut le voir, lui et Dubula et un métis nommé Tomlinson. On dit qu'il parle comme un taureau, qu'il rugit comme un lion et qu'il pourrait rendre les gens fous s'il voulait. Mais on dit aussi qu'il n'a pas assez de courage pour cela, car il se ferait sûrement mettre en prison. Et je vais vous dire une chose, conclut Msimangu. Beaucoup de ce qu'il dit est vrai.

Il s'arrêta au milieu du trottoir et parla avec beaucoup de calme et de sérieux à son compagnon.

– Parce que les blancs ont le pouvoir, nous aussi nous voulons le pouvoir, dit-il. Mais quand un noir atteint au pouvoir, quand il a de l'argent, c'est un grand homme à condition qu'il ne soit pas corrompu. J'ai vu trop souvent cela. Il recherche le pouvoir et l'argent pour faire justice et réparer les torts, mais quand il les a, il profite tout simplement de son pouvoir et de son argent. Maintenant, il peut se donner du plaisir, maintenant il peut se procurer l'alcool des blancs, il peut parler à des milliers de gens et les entendre l'applaudir. Il y en a parmi les nôtres qui pensent que si nous avions le pouvoir nous nous vengerions des blancs, mais notre pouvoir se corrompt et est sans force. C'est une chose que la plupart des blancs ignorent et ils ont peur de nous voir atteindre au pouvoir.

Il s'arrêta comme pour réfléchir à ce qu'il venait de dire.

– Oui, c'est vrai, le pouvoir corrompu est sans force. Il n'y a qu'une chose qui soit d'un pouvoir absolu et c'est l'amour. Parce que, lorsqu'un homme aime, il ne cherche pas le pouvoir, et, par conséquent, il l'a. Je ne vois qu'un espoir pour notre pays et il sera réalisé quand les hommes blancs et les hommes noirs, n'aspirant ni au pouvoir ni à l'argent, désirant seulement le bien de leur pays, s'uniront pour y travailler.

Il se tut, songeur, puis reprit d'un air sombre :

– Je ne redoute qu'une chose dans mon cœur, c'est que le jour où ils se mettront à aimer ils s'aperçoivent que nous nous sommes mis à haïr.

« Mais ce n'est pas comme ça que nous arriverons à Doornfontein, fit-il enfin. Venez, dépêchons-nous.

Et Koumalo le suivit en silence, oppressé par ces graves et sombres paroles.

*

LEUR démarche à Doornfontein fut vaine malgré l'obligeance des hommes blancs qui les reçurent. Msimangu savait comment s'y prendre avec les hommes blancs et ceux-ci se donnèrent beaucoup de mal pour découvrir qu'Absalon Koumalo les avait quittés près d'un an auparavant. L'un d'eux se rappelait qu'Absalon était lié avec un de leurs ouvriers, Dhlamini, et ils le firent appeler. Celui-ci leur dit qu'aux dernières nouvelles qu'il en avait eues, Absalon habitait chez une madame Ndlela, à End Street, la rue qui sépare Sophiatown du faubourg européen de Westdene. Il n'en était pas sûr, mais croyait bien que le numéro de la maison était 105.

Ils revinrent donc à Sophiatown et trouvèrent en effet Mme Ndlela, 105, End Street. Elle les reçut avec une calme bonté tandis que ses enfants se cachaient derrière ses jupes en épiant les visiteurs. Absalon n'habitait plus là, leur dit-elle. Mais attendez, il lui avait écrit pour lui réclamer des objets qu'il avait laissés chez elle, et, tandis que Koumalo jouait avec ses enfants et que Msimangu parlait avec son mari, elle sortit une grande boîte remplie de papiers et d'autres objets et se mit à y fouiller. Tandis qu'elle cherchait la lettre d'Absalon, Msimangu qui observait son visage bon et fatigué, la vit s'interrompre un instant et regarder Koumalo avec un mélange de curiosité et de pitié. Elle finit par retrouver la lettre et leur montra l'adresse : aux bons soins de Mme Mkizé, 79, 23e Avenue, Alexandra.

Ensuite, il leur fallut accepter une tasse de thé, et la nuit était tombée lorsqu'ils se levèrent pour partir. Le mari accompagna Koumalo jusque dans la rue.

– Pourquoi avez-vous regardé mon ami avec pitié ? demanda à la femme Msimangu qui était demeuré en arrière.

Elle baissa les yeux puis les releva.

– C'est un umfundisi, dit-elle.

– Oui.

– Je n'aimais pas les amis de son fils. Mon mari non plus. C'est pour cela qu'il est parti d'ici.

– Je vous comprends. Avez-vous vu quelque chose de plus grave que cela ?

– Non, je n'ai rien vu. Mais je n'aimais pas ses amis.

Son visage était honnête et ouvert et elle ne baissait plus les yeux.

– Bonne nuit, mère.

– Bonne nuit, umfundisi.

Dans la rue, ils prirent congé du mari et se dirigèrent vers la Mission.

– Demain, dit Msimangu, nous irons à Alexandra.

Koumalo posa la main sur le bras de son ami.

– Ce ne sont pas des choses heureuses qui m'ont amené à Johannesbourg, dit-il, mais j'ai trouvé beaucoup de plaisir dans votre compagnie.

– Bah ! fit Msimangu, bah ! il faut nous dépêcher sinon nous arriverons en retard pour le dîner.

VIII

Le lendemain matin, après avoir pris leur petit déjeuner à la Mission, Msimangu et Koumalo se dirigèrent vers la grande route très large où roulent les autobus.

– Ici chaque autobus qui passe est le bon, dit Msimangu.

Koumalo sourit, car c'était là une plaisanterie à propos de sa peur de se tromper d'autobus.

– Tous ces autobus vont à Johannesbourg, dit Msimangu. Ici, pas de danger de se tromper.

Ils montèrent donc dans le premier autobus qui passait et qui les déposa à l'endroit où Koumalo avait perdu une livre. De là, ils marchèrent, à travers de nombreuses rues encombrées de voitures, d'autobus et de gens, jusqu'à la station des autobus en direction d'Alexandra. Mais ils s'y heurtèrent à un obstacle imprévu, car un homme s'approcha d'eux qui demanda à Msimangu :

– Vous allez à Alexandra, umfundisi ?

– Oui, mon ami.

– Nous sommes ici pour vous en empêcher, umfundisi. Non par la force, vous voyez – il fit un geste de la main – la police est là pour s'y opposer. Mais par la persuasion. En prenant cet autobus, vous travaillez contre la cause des noirs. Nous avons décidé de ne pas prendre ces aubobus tant que le prix du transport n'aura pas été rétabli à quatre pence.

– En effet, j'ai entendu parler de cela.

Il se tourna vers Koumalo.

– J'ai été très sot, mon ami. J'avais oublié qu'il n'y avait pas d'autobus, ou du moins qu'on boycotte les autobus.

– Notre affaire est très importante, remarqua humblement Koumalo.

– Ce boycottage aussi est important, répondit poliment l'homme. Ils veulent nous faire payer six pence, c'est-à-dire un shilling par jour, six shillings par semaine, quand certains d'entre nous en gagnent à peine trente-cinq ou quarante.

– Est-ce loin à pied ? demanda Koumalo.

– C'est loin, umfundisi, dix-sept kilomètres.

– C'est beaucoup pour un vieil homme.

– Des hommes aussi âgés que vous le font chaque jour, umfundisi. Et des femmes, et des malades, et des infirmes, et des enfants. Ils se mettent en route à quatre heures du matin et ils ne rentrent pas avant huit heures du soir. Ils avalent un morceau et leurs yeux sont à peine fermés sur l'oreiller qu'il faut qu'ils se lèvent de nouveau pour se mettre en route, parfois avec rien d'autre dans le ventre qu'un peu d'eau chaude. Je ne peux pas vous empêcher de prendre un autobus, umfundisi, mais c'est là une cause qui mérite qu'on lutte pour elle. Si nous cédons, alors les autres devront payer davantage aussi à Sophiatown, à Claremont, à Kliptown, à Pimville.

– Je vous comprends bien. Nous ne prendrons pas l'autobus.

L'homme les remercia et s'approcha d'un nouvel arrivant.

– Cet homme parle d'or, dit Koumalo.

– C'est le fameux Dubula, dit Msimangu à

voix basse, un ami de votre frère John. On dit – excusez-moi, mon ami – que Tomlinson a de la cervelle et votre frère de la voix, mais que cet homme-là a du cœur. C'est lui que le gouvernement redoute le plus, parce que lui n'a peur de rien. Il ne brigue rien pour lui-même. On dit qu'il a abandonné son propre travail pour assumer cette garde aux autobus et sa femme fait la même chose à la station d'Alexandra.

– Voilà de quoi être fier. Johannesbourg est un endroit surprenant.

– Ils appartenaient à notre Église, dit Msimangu avec regret, mais ils l'ont quittée. Ils disent comme votre frère, que l'Église parle bien mais n'agit point. Et maintenant, mon ami, qu'est-ce qu'on fait ?

– Je suis prêt à faire le trajet à pied.

– Dix-sept kilomètres aller et dix-sept kilomètres retour. C'est un long voyage.

– J'y suis prêt. Vous comprenez mon impatience, mon ami. Ce Johannesbourg, ce n'est pas un endroit pour un jeune garçon tout seul.

– Bon. Allons-y.

Ils marchèrent pendant plusieurs kilomètres à travers la ville européenne, montant Twist Street jusqu'à Clarendon Circle et descendant Louis Botha jusqu'à l'Orangeraie. Les autos et les camions roulaient dans les deux sens en files ininterrompues. Ils marchaient depuis très longtemps déjà lorsqu'une voiture s'arrêta près d'eux et un homme blanc leur adressa la parole.

– Où allez-vous comme ça ? demanda-t-il.

– A Alexandra, monsieur, dit Msimangu en ôtant son chapeau.

– C'est ce que je pensais. Montez.

C'était pour eux un grand secours, et arrivés au

carrefour d'Alexandra, ils exprimèrent leurs remerciements à l'homme blanc.

– C'est une longue route, dit celui-ci. Et je sais que vous n'avez pas d'autobus...

Ils suivirent des yeux la voiture. Elle ne poursuivit pas la route qu'ils avaient suivie jusque-là, mais tourna et reprit le chemin de Johannesbourg.

– Hé, dit Msimangu, voilà une chose admirable.

Ils étaient encore loin de la 23ᵉ Avenue et, tout en marchant, Msimangu expliqua à son compagnon qu'Alexandra se trouvait en dehors des limites de Johannesbourg et que, dans cet endroit, un noir avait le droit d'acheter un terrain et de posséder une maison. Mais les rues n'étaient pas entretenues et il n'y avait pas d'éclairage, enfin le manque de logement était tel que tous ceux qui le pouvaient construisaient des cabanes dans leur cour et les sous-louaient à d'autres. Beaucoup de ces cabanes étaient des repaires de voleurs et la prostitution y florissait de même que la fabrication d'alcools illicites.

– La situation est si lamentable, dit Msimangu, que les blancs de l'Orangeraie, de Norwood et de Highlands North ont signé une pétition pour qu'on abatte entièrement ce quartier. Un de nos garçons y a arraché le sac d'une vieille femme blanche qui en mourut sur place de saisissement. Et il y a eu un crime terrible : une femme blanche vivait seule dans une maison près d'ici et comme elle résistait à une petite bande de nos garçons qui avaient fait irruption chez elle, ils la tuèrent. Il arrive aussi parfois que des blancs, hommes et femmes, arrêtent leurs voitures la nuit sous les arbres de la route de Prétoria et que certains de nos jeunes gens les dévalisent et qu'ils malmènent et violent les femmes. Il est vrai que ce sont le plus souvent de mauvaises femmes, mais c'est tout de même un crime épouvantable.

« Cela me rappelle, reprit-il au bout d'un moment, un autre crime, commis de l'autre côté de Johannesbourg. Un de mes amis y habite une maison isolée sur la route de Potchefstroom. Par une nuit d'hiver, encore loin de l'aube, on cogna à sa porte. C'était une femme blanche presque nue. Le peu de vêtements dont elle s'enveloppait étaient déchirés, elle les retenait avec ses mains pour cacher sa nudité et elle était bleue de froid. C'était un blanc qui l'avait mise dans cet état ; il l'avait fait monter de force dans sa voiture, et, quand il avait été satisfait – ou non, je ne puis dire, je n'y étais pas – il l'avait jetée dans le froid avec ces quelques loques sur le dos et avait continué sa route vers Johannesbourg. Mon ami et sa femme trouvèrent pour elle une vieille robe et un vieux manteau, firent chauffer de l'eau pour le thé et l'enveloppèrent dans des couvertures. Les enfants s'étaient réveillés et demandaient ce qui se passait, mais mes amis leur dirent de dormir et ne les laissèrent pas entrer dans la salle pour voir la dame. Puis mon ami sortit dans la nuit et alla trouver un fermier blanc qui avait sa maison à quelque distance de là. Les chiens étaient méchants et il avait peur, mais il avança pourtant et quand l'homme blanc sortit, il lui dit ce qui s'était passé et que c'était là une affaire à régler en secret. Le blanc dit : Bon, je vais venir. Il sortit sa voiture et ils retournèrent à la maison de mon ami. La femme blanche aurait voulu lui témoigner sa reconnaissance avec de l'argent, mais elle n'en avait pas. Mon ami et sa femme lui dirent tous les deux qu'il ne s'agissait pas d'argent. L'homme blanc dit à mon ami et répéta deux fois : *Jy is'n goeie Kaffer,* tu es un bon Cafre. Il était ému et il le dit avec les mots qu'il savait.

– Moi aussi je suis ému.

– Je vous parlais de cette pétition. Nos amis blancs ont lutté contre la pétition en disant qu'il y avait tout de même plus de bon à Alexandra que de mauvais, que c'était quelque chose d'avoir un bout de terrain à soi et une maison où élever ses enfants, un endroit où un homme ait le droit de parler et se sente chez lui dans le pays où il est né. Le professeur Hœrnle – il est mort, Dieu ait son âme – a beaucoup combattu pour nous. Oh ! je suis fâché que vous ne l'ayez jamais entendu. Car il avait le cerveau de Tomlinson et la voix de votre frère, et le cœur de Dubula, tout en un seul homme. Quand il parlait, il n'y avait pas un blanc capable de le contredire. Oh ! je me le rappelle encore. Il disait que ceci est ici et que cela est là, et que cette autre chose est là-bas, et il n'y avait pas un homme qui aurait pu déplacer ces choses d'un centimètre de l'endroit où il les avait mises. Anglais ou Africander [1], personne ne pouvait ôter les choses de la place où il les avait mises.

Il sortit son mouchoir et s'épongea le visage.

– J'ai beaucoup parlé, dit-il, et voici la maison que nous cherchions.

Une femme leur ouvrit la porte. Elle ne les salua point et quand ils lui eurent dit l'objet de leur visite, c'est à contrecœur qu'elle les fit entrer.

– Vous dites que ce garçon est parti, madame Mkizé ?

– Oui et je ne sais pas où il est allé.

– Quand est-il parti ?

1. Ce nom désigne actuellement les descendants des Boers. Certains Africanders à l'esprit large voudraient prendre ce mot dans un sens plus étendu et l'appliquer à tous les Sud-Africains de race blanche. Mais beaucoup de Sud-Africains, de langue africane ou de langue anglaise, se refusent à cette conception. Ce mot est employé ici dans son sens usuel.

– Il y a des mois. Un an, ça doit faire.

– Est-ce qu'il était avec un ami ?

– Qui, un autre Koumalo. Le fils du frère de son père. Ils sont partis ensemble.

– Et vous ne savez pas où ils sont allés ?

– Ils parlaient de plusieurs endroits. Mais vous savez comme ces jeunes gens parlent.

– Quelle était sa conduite, à ce jeune Absalon ? lui demanda Koumalo.

Sans aucun doute, c'est de la peur qu'il y a dans les yeux de cette femme. Sans aucun doute, c'est de la peur aussi qu'il y a maintenant dans les yeux du vieil umfundisi. C'est de la peur qu'il y a dans cette maison.

– Je n'ai rien vu de mal, dit-elle.

– Mais vous avez deviné qu'il y avait quelque chose de mal ?

– Il n'y avait rien de mal, dit-elle.

– Alors, pourquoi avez-vous peur ?

– Je n'ai pas peur, dit-elle.

– Alors, pourquoi tremblez-vous ? demanda Msimangu.

– J'ai froid, dit-elle.

Elle les regardait, maussade et méfiante.

– Nous vous remercions, dit Msimangu. Restez bien.

– Allez bien.

Dans la rue, Koumalo dit :

– Il y a quelque chose de mal.

– Je ne le nierai pas. Mon ami, nous deux, c'est trop. Tournez à gauche dans la grande rue et montez la côte, vous y trouverez un restaurant. Attendez-moi là en mangeant un morceau.

Le vieil homme s'éloigna, le cœur lourd, et Msimangu le suivit des yeux jusqu'à ce qu'il eût tourné le coin de la rue. Puis il revint sur ses pas et retourna frapper à la maison.

La femme lui ouvrit de nouveau, toujours aussi maussade ; maintenant qu'elle avait surmonté sa peur, la mauvaise humeur l'emportait.

– Je ne suis pas de la police, dit-il. Je n'ai rien à faire avec elle. Mais il y a un vieil homme qui souffre parce qu'il n'arrive pas à retrouver son fils.

– C'est triste, dit-elle, mais elle le dit sur un ton de commande.

– C'est triste, répéta-t-il, et je ne partirai pas avant que vous ne disiez ce que vous n'avez pas voulu dire.

– Je n'ai rien à dire, fit-elle.

– Vous n'avez rien à dire, parce que vous avez peur. Et ce n'est pas de froid que vous tremblez.

– Alors, pourquoi est-ce que je tremble ? demanda-t-elle.

– Ça, je n'en sais rien. Mais je ne vous laisserai pas que je ne l'aie découvert. Et, s'il le faut, s'il n'y a rien d'autre à faire, j'irai tout de même à la police.

– C'est dur d'être une femme seule, dit-elle avec rancœur.

– C'est dur d'être un vieil homme qui cherche son fils.

– J'ai peur, dit-elle.

– Lui aussi, il a peur. Vous n'avez pas vu qu'il avait peur ?

– Je l'ai vu, umfundisi.

– Alors, dites-moi quel genre de vie menaient ici ces deux garçons ?

Mais elle se taisait avec la peur dans les yeux et ses larmes n'étaient pas loin. Il voyait qu'il aurait du mal à la convaincre.

– Je suis prêtre. Ne croyez-vous pas en ma parole ?

Mais elle se taisait.

– Vous avez une Bible ?

– J'ai une Bible.

– Alors, je vais vous prêter serment sur la Bible. Mais elle ne répondit pas et il répéta :

– Je vais vous prêter serment sur la Bible.

Voyant qu'il ne la laissait pas en paix, elle se leva d'un air irrésolu et s'en alla dans une autre chambre d'où elle revint avec une Bible.

– Je suis prêtre, dit-il. Mon oui a toujours été un oui et mon non, un non. Mais, puisque vous le désirez et parce qu'un vieil homme a peur, je vous jure sur ce livre qu'aucun ennui ne vous viendra de cette affaire car nous cherchons simplement un garçon. Que *Tixo* me vienne en aide.

Puis il reprit :

– Quel genre de vie menaient-ils ?

– Ils apportaient beaucoup de choses ici, umfundisi, très tard dans la nuit. Il y avait des vêtements et des montres, et de l'argent, et de la nourriture en bocaux, et beaucoup d'autres choses.

– Est-ce qu'il y avait quelquefois du sang sur eux ?

– Je n'ai jamais vu de sang sur eux, umfundisi.

– C'est toujours cela. Ce n'est pas grand-chose, mais c'est toujours cela... Et pourquoi sont-ils partis ? demanda-t-il.

– Je ne sais pas, umfundisi. Mais je crois qu'ils étaient près d'être découverts.

– Et ils sont partis quand cela ?

– Il y a à peu près un an, umfundisi. Vraiment, comme je vous l'ai dit.

– Et ici, sur ce livre, vous jurez que vous ne savez pas où ils sont allés ?

Elle étendit la main vers le livre.

– Ça suffit, dit-il. Il prit congé d'elle et il se hâtait de sortir pour aller retrouver son ami lorsqu'elle le rappela.

– Ils étaient amis avec le chauffeur de taxi

Hlabéni, dit-elle. Près de l'arrêt de l'autobus, il habite. Tout le monde le connaît.

– Je vous remercie du renseignement. Restez bien, madame Mkizé.

Au petit café, il retrouva son ami :

– Vous savez quelque chose ? lui demanda avidement le vieil homme.

– Je sais qu'ils étaient amis avec le chauffeur de taxi, Hlabéni. Laissez-moi d'abord manger un morceau, puis nous irons le trouver.

Quand Msimangu se fut restauré, il alla demander à un passant comment faire pour trouver Hlabéni, le chauffeur de taxi.

– Il est là-bas, au coin de la rue, assis dans son taxi, dit l'homme. Msimangu s'approcha du taxi et dit au chauffeur :

– Bonjour, mon ami.

– Bonjour, umfundisi.

– Je voudrais un taxi, mon ami. Combien prenez-vous pour aller à Johannesbourg. Pour moi et un ami ?

– Pour vous, umfundisi, je prendrai onze shillings.

– C'est beaucoup d'argent.

– Un autre taxi vous en demandera quinze ou vingt.

– Mon compagnon est vieux et fatigué. Je vous paierai les onze shillings.

L'homme allait mettre son moteur en marche mais Msimangu l'arrêta.

– On m'a dit, fit-il, que vous pourriez m'aider à trouver un jeune homme : Absalon Koumalo.

Là non plus, il n'en fallait pas douter, cet homme avait peur. Mais Msimangu se hâta de le rassurer.

– Je ne suis pas venu pour vous attirer des ennuis, dit-il. Je vous donne ma parole que je ne veux pas vous attirer d'ennuis, pas plus qu'à moi-même. Mais mon compagnon, le vieil homme qui est fatigué, est le père de ce jeune homme et il est venu de Natal pour le retrouver. Partout où nous allons, on nous dit d'aller ailleurs et ce vieux est inquiet.

– Oui, j'ai connu ce jeune homme.

– Et où est-il à présent, mon ami ?

– J'ai entendu dire qu'il était allé à Orlando et qu'il habitait là-bas avec les sans-logis de Cabaneville. Mais je n'en sais pas plus.

– C'est grand, Orlando, dit Msimangu.

– Le quartier où sont les sans-logis n'est pas très grand, umfundisi. Ça ne doit pas être bien difficile de le trouver. Il y a des gens de la municipalité qui travaillent parmi les sans-logis et ils les connaissent tous. Vous devriez leur demander.

– Vous me donnez là un conseil utile, mon ami. Je connais quelques-uns de ces fonctionnaires. Nous allons prendre votre taxi.

Il appela Koumalo et lui dit qu'ils allaient rentrer en taxi. Ils y montèrent et le taxi se mit à grincer par les rues d'Alexandra puis sur la grande route large qui mène de Prétoria à Johannesbourg. L'après-midi était déjà avancé et la route encombrée de voitures, car, à cette-heure-là, nombre de gens vont à Johannesbourg ou en viennent.

– Vous voyez ces bicyclettes, mon ami. Ce sont des milliers de travailleurs qui rentrent à Alexandra, leur journée finie, et nous allons commencer à en voir des milliers à pied également à cause du boycottage des autobus.

En effet, bientôt les trottoirs furent pleins de piétons. Ils étaient si nombreux qu'ils débordaient sur la chaussée, et les voitures étaient obligées d'avancer avec précaution. Il y avait des gens âgés, il y en avait de las et même d'infirmes, ainsi qu'on le leur avait raconté, mais la plupart marchaient vaillamment comme ils le faisaient d'ailleurs depuis plusieurs semaines. Beaucoup de blancs arrêtaient leurs voitures et y faisaient monter des noirs pour les aider dans leur voyage jusqu'à Alexandra. Comme ils s'arrêtaient devant un feu rouge, ils virent un policier de la route demander à un de ces blancs s'il avait une licence spéciale pour transporter des noirs.

« Je ne demande pas d'argent, répondit le blanc.

— Mais vous transportez des voyageurs sur le trajet d'un autobus, dit le policier.

— Eh bien, poursuivez-moi en justice », dit l'automobiliste. Mais ils n'en entendirent pas davantage, car la lumière était devenue verte et ils reprirent leur chemin.

— J'avais entendu raconter cela. J'avais entendu raconter qu'ils essaient d'empêcher les blancs de nous aider avec leurs voitures et qu'ils sont tout prêts à entreprendre des poursuites contre eux.

Il faisait sombre à présent, mais la route était encore pleine de gens d'Alexandra qui rentraient chez eux. Et des voitures continuaient à s'arrêter pour les faire monter, surtout les vieux, les femmes et les infirmes. Le visage de Koumalo portait le sourire, l'étrange sourire, inconnu dans les autres pays, du noir qui voit l'un de sa race aidé publiquement par un blanc, car ce n'est pas là de ces choses qu'on fait facilement. Et il était si plongé dans cette contemplation qu'il sursauta presque lorsque Msimangu s'écria :

— Ça, mon ami, ça me dépasse !

— Qu'est-ce qui vous dépasse, cette bonté ?

— Non, non. Ce n'est pas exactement cela.

Il se redressa sur la banquette et se donna un grand coup sur la poitrine.

– Poursuivez-moi en justice ! dit-il. Il regarda fièrement Koumalo et se frappa de nouveau la poitrine.

– Poursuivez-moi en justice !

Koumalo le regardait, stupéfait.

– Voilà qui me dépasse, dit Msimangu.

IX

TOUTES les routes mènent à Johannesbourg. Que vous soyez blanc ou que vous soyez noir, elles vous mèneront à Johannesbourg. Si la moisson est mauvaise, il y a du travail à Johannesbourg. Si les impôts sont trop lourds, il y a du travail à Johannesbourg. Si la ferme est trop petite et ne peut pas être divisée davantage, quelqu'un devra s'en aller à Johannesbourg. S'il y a un enfant prêt à naître qu'il faut mettre au monde en secret, cela pourra se faire à Johannesbourg.

Les noirs arrivent à Alexandra, à Sophiatown ou à Orlando et essaient de louer des chambres ou d'acheter une partie d'une maison.

— Avez-vous une chambre à louer ?

— Non, je ne loue pas de chambre.

— Avez-vous une chambre à louer ?

— Elle est déjà louée.

— Avez-vous une chambre à louer ?

— Oh ! j'ai bien une chambre que je pourrais louer, mais je n'ai pas trop envie de la louer. Je n'ai que deux chambres et nous sommes déjà six et les garçons et les filles se font grands. Mais les livres de classe coûtent cher et mon mari est malade et, même quand il est bien portant, il ne gagne que trente-cinq shillings par semaine. Et six shillings s'en vont pour payer le loyer, et trois pour les transports, et un pour que nous soyons tous convenablement enterrés, et un shilling pour les livres, et trois pour les vêtements, ce qui est bien peu, et un shilling pour la bière de mon mari, et un pour son tabac et je ne les lui lésine pas, car c'est un homme comme il faut qui ne joue pas et qui ne dépense pas son argent avec d'autres femmes, et un shilling pour l'église, et un pour la maladie. Restent dix-sept shillings pour la nourriture de six personnes et nous avons toujours faim. Oui, j'ai bien une chambre, mais je n'ai pas trop envie de la louer. Combien paieriez-vous ?

– Je pourrais payer trois shillings par semaine pour une chambre.

– Ça ne m'intéresse pas.

– Trois shillings et six pence.

Trois shillings et six pence. C'est très gentil de ne pas être trop les uns sur les autres, mais ça ne vous remplit pas le ventre. Bien sûr, on aurait besoin de ne pas être trop les uns sur les autres quand les enfants commencent à grandir, mais ça n'est pas ça qui vous remplit le ventre. Oui, j'accepterais trois shillings et six pence.

La maison n'éclate pas, mais elle déborde. Dix personnes en deux chambres avec une seule porte d'entrée et des gens qui vous enjambent quand vous dormez. Mais on a un peu plus de nourriture pour les enfants et, peut-être, une fois par mois, de quoi aller au cinéma.

Je n'aime pas cette femme et la façon dont elle regarde mon mari. Je m'aime pas ce garçon et la façon dont il regarde ma fille. Je n'aime pas cet homme, je n'aime pas la façon dont il me regarde, je n'aime pas la façon dont il regarde ma fille.

– Je regrette, mais il faut vous en aller.

– Nous n'avons nulle part où aller.

– Je regrette, mais la maison est trop pleine. Elle n'est pas faite pour tant de gens.

– Nous nous sommes fait inscrire pour une maison. Ne pouvez-vous attendre jusqu'à ce que nous ayons une maison ?

– Il y a des gens à Orlando qui attendent une maison depuis cinq ans.

– J'ai un ami qui en a trouvé une au bout d'un mois.

– J'ai entendu parler de cas de ce genre. On dit qu'il faut donner des pots-de-vin.

– Nous n'avons pas de quoi donner des pots-de-vin.

– Je regrette, mais la maison est pleine.

Oui, cette maison-ci est pleine et cette maison-là aussi. Car tout le monde arrive à Johannesbourg. Du Transkei et de Free State, du pays des Zoulous et du Sekukuniland. Zoulous et Swaris, Shangaans et Bavendas, Bapedis et Basutos, Xosas et Tembois, Pondos et Fingos, tous se pressent à Johannesbourg.

Je n'aime pas cette femme. Je n'aime pas ce garçon. Je n'aime pas cet homme.

– Je regrette, mais il faut vous en aller.

– Une semaine, c'est tout ce que je demande.

– Bon, une semaine, pas plus.

*

– Avez-vous une chambre à louer ?

– Non, je n'ai pas de chambre à louer.

– Avez-vous une chambre à louer ?

– Elle est déjà louée.

– Avez-vous une chambre à louer ?

– Oui, j'ai une chambre à louer mais je n'ai pas trop envie de la louer, car j'ai vu des maris détournés par des femmes, et des femmes détournées par des hommes. J'ai vu des filles corrompues par des garçons. Mais mon mari ne gagne que trente-quatre shillings par semaine.

*

– Que faire, nous qui n'avons pas de maison ?

– Vous pourrez attendre cinq ans une maison et vous ne serez pas plus avancés qu'au premier jour.

– On dit que nous sommes dix mille, rien qu'à Orlando, à vivre dans les maisons des autres.

– Tu entends ce que dit Dubula ? qu'il faut que nous construisions nous-mêmes des maisons ici à Orlando ?

– Et où est-ce qu'on les construira ?

– Sur le terrain vague, le long de la ligne de chemin de fer, Dubula dit.

– Et avec quoi est-ce qu'on les bâtira ?

– N'importe ce qu'on trouvera. Des sacs, des planches, de l'herbe du veld, et des arbres des plantations.

– Et quand il pleuvra ?

– *Siyafa.* Alors on mourra.

– Non, quand il pleuvra, ils seront bien obligés de nous construire des maisons.

– C'est de la folie. Qu'est-ce que nous ferons cet hiver ?

Six ans d'attente pour une maison. Et aussi pleines qu'elles soient, elles se remplissent encore, car les gens continuent à arriver à Johannesbourg. Une grande guerre vient de faire rage en Europe et en Afrique du Nord et l'on n'a pas bâti de maisons.

– Avez-vous enfin une maison pour moi ?

– Il n'y a pas encore de maison pour vous.

– Vous êtes sûr que mon nom est sur la liste ?

– Oui, votre nom est sur la liste.

– Quel numéro est-ce que j'ai sur la liste ?

– Je ne peux pas vous dire, mais vous devez être vers le n° 6000.

N° 6000 sur la liste. Cela signifie que je n'aurai jamais de maison et je ne peux pas rester davantage là où je suis. Nous nous sommes disputés à propos du fourneau, nous nous sommes disputés à propos des enfants, et je n'aime pas la façon dont l'homme me regarde. Il y a un terrain vague le long de la ligne de chemin de fer, mais quand il pleuvra, et en hiver ?... On dit qu'il faudra rassembler des planches et des sacs, et de la tôle, et des piquets et s'y installer tous ensemble. On dit qu'il faut tous payer un shilling par semaine au Comité et qu'il déménagera toutes nos affaires et installera des cabinets pour qu'il n'y ait pas de maladies. Mais quand il pleuvra, et en hiver ?...

– Avez-vous enfin une maison pour moi ?

– Je n'ai pas encore de maison pour vous.

– Mais il y a deux ans que je suis sur la liste.

– Vous n'êtes qu'une débutante.

– Est-ce vrai qu'il faut donner de l'argent ?

L'homme ne m'entend pas, il s'occupe déjà du suivant. Mais voici qu'un autre homme s'approche de moi. Je ne sais pas d'où il vient, et ce qu'il dit m'étonne grandement.

– Je regrette bien pour vous qu'il n'y ait pas de maison, madame Sémé. A propos, ma femme serait contente de parler avec vous du travail du Comité. Ce soir à sept heures, elle a dit. Vous connaissez notre maison, n° 17852, près de l'église hollandaise réformée. Regardez, je vous écris le numéro. Au revoir, madame Sémé.

Et quand je veux lui répondre, il est déjà loin.

– Oh ! mais comme cet homme m'étonne ! Qui est sa femme ? Je ne la connais pas. Et qu'est-ce que c'est ce Comité ? Je ne connais pas de Comité.

– Oh ! mais vous êtes une femme bien simple. Il veut vous parler de l'argent que vous êtes prête à payer pour avoir une maison.

Ah ! dans ce cas-là, j'irai chez lui. J'espère qu'il ne demandera pas trop. On ne peut pas payer beaucoup avec trente-sept shillings par semaine. Mais il nous faut une maison. J'ai peur là où nous sommes. Il y a trop d'allées et venues à l'heure où les honnêtes gens dorment. Trop de jeunes gens qui entrent et sortent. On dirait qu'ils ne dorment jamais et qu'ils ne travaillent jamais. Ils sont trop bien habillés, ils sont habillés comme des blancs. Ils auront des ennuis un de ces jours et mon mari et moi nous n'avons jamais eu d'ennuis. Il nous faut une maison.

*

– Cinq livres, c'est trop. Je ne les ai pas.

– Cinq livres, ce n'est pas trop pour une maison, madame Sémé.

– Quoi, rien que pour faire avancer mon nom sur la liste ?

– Mais c'est dangereux. Le directeur européen a dit qu'il serait très sévère avec ceux qui truquent les listes.

– Je regrette, mais je ne peux pas donner tant.

Avant que j'aie pu m'en aller, sa femme entre dans la pièce avec une autre femme.

– Il doit y avoir une erreur, mon mari. Je ne connais pas cette femme. Elle ne fait pas partie du Comité.

– Oh ! je m'excuse, ma femme. Je m'excuse, madame Sémé. Je croyais que vous faisiez partie du Comité. Allez bien, madame Sémé.

Mais moi je ne dis pas : Restez-bien. Peu m'importe qu'ils restent bien ou mal. Et pour moi, rien ne va bien. Je suis fatiguée et désolée. Oh ! mon mari, pourquoi avons-nous quitté le pays de notre peuple ? Il n'y a pas grand-chose là-bas, mais c'est encore mieux qu'ici. Il n'y a pas grand-chose à manger là-bas, mais tout le monde partage. Quand tout le monde est pauvre, ce n'est pas si triste d'être pauvre. Et les bords de la rivière sont jolis et l'eau coule sur les pierres et le vent vous rafraîchit pendant qu'on y fait sa lessive. Dans deux semaines, c'est le jour du déménagement. Viens, mon mari, allons chercher les planches et la tôle et les sacs et les piquets. Je n'aime pas cet endroit où nous sommes.

Il y a des planches à l'hôpital de Baragwanath laissées là par les ouvriers. Allons-y ce soir et emportons-les. Il y a de la tôle ondulée à la Maison de Redressement. On s'en sert pour recouvrir les briques. Allons-y ce soir et prenons-en. Il y a des sacs à la gare de Nancefield, en paquets bien ficelés. Allons-y ce soir et prenons-les. Il y a des arbres aux mines de la Couronne. Allons-y ce soir et scions quelques poteaux sans faire de bruit.

*

CETTE nuit, on travaille à Orlando. Dans toutes les maisons, il y a des lumières allumées. – Je porterai la tôle et toi, ma femme, tu porteras l'enfant, et toi, mon fils, deux pieux, et toi, petite, apporte autant de sacs que tu peux près de la ligne de chemin de fer. Beaucoup de gens vont s'y installer, on entend déjà le bruit des pelles et des marteaux. Il fait beau, la nuit est chaude et il ne pleut pas. Merci, monsieur Dubula, ce bout de terrain-là nous convient très bien. Merci, monsieur Dubula, voici notre shilling pour le Comité.

Cabaneville s'est bâtie en une nuit. Quelle surprise pour les gens qui s'éveillent le lendemain ! De la fumée sort entre les sacs, et il y a déjà deux ou trois maisons qui ont des cheminées. Il y avait un joli tuyau de cheminée par terre près du poste de police de Kliptown, mais je n'ai pas fait la sottise de le ramasser.

Cabaneville s'est bâtie en une nuit. Et les journaux en sont pleins. Il y a de grands mots écrits en grandes majuscules, et des images.

– Regardez, c'est mon mari, là, debout à côté de la maison. Moi, malheureusement, je suis arrivée trop tard pour la photo. Ils nous appellent les sans-logis. Nous sommes les sans-logis. Dans ce grand village fait de sacs, de planches et de tôle, on ne paie pas de loyer, on donne seulement un shilling au Comité.

Cabaneville s'est bâtie en une nuit. La petite tousse très fort et son front brûle comme du feu. Ça m'ennuyait de la sortir, mais c'était la nuit de l'emménagement. Le vent froid souffle entre les sacs. Qu'est-ce qu'on fera quand il pleuvra, et en hiver ? Calme-toi, mon enfant, ta mère est près de toi. Calme-toi, mon enfant, ne tousse pas comme ça, ta mère est près de toi.

*

L'ENFANT tousse très fort, son front est plus chaud que le feu. Calme-toi, mon enfant, ta mère est près de toi. Dehors, on entend des rires et des plaisanteries, des coups de pioches et de marteaux, et des appels dans des langues que je ne comprends pas. Calme-toi, mon enfant, il y a une jolie vallée où tu es née. L'eau chante sur les pierres, et le vent nous rafraîchit. Les bêtes descendent à la rivière, sous les

arbres. Calme-toi, mon enfant, oh ! Dieu, calme-la.
Dieu, aie pitié de nous. Christ, aie pitié de nous.
Homme blanc, aie pitié de nous.

*

– Monsieur Dubula, où est le docteur ?
  – Le docteur sera là demain matin. Ne craignez
rien, le Comité le paiera.
  – Mais on dirait que l'enfant va mourir. Regardez
ce sang.
  – Ce ne sera plus long jusqu'au matin.
  – C'est long quand un enfant meurt. Quand le
cœur s'effraie. Est-ce qu'on ne peut pas aller le
chercher tout de suite, monsieur Dubula ?
  – Je vais essayer, mère. J'y vais tout de suite.
  – Je vous remercie, monsieur Dubula.

*

DEHORS, il y a des chants, des chants autour d'un feu.
C'est *Nkosi Sikelel'i Afrika* qu'ils chantent. Dieu protège l'Afrique. Dieu protège ce fragment d'Afrique qui
est à moi, né de mon corps dans la douleur, nourri de
mon sein, aimé par mon cœur, parce que c'est la
nature des femmes. Oh ! repose doucement, petite.
Docteur, pourquoi est-ce que vous ne venez pas ?

*

– J'ai envoyé chercher le docteur, mère. Le Comité
a envoyé une voiture pour ramener le docteur. Un
docteur noir, un des nôtres.
  – Je vous remercie, monsieur Dubula.
  – Voulez-vous que je leur demande de se taire,
mère ?

82

– Ce n'est pas la peine. Elle ne les entend pas. Peut-être qu'un docteur blanc aurait été meilleur, mais n'importe quel docteur pourvu qu'il vienne. Peu importe qu'ils se taisent ou non, ces bruits d'un pays étranger. J'ai peur, mon mari. Elle brûle ma main comme du feu.

*

Nous n'avons plus besoin de docteur. Ni docteur blanc, ni docteur noir ne peut plus rien pour elle. Oh ! enfant de mon ventre et fruit de mon désir, c'était plaisir de tenir les petites joues dans mes mains, c'était plaisir de sentir la menue pression des doigts, c'était plaisir de sentir la petite bouche tirer sur mon sein. C'est la nature des femmes. C'est le lot des femmes, de porter, de supporter, de garder et de perdre.

*

Les hommes blancs viennent à Cabaneville. Ils prennent des photos de nous et des films pour le cinéma. Ils regardent et ils se demandent ce qu'ils vont pouvoir faire. Nous sommes si nombreux. Que deviendront ces pauvres diables quand il pleuvra ? Que deviendront ces pauvres diables en hiver ? Des hommes arrivent, des moteurs arrivent et ils commencent à nous construire des maisons. Ce Dubula est un homme intelligent, il avait dit qu'ils le feraient. Et ils n'ont pas plus tôt commencé de construire pour nous que d'autres noirs arrivent dans la nuit, de Pimville et d'Alexandra et de Sophiatown, et eux aussi commencent à se fabriquer des cabanes faites de sacs, d'herbe, de tôle et de piquets. Et les hommes blancs reviennent, mais cette fois c'est avec de la colère, non plus avec de la pitié. La police arrive et fait partir les gens. Et parmi ceux qu'ils veulent faire partir, ils en emmènent qui sont d'Orlando aussi. Ceux-ci reviennent dans les maisons qu'ils avaient quittées, mais dans certaines leurs chambres sont déjà occupées et dans d'autres on ne veut plus d'eux.

Il ne faut pas avoir honte de vivre à Cabaneville, on en parle dans les journaux et c'est mon mari debout, là près de la maison. Il y a un homme ici qui a un journal de Durban, et sur ce journal-là aussi, mon mari est debout près de la maison. On peut donner son adresse, il n'y a qu'à dire Cabaneville, Cabaneville et ça suffit. Tout le monde sait où c'est et il n'y a qu'à ajouter le numéro que vous a donné le Comité.

Que ferons-nous sous la pluie ? Et en hiver ? Il y en a déjà qui disent : Regardez ces maisons sur la colline. Elles ne sont pas finies mais les toits sont posés. Une nuit, nous irons nous y installer et nous serons à l'abri de la pluie et de l'hiver.

X

En attendant que Msimangu vînt le chercher pour l'emmener à Cabaneville, Koumalo passait le temps avec Gertrude et son enfant. Mais c'était plutôt vers l'enfant, le petit garçon à l'air sérieux, qu'il se tournait pour se distraire, car il était déjà un homme de plus de vingt ans quand sa sœur était née et il n'y avait jamais eu une grande intimité entre eux. Après tout, il était pasteur, sobre et plutôt ennuyeux sans doute, et ses cheveux blanchissaient, alors qu'elle était encore une jeune femme. Il ne pouvait pas non plus attendre qu'elle parlât avec lui des choses graves qui se passaient ici à Johannesbourg, car c'était au milieu de ces choses mêmes qui l'attristaient tant et le rendaient si perplexe qu'elle avait trouvé sa vie et ses occupations.

C'était là des choses graves vraiment, trop graves pour une femme qui n'avait pas dépassé la classe élémentaire de son école de village. Elle le traitait avec respect comme il convient de traiter un frère aîné, et un pasteur, et ils échangeaient des propos conventionnels ; mais ils ne reparlaient jamais des choses qui l'avaient fait tomber par terre en sanglotant.

Heureusement qu'il y avait la bonne Mme Lithébé. Gertrude et elle parlaient longuement et simplement des choses chères au cœur des femmes, et elles travaillaient et chantaient ensemble tout en accomplissant les besognes quotidiennes.

Oui, c'est vers le petit garçon à l'air sérieux qu'il se tournait pour se distraire. Il lui avait acheté un jeu de cubes à bon marché avec lequel l'enfant jouait interminablement et intensément, poursuivant un dessein obscur à l'âme adulte mais complètement absorbant. Koumalo soulevait l'enfant dans ses bras, et passait sa main sous sa chemise pour sentir le petit dos tiède, le chatouiller et le caresser jusqu'à ce que le visage enfantin et sérieux se détendît en sourires et que les sourires devinssent fou rire. Ou bien il lui parlait de la grande vallée où il était né, il lui disait le nom des collines et des rivières, et lui décrivait l'école où il irait et le brouillard qui enveloppe le sommet des montagnes au-dessus de Ndotshéni. L'enfant ne pouvait évidemment rien comprendre à tout cela, et pourtant il devait y avoir là quelque chose qui lui plaisait, car il écoutait gravement les noms aux consonances profondes et mélodieuses en regardant son oncle avec de grands yeux attentifs. Et cela faisait plaisir à son oncle qui avait le mal du pays au milieu de la grande ville ; et il éprouvait au fond de lui-même une étrange satisfaction à prononcer ces noms de chez lui. Parfois, Gertrude l'entendant venait jusqu'à la porte et, timide, debout à l'entrée de la chambre, écoutait décrire les beautés des lieux de son enfance. Cela ajoutait encore au plaisir de Koumalo et il lui disait parfois : Tu te rappelles ? Et elle répondait : Oui, je me rappelle, et elle était contente qu'il le lui eût demandé.

Mais il y avait des moments, au milieu même de sa satisfaction, où la pensée de son fils lui revenait. Et alors, en un instant, les collines aux noms profonds et mystérieux se dressaient désertes et désolées sous l'impitoyable soleil, les ruisseaux cessaient de couler, le bétail errait, maigre et inquiet, sur la terre rouge et sans racines. C'était un pays de vieilles femmes et d'enfants où chaque maison pleurait quelqu'un ou quelque chose. Sa voix s'éteignait, il se taisait en rêvassant. Puis il pressait soudain contre lui le petit garçon qui sortait de l'enchantement où ses récits l'avaient plongé et se débattait dans ses bras pour redescendre sur le sol et jouer avec ses cubes. Alors, cherchant où accrocher sa pensée pour mettre fin à la douleur qui venait de l'étreindre, il songeait à sa femme et à ses nombreux amis et aux petits enfants qui descendent des collines et émergent du brouillard sur le chemin de l'école. Ces images lui étaient si chères que sa peine cessait et il les contemplait avec une espèce de paix.

Qui connaît le secret du pèlerinage terrestre ? Qui sait pourquoi l'on trouve parfois un réconfort dans un monde de désolation ? Dieu soit béni pour l'être aimé qui allège le cœur souffrant, pour l'enfant avec qui l'on peut jouer malgré tant de misère. Dieu soit béni pour le nom des collines qui contiennent de la musique, pour le nom d'une rivière qui suffit à apaiser l'âme, même si c'est le nom d'une rivière qui a cessé de couler.

Qui connaît le secret du pèlerinage terrestre ? Qui sait pourquoi nous vivons, combattons et mourons ? Qui sait ce qui nous garde vivant et combattant quand toutes choses s'écroulent autour de nous ? Qui sait pourquoi la chair tiède d'un enfant est un tel réconfort, quand votre propre enfant est perdu et qu'on ne le retrouve pas ? Les savants écrivent des livres innombrables remplis de mots trop difficiles à comprendre. Mais cela, le but de notre vie, la fin de toutes nos luttes, dépasse la science humaine. O Dieu, mon Dieu, ne m'abandonne pas. Oui, bien que je m'avance dans la vallée de l'ombre de la mort, je ne craindrai aucun mal, si Tu es avec moi...

Il se leva. C'était la voix de Msimangu qu'il entendait à la porte. Il était temps de reprendre la recherche.

*

— Et voici Cabaneville, mon ami.

Même ici, les enfants rient dans les sentiers étroits qui séparent ces habitations faites d'une feuille de tôle, de quelques planches, de sable et d'herbe avec, parfois, une vieille porte, vestige d'une maison démolie. De la fumée monte d'ouvertures ingénieusement pratiquées ; il y a une odeur de nourriture, il y a des bruits de voix non pas gonflées par la colère ou la peine, mais parlant des choses coutumières, de celui-ci qui est né et de celui-là qui est mort, et de cet autre qui travaille bien en classe, et d'un autre encore qui est en prison pour le moment. La sécheresse règne sur le pays, et un chaud soleil brille dans le ciel sans nuages. Mais que feront-ils quand il pleuvra ? Que feront-ils en hiver ?

— Cela m'attriste de voir cela.

— Regardez, on construit là-bas. Et il y a bien des années qu'on ne construisait plus. Ceci aura donc servi à quelque chose. Et ceci est aussi l'œuvre de Dubula.

— On dirait qu'il est partout.

— Regardez, voilà une de nos infirmières. Est-ce qu'elle n'a pas bon air dans son uniforme rouge et blanc et sa coiffe ?

— Elle a bon air en effet.

— Les blancs en forment de plus en plus. C'est curieux comme nous progressons à certains égards, et stagnons à d'autres, et à d'autres encore allons à reculons. Mais en ce qui concerne ces écoles d'infirmières, nous avons trouvé beaucoup d'appuis parmi les blancs. Il y a eu bien des cris et des protestations quand on a décidé de permettre à certains de nos jeunes gens de faire leurs études de médecine à l'université européenne de Witwater-strand. Mais nos amis ont tenu bon, et ils continue-ront à les instruire jusqu'à ce que nous ayons un endroit à nous. Bonjour, mademoiselle l'infirmière.

– Bonjour, umfundisi.

– Y a-t-il longtemps que vous travaillez ici ?

– Oui, depuis que cet endroit existe.

Et avez-vous jamais rencontré un jeune homme, Absalon Koumalo ?

– Oui, en effet. Mais il n'est plus ici. Je peux vous dire où il habitait. Il habitait avec les Hlatswayo, et eux sont toujours ici. Vous voyez cet endroit où on ne peut pas bâtir à cause de toutes les pierres ? Vous voyez, il y a un petit garçon debout.

– Oui, je le vois.

– Et derrière cela, la maison avec le tuyau qui fume ?

– Oui, je la vois.

– Descendez ce sentier et vous trouverez les Hlats-wayo dans la troisième ou la quatrième maison du côté de la main avec laquelle vous mangez.

– Merci, mademoiselle, nous y allons.

Ses renseignements étaient si clairs qu'ils n'eurent pas de mal à trouver la maison.

– Bonjour, mère.

La femme était propre et avait l'air gentil. Elle leur sourit amicalement.

– Bonjour, umfundisi.

– Mère, nous cherchons un garçon, Absalon Koumalo.

– Il habitait chez moi, umfundisi. Nous avons eu pitié de lui parce qu'il n'avait nulle part où aller.

Mais je suis fâchée de vous dire qu'ils l'ont emmené et j'ai entendu dire que le magistrat l'avait envoyé à la Maison de Redressement.

– La Maison de Redressement ?

– Oui, la grande école, là-bas, derrière l'hôpital des soldats. Ce n'est pas très loin, on peut y aller à pied.

– Il faut que je vous remercie, mère. Restez bien. Venez mon ami.

Ils suivirent leur chemin en silence car aucun d'eux n'avait rien à dire. Koumalo trébuchait, bien que la route fût droite et sans obstacles et Msimangu lui prit le bras.

– Ayez du courage, mon ami.

Il regarda son ami. Les yeux de Koumalo fixaient le sol, si bien que Msimangu ne pouvait rien voir sur son visage, mais il voyait les gouttes qui tombaient par terre et il lui serra fort le bras.

– Ayez du courage, mon ami.

– Il me semble parfois que je n'ai plus de courage.

– J'ai entendu parler de cette Maison de Redressement. Votre ami le prêtre anglais en pense du bien. Je l'ai entendu dire que si un garçon désire s'amender, on l'y aide vraiment là-bas. Alors, prenez courage.

– Je redoutais cela.

– Oui, moi aussi je le redoutais.

– Oui, je me rappelle quand vous avez commencé à y penser. C'est le jour à Alexandra où vous m'avez dit de continuer le chemin et où vous êtes retourné parler à la femme.

– Je vois que je ne peux rien vous dissimuler.

– Ce n'est pas que je sois très malin, c'est seulement qu'il s'agit de mon fils.

Ils sortirent de Cabaneville dans Orlando et prirent la longue rue goudronnée qui mène à la grande route de Johannesbourg, à l'endroit où les grandes pompes à essence des blancs se dressent à l'entrée de la ville ; car il est interdit aux noirs d'avoir des pompes à essence à Orlando.

– Qu'est ce que cette femme vous avait dit, mon ami ?

– Elle m'avait dit que ces jeunes gens faisaient un étrange commerce. Ils apportaient dans sa maison beaucoup de marchandises, des marchandises de blancs.

– Dans cette Maison de Redressement, est-ce qu'on les redresse vraiment ?

– Je ne sais pas. Les uns disent une chose, les autres une autre. Mais votre ami en pense du bien.

Au bout d'un long moment pendant lequel Msimangu s'était laissé entraîner par ses pensées dans une autre direction, Koumalo reprit :

– C'est tout ce que j'espère : qu'on puisse les redresser.

– C'est ce que j'espère aussi.

Ils marchèrent près d'une heure et atteignirent la route qui menait à la Maison de Redressement. Il était midi quand ils y arrivèrent et, de toutes les directions, des garçons franchissaient en rangs les grilles de l'école. Il en venait de tous les côtés et l'on eût dit que leur défilé ne finirait jamais.

– Ils sont nombreux ici, mon ami.

– Oui, je ne savais pas qu'ils étaient si nombreux.

Quelqu'un de leur race, un homme aimable au visage souriant, vint à eux et leur demanda ce qu'ils désiraient. Ils lui répondirent qu'ils cherchaient un certain Absalon Koumalo. Là-dessus, l'homme les conduisit dans un bureau où un jeune blanc leur demanda en african ce qu'ils désiraient.

– Nous cherchons, monsieur, le fils de mon ami, nommé Absalon Koumalo, dit Msimangu dans la même langue.

– Absalon Koumalo. Oui, je le connais bien. C'est curieux, il m'avait dit qu'il n'avait pas de famille.

– Votre fils lui a dit, mon ami, qu'il n'avait pas de famille, traduisit Msimangu en zoulou.

– Il devait avoir honte, dit Koumalo. Je regrette de ne pas parler african, ajouta-t-il à Msimangu en zoulou, car il avait entendu dire que certains blancs n'aimaient pas les noirs qui ne parlaient pas african.

– Vous pouvez parler comme il vous plaira, dit le jeune homme. Votre fils a bien réussi ici. Il était devenu un de nos meilleurs élèves et j'ai grand espoir en son avenir.

– Vous voulez dire, monsieur, qu'il est parti ?

– Parti, oui, il y a un mois à peine. Nous avons fait une exception en sa faveur, en partie à cause de sa bonne conduite, en partie à cause de son âge, mais surtout parce qu'il y avait une jeune femme qui se trouvait enceinte de ses œuvres. Elle était venue le voir ici, et il paraissait l'aimer beaucoup et s'inquiéter de l'enfant qui allait naître. Et la jeune femme aussi paraissait l'aimer beaucoup, alors, étant donné tout cela, et la promesse solennelle qu'il nous a faite de travailler pour la mère et l'enfant, nous avons demandé au ministre l'autorisation de le laisser partir. Certes, nous ne réussissons pas toujours dans les cas de ce genre, mais, lorsqu'il semble y avoir une réelle affection entre deux jeunes gens, nous prenons le risque, dans l'espoir qu'il en sortira du bien. Une chose est certaine : s'il retombe, c'est que rien d'autre n'aurait pu le sauver.

– Et il est marié maintenant, monsieur ?

– Non, umfundisi, pas encore. Mais toutes les dispositions sont prises pour cela. Cette jeune femme n'a pas de famille et votre fils nous a dit qu'il n'en avait pas non plus, alors c'est moi et mon assistant indigène qui nous en sommes occupés.

– C'est très aimable, monsieur. Je vous remercie pour eux.

– C'est notre métier. Il ne faut pas trop vous tourmenter à propos de cela et du fait qu'ils n'étaient pas mariés, dit le jeune homme avec bonté. La véritable question est de savoir s'il s'occupera d'elle et mènera une vie honnête.

– Je comprends bien cela, mais c'est un choc pour moi.

– Évidemment. Écoutez, je peux vous aider. Si vous voulez vous asseoir dehors pendant que je finis mon travail, je vous emmènerai à Pimville où habitent Absalon et cette jeune femme. Il ne sera pas là, car je lui ai trouvé du travail en ville. Je sais qu'on est content de lui. Je l'ai persuadé de se faire ouvrir un compte postal et il a déjà mis trois ou quatre livres de côté.

– Je ne sais vraiment pas comment vous remercier, monsieur.

– Nous sommes là pour ça, dit le jeune homme. Maintenant si vous voulez me laisser, je vais finir ce que j'ai à faire puis je vous emmènerai à Pimville.

Dehors, le noir au visage aimable vint à eux, et, ayant appris leurs projets, les invita dans sa maison où sa femme et lui hébergeaient un certain nombre de garçons. Il s'agissait d'anciens élèves qui avaient quitté le grand bâtiment de la Maison de Redressement et vivaient librement à l'extérieur. Il leur servit du thé et un léger repas, et lui aussi leur dit qu'Absalon était devenu un des meilleurs élèves de la Maison et s'était très bien conduit durant tout son séjour. Puis ils parlèrent de la Maison de Redressement et des enfants qui grandissaient à Johannesbourg sans foyer, sans école et sans surveillance, et de la tribu dispersée et de la maladie de la terre, jusqu'au moment où un messager vint de la part du jeune homme leur annoncer qu'il les attendait.

Il ne fallut pas longtemps à l'auto pour atteindre Pimville, un village construit à l'aide de bidons, à titre provisoire, plusieurs années auparavant, et qui continuait toujours d'être habité. Car il n'y avait jamais assez de maisons pour tous les gens qui arrivaient à Johannesbourg. A la grille, le jeune homme demanda l'autorisation d'entrer, car un blanc ne peut visiter ces villages sans autorisation.

Ils s'arrêtèrent devant une de ces demeures improvisées, et le jeune homme blanc les y fit entrer. Ils furent accueillis par une jeune femme qui avait l'air d'une enfant.

– Nous sommes venus prendre des nouvelles d'Absalon, dit le jeune homme blanc. Cet umfundisi est son père.

– Il est parti samedi pour Springs, répondit-elle, et il n'est pas encore rentré.

Le jeune homme garda un instant le silence, le sourcil froncé d'irritation ou de perplexité.

– Mais nous sommes mardi, dit-il. Vous n'avez pas reçu de ses nouvelles ?

– Non, dit-elle.

– Quand rentrera-t-il ? demanda-t-il.

– Je ne sais pas, dit-elle.

– Rentrera-t-il jamais ? demanda-t-il, d'un air indifférent.

– Je ne sais pas, dit-elle. Elle le dit d'une voix sans expression, sans espoir, en créature habituée à être abandonnée. Elle le dit en créature qui n'espère rien des soixante-dix ans qu'elle a à passer sur terre. Aucune révolte ne sortira d'elle, aucune exigence, aucune colère. Rien ne sortira d'elle, si ce n'est les enfants des hommes qui useront d'elle, l'abandonneront, l'oublieront. Et si menu était son corps et si jeunes ses années, que Koumalo, en dépit de sa douleur, fut ému de compassion.

– Qu'allez-vous faire ? demanda-t-il.

– Je ne sais pas, dit-elle.

– Peut-être trouverez-vous un autre homme, dit Msimangu amèrement.

Et, avant que Koumalo pût parler pour effacer cette amertume, elle répéta :

– Je ne sais pas.

De nouveau, avant que Koumalo pût parler, Msimangu, tournant le dos à la jeune fille, s'adressa tout bas à lui.

– Vous ne pouvez rien ici, dit-il. Allons-nous-en.

– Mon ami...

– Je vous dis que vous ne pouvez rien. N'avez-vous pas assez de soucis comme ça ? Je vous dis qu'elles sont des milliers comme elle à Johannesbourg. Et quand votre dos serait aussi large que le ciel, et votre bourse remplie d'or, et quand votre compassion s'étendrait d'ici jusqu'à l'enfer lui-même, vous n'y pourriez encore rien.

Ils se retirèrent en silence. Tous se taisaient, le jeune homme blanc accablé par son échec, le vieil homme par son chagrin, Msimangu amer encore de ses paroles. A la portière de la voiture, Koumalo s'arrêta, tandis que les autres y prenaient place.

– Vous ne comprenez pas, dit-il. L'enfant sera mon petit-fils.

– Même cela, vous ne le savez pas, dit Msimangu irrité, repris par son amertume. Et, en admettant qu'il le soit, combien en avez-vous d'autres ? Allons-nous passer nos journées à les rechercher ? En finirons-nous jamais ?

Koumalo restait debout, les pieds dans la poussière, comme un homme frappé par la foudre. Puis, sans rien ajouter, il monta dans la voiture.

Ils s'arrêtèrent de nouveau à l'entrée du village, et le jeune homme descendit de voiture et entra dans le bureau du surveillant européen. Il en ressortit, le visage composé et malheureux.

– J'ai téléphoné à l'usine, dit-il. C'est vrai. Il n'est pas venu à son travail cette semaine.

Aux portes d'Orlando, près des grandes pompes à essence, ils s'arrêtèrent encore.

– Voulez-vous descendre ici ? demanda le jeune homme. Ils sortirent de la voiture et le jeune homme dit, en s'adressant à Koumalo :

– Je suis bien fâché de tout ceci.

– Oui, c'est très dur, répondit Koumalo. Comme si les mots anglais lui manquaient, il parlait en zoulou et s'adressait à Msimangu.

– Je suis fâché aussi pour ce résultat du mal qu'il s'est donné, dit-il, tout son travail perdu.

– Il est fâché pour ce résultat de tout votre travail, traduisit Msimangu en african.

– Oui, c'est mon travail, mais c'est son fils. Il reprit, s'adressant en anglais à Koumalo : Ne perdons pas tout espoir. Il est déjà arrivé qu'un garçon se fasse arrêter ou soit blessé dans un accident et emmené à l'hôpital, et nous ne savons pas ce qui a pu se passer. Ne perdons pas tout espoir, umfundisi. Je ne renonce pas à le chercher.

Ils suivirent des yeux sa voiture qui s'éloignait.

– Cet homme est bon, dit Koumalo. Venez, mon ami.

Mais Msimangu n'avançait pas.

– J'ai honte de vous accompagner, dit-il. Son visage était crispé comme celui d'un homme en détresse.

Koumalo le regarda avec étonnement.

– Je vous demande pardon de mes vilaines paroles, dit Msimangu.

– Vous voulez parler de cette recherche ?

– Vous aviez donc compris ?

– Oui, j'avais compris.

– Vous comprenez très vite.

– Je suis vieux et j'ai pas mal appris. Je vous pardonne.

– Je me dis parfois que je ne suis pas digne d'être prêtre. Je voudrais vous dire...

– Ce n'est pas la peine. Vous avez dit que vous étiez faible et égoïste mais que Dieu étendait ses mains sur vous. C'est vrai, il me semble.

– Eh, vous me consolez.

– Mais j'ai quelque chose à vous demander.

Msimangu le regarda attentivement puis il dit : c'est entendu.

– Qu'est-ce qui est entendu ?

– Je vous emmènerai revoir cette jeune femme.

– Vous aussi vous comprenez vite.

– Eh, voudriez-vous être le seul à être malin ?

Mais ils n'étaient guère d'humeur à plaisanter et, comme ils suivaient la route chaude d'Orlando, tous deux gardaient le silence, chacun remuant sans doute bien des choses dans sa pensée.

XI

– Je pense, dit Msimangu dans le train qui les ramenait à Sophiatown, je pense qu'il serait temps que vous vous reposiez un peu.

Koumalo le regarda :

– Comment pourrais-je me reposer ? répondit-il.

Je sais ce que vous voulez dire. Je sais que vous êtes inquiet, mais le jeune homme de la Maison de Redressement réussira mieux dans cette recherche que vous ou moi ne le pourrions. C'est aujourd'hui mardi ; après-demain, je dois aller célébrer un office à Ezenzéléni où nous avons une maison pour les aveugles. J'ai différentes choses à y faire. J'y passerait la nuit et rentrerai le lendemain. Je vais téléphoner au directeur pour lui demander la permission de vous amener avec moi. Pendant que je travaillerai, vous pourrez vous reposer. C'est très joli, là-bas ; il y a une chapelle, et le terrain descend vers la vallée. Cela vous réconfortera de voir ce que les gens font pour nos aveugles. Ensuite nous rentrerons fortifiés pour ce qui nous restera à faire.

– Et votre travail, mon ami ?

– J'en ai parlé à mes supérieurs. Ils sont d'accord, et je dois vous aider jusqu'à ce que ce jeune homme soit retrouvé.

– Ils sont vraiment très bons. C'est entendu nous irons là-bas.

*

La soirée était paisible à la Mission. Le Père Vincent, le prêtre aux joues roses, était là et l'on parlait du pays où Koumalo vivait et travaillait. Et le blanc parla de son pays, des haies et des champs et de l'abbaye de Westminster et des grandes cathédrales Mais ce plaisir même ne fut pas de longue durée, car l'un des prêtres blancs arriva de la ville avec le journal du soir et leur montra ce titre en grosses lettres noires : MEURTRE DANS PARKWOLD. UN INGÉNIEUR BIEN CONNU DE NOTRE VILLE ASSASSINÉ DANS SA MAISON. ON CROIT QUE LES MEURTRIERS SONT DES INDIGÈNES.

– C'est une grosse perte pour l'Afrique du Sud, dit le prêtre blanc. Car cet Arthur Jarvis était un jeune homme très courageux et un grand combattant au service de la justice. Et c'est une grosse perte pour l'Église également. C'était l'un de nos meilleurs fidèles.

– Jarvis ? C'est une chose terrible, en effet, dit Msimangu. Il était le président du Club des jeunes gens africains, ici même à Claremont dans Gladiolus Street.

– Vous l'avez peut-être connu, dit le Père Vincent à Koumalo. On dit dans ce journal qu'il était le fils unique de Mr. James Jarvis, habitant Haut-Val à Carisbrooke.

– Je connais le père, en effet, dit tristement Koumalo. Je veux dire que je le connais de vue et de nom, mais nous ne nous sommes jamais parlé. Sa ferme est dans les collines au-dessus de Ndoshéni et il passe quelquefois à cheval devant notre église. Mais je ne connaissais pas le fils.

Il se tut, puis reprit :

– Si, il m'en souvient, il avait un petit garçon très brillant. Lui aussi passait parfois à cheval devant notre église. Un beau petit garçon, mais je ne me le rappelle pas très bien.

Et il se tut de nouveau, car comment ne pas se taire en apprenant la mort de quelqu'un qui avait été un beau petit garçon très brillant ?

– Voulez-vous que je vous lise l'article ? proposa le Père Vincent.

« Cet après-midi, à une heure et demie, Mr. Arthur Jarvis de Plantation Road, Parkwold, a été assassiné dans sa maison par un individu qu'on pense être indigène. Mrs. Jarvis s'était absentée avec ses deux enfants pour quelques jours, et Mr. Jarvis avait téléphoné à ses associés qu'étant légèrement grippé il garderait la chambre. On suppose qu'un indigène, probablement accompagné de deux complices, serait entré par la cuisine croyant sans doute qu'il n'y avait personne dans la maison. Le domestique indigène qui se trouvait dans la cuisine fut frappé avec un instrument contondant et s'évanouit ; il semblerait qu'alors Mr. Jarvis, attiré par le bruit, serait venu voir ce qui se passait. Il fut tué d'une balle presque à bout portant dans le couloir qui conduit de l'escalier à la cuisine. On n'a relevé aucun signe de lutte.

« Trois jeunes indigènes avaient été aperçus suivant Plantation Road peu de temps avant le drame, et une force importante de police a été immédiatement envoyée sur les lieux. L'enquête se poursuit et l'on fouille les plantations de Parkwold Ridge. Le domestique indigène, Richard Mpiring, qui n'a pas encore repris connaissance, a été transporté à l'hôpital non européen ; l'on espère que, lorsqu'il ira mieux, il sera en mesure de fournir à la police d'utiles informations. Toutefois, son état est grave.

« Le bruit de la détonation fut entendu par un voisin, Mr. Michael Clarke, qui accourut aussitôt et fit la tragique découverte que l'on sait. Quelques minutes plus tard, la police était sur le lieu du crime. Sur la table de chevet de la victime, on a trouvé un manuscrit inachevé intitulé *la Vérité sur la Criminalité indigène* et il semble que le jeune ingénieur était en train d'y travailler lorsqu'il se leva pour aller à la mort.

« Le fourneau d'une pipe laissée sur la table était encore chaud quand la police vint visiter la chambre.

« Mr. Jarvis laisse une veuve, un fils de neuf ans et une fille de cinq. Fils unique de Mr. James Jarvis de Haut-Val, Carisbrooke, Natal, il était un des associés de la maison Davis, van der Walt et Jarvis. Le défunt était bien connu pour l'intérêt qu'il portait aux problèmes sociaux et pour ses efforts en faveur des sections non européennes de la communauté... »

Ils se taisent à présent. Le silence est tombé sur eux. Ce n'est plus le moment de parler des haies et des champs, et de la beauté des paysages, où qu'ils soient. Tristesse, peur, haine, comme elles montent au cœur et à l'esprit chaque fois qu'on ouvre les pages de ces courriers du destin. Pleurez sur la tribu dispersée, sur la loi et la coutume oubliées. Ah ! Pleurez sur l'homme qui est mort, sur la femme et les enfants en deuil. Pleure, ô pays bien-aimé, ces choses ne sont pas près de finir. Le soleil se répand sur la terre, sur le beau pays dont l'homme ne sait pas jouir. L'homme ne connaît que l'effroi de son cœur.

Koumalo se leva.

– Je vais rentrer chez moi, dit-il. Bonne nuit à tous.

– Je vous accompagne, mon ami.

Ils marchèrent jusqu'à la barrière de la petite maison de Mme Lithébé. Koumalo leva vers son ami un visage rempli de souffrance.

– Cette chose, dit-il. Cette chose. Ici, dans mon cœur, il n'y a rien d'autre que de la peur. Peur, peur, peur.

– Je comprends. Mais il n'en est pas moins fou d'imaginer que cette chose se soit passée précisément dans une si grande ville qui a des milliers et des milliers d'habitants.

– Il ne s'agit pas de sagesse ou de folie. Il s'agit seulement de peur.

– Après-demain nous irons à Ezenzéléni. Peut-être trouverez-vous quelque chose là-bas qui vous apaisera.

– Peut-être, peut-être. Mais je n'y trouverai pas ce que je désire par-dessus tout.

– Venez prier.

– Il ne reste plus de prière en moi. Je suis muet à l'intérieur. Je n'ai plus de mots à dire.

– Bonne nuit, mon frère.

– Bonne nuit.

Msimangu le regarda monter le petit sentier. Il avait l'air très vieux. Msimangu se retourna et prit le chemin de la Mission. Il y a des moments, c'est vrai, où Dieu ne semble plus être au monde.

XII

N'en doutez pas, c'est de la peur qui règne dans ce pays, car que peuvent faire les hommes lorsque de telles multitudes se détournent des lois ? Comment goûter le beau paysage, comment goûter ses soixante-dix ans de vie, et le soleil qui brille sur la terre, lorsqu'on a l'effroi dans le cœur ? Comment marcher tranquillement à l'ombre des jacarandas quand leur beauté est devenue une menace ? Comment reposer en paix dans son lit, quand l'ombre recèle tant de secrets ? Quels amants s'abandonneront au délice d'être étendus sous les étoiles, lorsque le danger croît en raison même de leur isolement ?

Il y a des voix qui disent ce qu'il faut faire, une centaine, un millier de voix qui crient. Mais de quelle utilité sont-elles à qui cherche conseil, car l'une crie ceci, et l'autre cela, et une troisième autre chose encore qui n'est ni ceci ni cela ?

*

L'impuissance de notre police est un scandale, messieurs et mesdames. Cette banlieue paie plus d'impôts que la plupart des autres banlieues de Johannesbourg et qu'est-ce qu'on nous donne pour cela ? Un poste de police de troisième classe, avec un homme en faction et un au téléphone. Ce crime est le second de son genre en six mois et nous devons exiger plus de protection.

(Applaudissements.)

Monsieur Mc Laren, voulez-vous nous donner lecture de votre pétition ?

*

JE dis que nous aurons toujours une criminalité indigène, tant que les indigènes de ce pays n'auront aucun but digne de leur travail. Car c'est parce qu'ils ne voient devant eux ni but, ni récompense qu'ils s'abandonnent à l'alcoolisme, au crime et à la prostitution. Que préférons-nous, une communauté indigène respectueuse des lois, diligente et ambitieuse, ou bien hors la loi, paresseuse et sans ambition ? La vérité est que nous ne savons pas, car nous redoutons également les deux choses. Et aussi longtemps nous hésiterons, aussi longtemps nous paierons chèrement le plaisir douteux de n'avoir pas à prendre de décision. Mais la solution ne se trouvera pas, sauf à titre tout à fait provisoire, dans un renforcement de la police pour nous protéger.

(Applaudissements.)

*

– Et vous pensez, monsieur de Villiers, que le développement des établissements scolaires amènerait une diminution de la délinquance juvénile parmi les enfants indigènes ?

– J'en suis convaincu, monsieur le Président.

– Avez-vous les statistiques des enfants qui fréquentent l'école, monsieur de Villiers ?

– A Johannesbourg, monsieur le Président, ils ne sont pas plus de quatre sur dix. Et sur ces quatre, pas un seul n'ira jusqu'au certificat d'études. Six ne reçoivent pas d'autre instruction que celle de la rue.

– Puis-je poser une question à M. de Villiers, monsieur le Président ?

– Faites, monsieur Scott.

– Qui, d'après vous, devrait faire les frais de cette instruction que vous préconisez, monsieur de Villiers ?

– Nous. Si nous attendons que les parents indigènes en aient les moyens, cela nous coûtera plus cher d'une autre façon.

– Ne pensez-vous pas, monsieur de Villiers, qu'une plus grande instruction produit simplement des criminels plus intelligents ?

– Je suis persuadé que non.

– Laissez-moi vous citer un exemple. J'avais un garçon qui travaillait chez moi et qui avait passé son certificat d'études. Un vrai monsieur, cravate, chapeau sur l'oreille, chaussettes à la mode et tout. Il était bien traité et bien payé. Eh bien, monsieur de Villiers, savez-vous ce que ce chenapan...

*

– On devrait renforcer le contrôle des laissez-passer.

– Mais puisque je vous dis que les laissez-passer ne servent à rien.

– Ils serviraient à quelque chose si on renforçait leur contrôle.

– Mais puisque je vous dis que c'est impossible. Savez-vous que nous envoyons déjà cent mille indigènes par an en prison où ils sont mêlés aux condamnés de droit commun ?

– Ce n'est pas tout à fait vrai, Jackson. Je sais qu'on a organisé des camps pour l'entretien des routes, qu'on les emploie dans les fermes et d'autres choses de ce genre.

– Mettons que ce soit vrai. Mais cela ne change rien au fait qu'il est impossible de renforcer le contrôle des laissez-passer. Vous pouvez continuer à envoyer ces gens dans des camps, des fermes et où diable vous voudrez, mais ne venez pas me dire que c'est une situation saine que de condamner aux travaux forcés cent mille personnes par an.

– Qu'est-ce que vous proposez, alors ?

– Ah ! vous le demandez ? Eh bien je n'en sais rien. Mais tout ce que je sais, c'est que le contrôle des laissez-passez est absolument inutile.

*

– Nous sommes allés au lac du Zoo, mon cher. Mais c'est devenu impossible. Je me demande pourquoi ils n'ont pas des jours spéciaux réservés aux indigènes.

– Moi, c'est bien simple, mon cher, j'ai renoncé à y aller le dimanche. Nous y conduisons John et Pénélope en semaine. Mais, soyons justes, où ces pauvres gens iraient-ils ?

– Pourquoi ne fait-on pas des lieux de récréation pour eux ?

– Quand on a voulu prendre une partie du golf de Hillside pour leur installer un parc, il s'est élevé un tel tollé qu'il a fallu y renoncer.

– Mais, mon cher, ç'aurait été odieux. Le bruit n'aurait pas été supportable.

– Alors ils restent sur les trottoirs et s'agglomèrent au coin des rues. Et, croyez-moi, le bruit y est tout aussi insupportable. Mais, évidemment, dans votre quartier vous ne l'entendez pas.

– Ne soyez pas si persifleur, mon cher. Pourquoi ne peut-on leur installer de grands centres de récréation et les y faire transporter gratuitement en autobus ?

– Où par exemple ?

– Vous êtes terrible. Pourquoi pas dans la Cité ?

– Et combien de temps leur faudra-t-il pour y arriver, et pour en revenir ? Combien d'heures de congé donnez-vous à vos domestiques le dimanche ?

– Oh ! il fait trop chaud pour discuter. Prenez votre raquette, mon vieux, on nous appelle. Regardez, c'est Mme Harvey et Thelma. Il va falloir jouer comme le tonnerre.

*

ET d'autres demandent qu'on divise sur-le-champ toute l'Afrique du Sud en deux contrées séparées où les blancs vivraient sans les noirs et les noirs sans les blancs, où les noirs pourraient cultiver leur sol, exploiter leurs mines, appliquer leurs lois. Et d'autres crient qu'il faut supprimer le système du recrutement qui emmène les hommes travailler dans les mines loin de leurs femmes et de leurs enfants et détruit la tribu, la maison et l'homme, et ils réclament la création de villages où les ouvriers des mines et de l'industrie pourraient vivre avec leurs familles.

Et les Églises crient, elles aussi. Les Églises de langue anglaise réclament plus d'instruction et la suppression des restrictions sur le travail et les entreprises indigènes. Et les Églises de langue africaine veulent qu'on donne aux indigènes plus d'occasions de se développer selon leur nature, et rappellent à leurs fidèles que le déclin des coutumes religieuses familiales où les domestiques prenaient part aux dévotions de la maison a contribué à la déchéance morale des indigènes. Mais il n'est pas question d'égalité ni dans l'Église ni dans l'État.

*

OUI, cent, mille voix, réclament, proposent et crient. Mais que faire lorsque l'une crie ceci et l'autre cela ?

Qui nous dira comment former un pays paisible là où le nombre des noirs surpasse si considérablement celui des blancs ? Certains disent que la terre produit assez pour tout le monde et qu'un accroissement de biens pour celui-ci n'entraîne pas nécessairement une diminution pour celui-là, que l'avancement de l'un ne doit pas se traduire par le déclin d'un autre. Ils disent qu'une main-d'œuvre pauvrement payée fait une nation pauvre et qu'une main-d'œuvre plus prospère ouvre de plus larges marchés et un plus vaste champ d'activité à l'industrie. Et d'autres disent que c'est un danger, car la main-d'œuvre mieux payée ne se contentera pas d'acheter davantage, mais aussi lira davantage, réfléchira davantage, exigera davantage et n'acceptera pas indéfiniment de se taire et de se voir maintenue dans une situation inférieure.

Qui nous dira comment organiser un tel pays ? Car nous ne redoutons pas seulement la perte de nos biens, mais aussi la perte de notre supériorité et la perte de notre blancheur. Certains disent : Il est vrai que le crime est dangereux, mais ceci ne serait-il pas pire ? Ne vaut-il pas mieux maintenir ce que nous avons, fût-ce au prix de la peur ? Et d'autres disent : Une telle peur est-elle tolérable ? Car n'est-ce point cette peur même qui amène les hommes à réfléchir sur ces sujets ?

*

Nous ne savons pas, nous ne savons pas. Nous continuerons à vivre au jour le jour et ferons ajouter des verrous à nos portes et nous achèterons un beau chien féroce quand la belle chienne féroce du voisin aura des petits, et nous serrerons plus fort contre nous notre sac à main. Et la beauté des arbres dans la nuit et les délices des amants sous les étoiles, ne seront plus pour nous. Nous éviterons de rentrer par les rues nocturnes, nous renoncerons aux promenades du soir dans le veld à la lumière des étoiles. Nous serons prudents et raierons ces choses de notre existence, nous nous environnerons d'assurances et de précautions. Et nos vies en seront diminuées mais ce seront des vies de personnages supérieurs ; et nous vivrons dans la crainte, mais du moins ne sera-ce pas la crainte de l'inconnu. Et la conscience sera mise en veilleuse ; la lumière de la vie ne sera pas éteinte mais, pour un temps, sous le boisseau afin d'être préservée pour une génération qui s'en éclairera de nouveau, un jour à venir ; mais comment ce jour viendra, et quand il viendra, mieux vaut n'y point penser.

*

ILS ont organisé une réunion ce soir à Parkwold, comme ils en avaient organisé une hier soir à Turffontein et en organisent une pour demain soir à Mayfair. Et les gens réclameront une police plus puissante et des condamnations plus sévères pour les cambrioleurs indigènes et la peine de mort pour toutes les effractions à main armée. Et certains réclameront la création d'une nouvelle police indigène afin de bien montrer qui est le maître, et la répression des activités des Kafferboeties [1] et des communistes.

1. Mot african. Se prononce Kafferboutie. Terme de mépris employé à l'origine pour désigner les blancs qui fraternisaient avec les indigènes africains et devenu par la suite l'appellation de tous ceux qui travaillent pour le bien des non-Européens. Signifie littéralement : « petit frère des Cafres. »

Et le Club des Gauches tient aussi une réunion ayant pour programme : « Une politique à long terme au sujet de la criminalité indigène » et il a invité des orateurs européens et non européens à prendre part à une conférence contradictoire. Et le Consistoire de la cathédrale a également organisé une réunion publique qui a pour sujet : « Les véritables causes de la criminalité indigène. » Mais elle se tiendra dans une atmosphère de deuil, car l'orateur de la soirée, M. Arthur Jarvis, vient d'être assassiné dans sa maison de Parkwold.

*

PLEURE, ô pays bien-aimé, sur l'enfant qui n'est pas encore né et qui héritera de notre peur. Puisse-t-il ne pas aimer trop profondément cette terre. Puisse-t-il ne pas rire avec trop de joie lorsque l'eau coulera entre ses doigts, ne pas se taire trop gravement lorsque le couchant fera flamboyer le veld. Puisse-t-il ne pas être trop ému lorsque les oiseaux de son pays chanteront, ne pas donner trop de son cœur à une montagne, à une vallée. Car s'il donne trop, la peur lui prendra tout.

*

– Monsieur Msimangu ?

– Mais c'est Mme Ndléla d'End Street !

– Monsieur Msimangu, la police est venue chez moi.

– La police ?

– Oui, elle voulait des renseignements sur le fils du vieil umfundisi. Elle le cherche.

– Pourquoi, mère ?

– Ils ne me l'ont pas dit, monsieur Msimangu.

– Est-ce grave, mère ?

– Ça a l'air grave.

– Et alors, mère ?

– J'ai eu peur, umfundisi, et je leur ai donné l'adresse de Mme Mkizé, 79, 23ᵉ Avenue à Alexandra. Et l'un d'eux a dit que cette femme était connue pour ses agissements louches.

– Vous leur avez donné l'adresse.

Il était debout à la porte.

– J'ai mal fait, umfundisi ?

– Vous n'avez pas mal fait, mère.

– J'avais peur.

– C'est la loi, mère. Nous devons aider la loi.

– Je suis contente, umfundisi.

Il remercie la femme simple et lui dit d'aller bien. Quand elle est partie, il reste debout un instant encore à la porte, puis rentre vivement dans sa chambre. Il prend une enveloppe dans un tiroir et en sort des billets de banque. Il les regarde avec regret, puis, d'un geste décidé, les met dans sa poche ; d'un geste décidé, décroche son chapeau. Vêtu pour sortir, il regarde par la fenêtre d'un air indécis dans la direction de la maison de Mme Lithébé et il secoue la tête. Mais il est trop tard, car lorsqu'il ouvre la porte, Koumalo est devant lui.

– Vous sortiez, mon ami ?

Msimangu se tait.

– J'allais sortir, répond-il enfin.

– Mais vous aviez dit que vous resteriez à travailler chez vous aujourd'hui.

Msimangu a envie de s'écrier : Ne puis-je pas faire ce qu'il me plaît ? Mais quelque chose l'arrête.

– Entrez, dit-il.

– Je ne veux pas vous déranger, mon ami.

– Entrez, répète Msimangu et il referme la porte. Mon ami, je viens d'avoir la visite de Mme Ndléla, que nous avons été voir dans sa maison d'End Street, ici, à Sophiatown.

Koumalo perçoit la gravité du ton.

– Elle a des nouvelles ? demande-t-il, mais c'est de la peur, non de l'impatience, qu'il y a dans sa voix.

– Voici, dit Msimangu. La police est venue chez elle à la recherche du garçon et elle a donné l'adresse de Mme Mkizé, 79, 23e Avenue à Alexandra.

– Qu'est-ce que la police veut au garçon ? demande Koumalo d'une voix basse et tremblante.

– Ça, nous n'en savons rien. J'allais m'y rendre quand vous êtes entré.

Koumalo le regarde avec des yeux tristes et reconnaissants qui éteignent son irritation.

– Vous y alliez seul ? demande le vieux.

– J'y allais seul, oui. Mais maintenant que je vous ai mis au courant, vous pouvez aussi bien venir.

– Comment y alliez-vous, mon ami ? Il n'y a pas d'autobus.

– J'allais prendre un taxi. J'ai de l'argent.

– Moi aussi j'en ai. C'est à moi de payer.

– Cela va coûter très cher.

Koumalo déboutonne sa veste et sort vivement sa bourse.

– Voilà mon argent, dit-il.

– Bon, nous nous en servirons. Venez, tâchons de trouver un taxi.

*

– Madame Mkizé !

Elle fit un pas en arrière, l'air hostile.

– Est-ce que la police est venue ici ?

– Elle est venue et il n'y a pas longtemps.

– Et qu'est-ce qu'elle voulait ?

– Elle voulait le garçon.

– Et qu'est-ce que vous avez dit ?

– J'ai dit qu'il y avait un an qu'il était parti d'ici.

– Et où sont-ils allés ?

– A Cabaneville.

Elle recula de nouveau en se rappelant leur précédente visite.

– A l'adresse que vous ne connaissiez pas ? dit-il froidement.

Elle le regarda d'un air maussade.

– Que pouvais-je faire, dit-elle. C'était la police.

– Tant pis. Quelle était cette adresse ?

– Je ne sais pas l'adresse. Cabaneville, je leur ai dit.

La colère monta en elle :

– Je vous ai dit que je ne savais pas l'adresse, cria-t-elle.

*

– Madame Hlatswayo !

La femme au visage aimable leur sourit et s'effaça pour les laisser entrer dans la cabane.

– Nous ne voulons pas entrer. Est-ce que la police est venue ici ?

– Elle est venue, umfundisi.

– Et qu'est-ce qu'elle voulait ?

– Elle voulait le garçon, umfundisi.

– Pourquoi, mère ?

– Je ne sais pas, umfundisi.

– Et où sont-ils allés ?

– A l'école, umfundisi.

– Dites-moi, lui demanda-t-il à part, est-ce que ç'a l'air grave ?

– Je ne saurais dire, umfundisi.

– Restez bien, madame Hlatswayo.

– Allez bien, umfundisi.

*

– Bonjour, mon ami.

– Bonjour, umfundisi, dit l'assistant indigène.

– Où est le jeune homme blanc ?

– Il est en ville. C'est tout de suite, tout de suite qu'il vient de partir.

– Est-ce que la police est venue ici ?

– Elle est venue. C'est tout de suite, tout de suite qu'ils sont repartis.

– Qu'est-ce qu'ils voulaient ?

– Ils voulaient le garçon, Absalon Koumalo, le fils du vieux qui est là-bas dans le taxi.

– Qu'est-ce qu'ils lui voulaient ?

– En vérité, je ne sais pas, umfundisi.

Msimangu se tut.

– Est-ce que ç'avait l'air grave ? demanda-t-il enfin.

– Je ne sais pas. Je ne pourrais vraiment pas dire.

– Est-ce que le jeune homme blanc était... enfin... préoccupé ?

– Il était préoccupé.

– Comment le savez-vous ?

L'assistant se mit à rire.

– Je le connais, dit-il.

– Et où sont-ils allés ?

– A Pimville, umfundisi. Chez la jeune femme.

– Tout de suite, tout de suite, vous dites !

– Tout de suite, tout de suite, en effet.

– Nous allons y aller. Restez bien. Et dites au blanc que nous sommes venus.

– Allez bien, umfundisi. Je lui dirai.

*

– Mon enfant !

– Umfundisi ?

114

– Est-ce que la police est venue ici ?

– Elle est venue ici, tout de suite, tout de suite, elle était ici.

– Et qu'est-ce qu'elle voulait ?

– Elle voulait Absalon, umfundisi.

– Et qu'est-ce que vous avez dit ?

– J'ai dit que je ne l'avais pas vu depuis samedi, umfundisi.

– Et qu'est-ce qu'ils lui voulaient ? s'écria Koumalo torturé.

Elle recula, craintive.

– Je ne sais pas, dit-elle.

– Et pourquoi n'avez-vous pas demandé ? s'écria-t-il.

Les larmes remplirent ses yeux.

– J'avais peur, dit-elle.

– Personne ne leur a demandé ?

– Les voisines étaient là. Peut-être qu'une leur a demandé.

– Quelles voisines ? dit Msimangu. Montrez-nous ces voisines.

Elle leur montra les voisines, mais elles non plus ne savaient rien.

– Ils n'ont pas voulu me le dire, répondit une femme.

Msimangu la prit à part.

– Est-ce que ç'avait l'air grave ? demanda-t-il.

– Ç'avait l'air grave, umfundisi. De quoi est-ce qu'il s'agit ?

– Nous ne savons pas.

– Le monde est plein de malheur, dit-elle.

Il retourna au taxi et Koumalo le suivit. Et la jeune femme courut après eux, comme court une femme enceinte.

– Ils m'ont dit de les prévenir s'il vient.

Ses yeux étaient pleins d'angoisse.

– Que faut-il faire ? demanda-t-elle.

– Il faudra le faire, dit Msimangu. Et il faudra nous prévenir aussi. Attendez, vous irez au bureau du surveillant et vous lui demanderez de téléphoner à la Mission à Sophiatown. Je vais vous inscrire le numéro : 49-3041.

– Je le ferai, umfundisi.

– Dites-moi, est-ce que les policiers ont dit où ils allaient ?

– Ils ne l'ont pas dit, umfundisi. Mais je les ai entendus qui disaient : *Die spoor loop dood*, la piste s'arrête là.

– Restez bien, mon enfant.

– Allez bien, umfundisi.

Elle se retourna pour dire :

– Allez bien, à l'autre également, mais il était déjà dans le taxi, courbé sur son bâton.

*

– Combien au compteur, mon ami ? demande Msimangu.

– Deux livres et dix shillings, umfundisi.

Koumalo fouille sa bourse d'une main qui tremble.

– Je voudrais vous aider, dit Msimangu. Cela me ferait plaisir de vous aider.

– Vous êtes bon, dit Koumalo en tremblant, mais personne d'autre ne doit payer que moi. Et il sort les billets de la petite liasse qui diminue.

– Vous tremblez mon ami.

– J'ai froid, très froid.

Msimangu regarde le ciel sans nuage d'où le soleil d'Afrique se répand sur la terre.

– Venez dans ma chambre, dit-il. Nous ferons du feu et vous vous réchaufferez.

XIII

LE voyage jusqu'à Ezenzéléni fut silencieux et, bien que Msimangu essayât de converser avec son ami en marchant de la gare à la Maison des aveugles, le vieil homme se montra peu disposé à parler et ne témoigna guère de curiosité pour ce qui les entourait.

– Que ferez-vous pendant que je serai occupé ici ? demanda Msimangu.

– J'aimerais m'asseoir dans un de ces endroits dont vous m'avez parlé, et peut-être, quand vous aurez terminé votre travail, me ferez-vous visiter Ezenzéléni.

– Ce sera comme vous voudrez.

– J'espère que je ne vous déçois pas trop.

– Je comprends tout. Ce n'est pas la peine de recommencer à en parler.

– Il présenta Koumalo au directeur européen qui l'appela M. Koumalo ce qui n'est pas la coutume. Et Msimangu devait avoir prévenu le directeur, car celui-ci n'insista pas pour qu'il les accompagnât, mais conduisit le vieil homme à l'endroit où le terrain descendait en pente douce, et tous deux dirent qu'on l'appellerait pour le déjeuner.

Il resta là quelques heures, assis au soleil, et il n'aurait pu dire si c'était sa chaleur, ou la vue de la vaste plaine qui s'étendait à ses pieds jusqu'aux

117

lointaines montagnes bleues, ou simplement le passage du temps, ou la divine Providence qui soulage l'âme en détresse, mais il se sentait l'esprit un peu plus léger, moins accablé par la peur.

Oui, Msimangu avait dit vrai. Pourquoi aller imaginer cette chose précisément dans une grande ville où il y avait des milliers et des milliers de gens ? Son fils s'était égaré dans la grande ville où beaucoup d'autres s'étaient égarés avant lui et où d'autres encore s'égareraient après lui jusqu'à ce que quelque grand secret fût découvert qu'aucun homme encore ne connaît. Mais de là à tuer un homme, un homme blanc ! Il n'y avait rien dans tout ce qu'il se rappelait, rien, rien absolument, qui rendît la chose probable.

Ses pensées en vinrent à la jeune femme et au bébé pas encore né qui serait son petit-enfant. C'était dommage que lui, un prêtre, eût un petit-enfant né dans ces conditions. Mais cela pouvait se réparer. S'ils se mariaient, il essaierait, lui, de reconstruire ce qui était brisé. Peut-être son fils et la jeune femme rentreraient-ils avec lui à Ndotshéni, peut-être sa femme et lui pourraient-ils donner à cet enfant ce qu'ils n'avaient pas su donner au leur. Mais en quoi avaient-ils failli ? Qu'avaient-ils fait, ou manqué à faire, pour que leur fils devînt un voleur, changeant de logis comme un vagabond, vivant avec une fille qui n'était guère qu'une enfant, et père d'un enfant qui n'aurait pas de nom ? Il se consola un peu en se disant que c'était là l'effet de Johannesbourg. Et pourtant – et la peur l'étreignit plus douloureusement que jamais – son fils avait abandonné la jeune femme et l'enfant pas encore né, abandonné le travail que le jeune homme blanc lui avait trouvé et était redevenu un vagabond. Et que faisaient les vagabonds ? Ne vivaient-ils pas sans lois ni coutumes, sans foi ni but, et n'était-il pas possible, par conséquent, qu'ils levassent la main contre tout autre, contre tout homme qui se dressait entre eux et le lamentable profit qu'ils recherchaient ?

– Qu'est-ce qui se brisait dans un homme pour qu'il devînt capable d'en tuer un autre ? Qu'est-ce qui se brisait en lui pour qu'il devînt capable de plonger le couteau dans une chair chaude, d'abattre la hache sur une tête vivante, de fendre le crâne entre des yeux qui voient, de tirer le coup de révolver qui fera pénétrer la mort dans le cœur battant ?

Avec un frisson, il repoussa ces horribles images. Pourtant, elles le rassuraient en quelque sorte. Car il n'y avait rien, rien dans toutes ces années de Ndotshéni, rien dans toutes les heures de l'enfance de son fils qui pouvait rendre possible pour lui l'accomplissement d'un acte aussi terrifiant. Oui, Msimangu avait raison. C'était la fatigue, l'émotion née de l'incertitude qui lui faisait redouter cette chose précisément dans une grande ville où il y avait des milliers et des milliers de gens.

Il s'abandonna avec soulagement à des pensées de reconstruction, imagina le foyer qu'ils bâtiraient, sa femme et lui, au soir de leur vie, pour Gertrude et son fils et pour son propre fils, la jeune femme et l'enfant. Maintenant qu'il avait vu Johannesbourg, il rentrerait à Ndotshéni avec une compréhension plus profonde. Oui, et avec une humilité plus grande, car sa propre sœur n'avait-elle pas été une prostituée ? Et son fils un voleur ? Et lui-même, n'était-il pas possible qu'il devînt le grand-père d'un enfant qui n'aurait pas de nom ? Il pensa cela sans amertume sinon sans souffrance. On pouvait rentrer en connaissant mieux les choses que l'on combattait, en connaissant mieux les choses qu'on devait construire. Il rentrerait avec un intérêt plus grand et plus vif pour l'école, non pas considérée simplement comme un endroit où les enfants apprenaient à lire, à écrire et à compter, mais comme un lieu aussi où les préparer à vivre, quel que dût être leur destin. Oh ! que l'on donnât de l'instruction à son peuple, des écoles par tout le pays où construire quelque chose qui fût utile à ces enfants lorsqu'ils s'en iraient dans les grandes villes, quelque chose pour remplacer la loi et les coutumes de la tribu. Pendant un moment, il se berça de visions, comme il arrive à l'homme au milieu d'un désert de cendres et de ruines.

Mais quoi, c'était donc vrai ? Il venait de se l'avouer : la tribu était brisée et ne se reformerait plus. Il baissa la tête. On eût dit qu'un homme qui jusque-là avait flotté dans les airs sentait soudain les ailes du miracle se retirer de lui et qu'il regardait vers la terre, malade de peur et d'appréhension. La tribu était brisée et ne se reformerait plus. La tribu qui l'avait nourri, lui, et son père et le père de son père, était brisée. Car les hommes étaient partis et les jeunes étaient partis, et le maïs atteignait à peine la taille d'un homme.

— Il y a un repas prêt pour nous, mon frère.

— Déjà ?

— Il y a longtemps que vous êtes là.

— Je ne savais pas.

— Et qu'est-ce que vous avez trouvé ?

— Rien.

— Rien ?

— Non, rien. Encore plus de peur et plus de peine. Il n'y a rien au monde que peur et peine.

— Mon frère ?

— Qu'y a-t-il ?

— J'hésite à vous parler.

– Vous avez le droit de parler. Plus de droit que n'importe qui.

– Alors, écoutez-moi : il est temps de rentrer. Ce que vous dites est folie et c'est déjà assez grave. Mais c'est aussi péché, ce qui est pire. Je vous parle en prêtre.

Koumalo courba la tête.

– Vous avez raison, frère, dit-il. Il ne faut pas que je reste plus longtemps seul ici.

*

C'ÉTAIT un endroit admirable que cet Ezenzéléni. Car les aveugles, qui traînent leurs jours dans un monde qu'ils ne peuvent voir, ici trouvaient des yeux. Ici, ils faisaient des choses que lui, Koumalo, avec toute sa bonne vue n'aurait pu faire : des corbeilles solides en osiers de différentes couleurs, et ces osiers se tressaient comme par une magie qu'il ne comprenait pas, formant des dessins, le rouge près du rouge, le bleu près du bleu, sous les mains voyantes et les yeux fermés. Il parla aux gens et les prunelles aveugles brillèrent d'une lumière qui ne pouvait être que le feu de l'âme. C'étaient des blancs qui accomplissaient cette œuvre de pitié, et les uns parlaient anglais et d'autres parlaient african, mais ceux qui parlaient anglais et ceux qui parlaient african s'unissaient pour ouvrir les yeux des hommes noirs qui étaient aveugles.

Son ami Msimangu devait prêcher cet après-midi dans la chapelle. Comme tout le monde ici n'appartenait pas à la même Église, il n'y avait pas d'autel surmonté d'une croix mais la croix était ménagée dans le mur même, formée de deux fentes qu'on avait laissées ouvertes et non remplies de briques. Et Msimangu ne revêtit pas les habits sacerdotaux qu'il portait à Sophiatown et qu'il mettrait pour célébrer l'office matinal du lendemain, devant ceux de sa religion.

*

MSIMANGU ouvrit le livre et commença par y lire à haute voix. Koumalo ne savait pas que son ami avait une voix pareille. Car cette voix était d'or et toute remplie d'amour pour les paroles qu'elle lisait. La voix frémissait et vibrait et tremblait, non pas comme tremble la voix d'un vieillard, non pas comme tremble une feuille, mais comme une cloche au son profond. Car ce n'était pas seulement une voix d'or, mais la voix d'un homme dont le cœur était d'or lisant un livre d'or. Et les gens l'écoutaient en silence et Koumalo l'écoutait en silence, car quand donc rencontre-t-on ces trois choses réunies ?

Moi le Seigneur, je t'ai appelé dans la justice
et je tiendrai ta main et te garderai
et te donnerai un signe d'alliance
comme une lumière pour les gentils
afin d'ouvrir les yeux aveugles,
de faire sortir les prisonniers de prison,
et ceux qui sont assis dans l'obscurité
hors de leur cachot.

Et la voix s'élevait et la langue zoulou était transfigurée et l'homme aussi était élevé et transfiguré comme un être qui atteint à quelque chose de plus grand qu'aucun de nous. Et les gens écoutaient en silence, car n'étaient-ils pas les gens aux yeux aveugles ? Et Koumalo écoutait en silence, car il reconnaissait un des aveugles pour lequel Msimangu lisait ces paroles :

*Je ferai marcher les aveugles par un chemin qu'ils
                       [ne connaissent pas,
Je les conduirai par des sentiers qu'ils ignorent.
Je changerai l'obscurité en lumière devant eux,
Et les choses courbes, je redresserai.
Ces choses, je les ferai pour eux
et ne les abandonnerai point.*

*

OUI, c'est à moi qu'il parle, il n'y a aucun doute. Il dit que nous ne sommes pas abandonnés. Car, tandis que je me demande pourquoi nous vivons et luttons et mourons, tandis que je me demande ce qui nous maintient vivant et luttant, des hommes viennent soigner les aveugles, des hommes blancs viennent soigner les aveugles noirs. Qui donc m'a envoyé, en cette heure suprême, un ami pour changer les ténèbres en lumière devant moi ? Qui donne, en cette heure suprême, la sagesse à un si jeune homme afin qu'il en console un si vieux ? Qui donc m'émeut de compassion pour la jeune femme que mon fils abandonne ?

Oui, c'est à moi qu'il parle avec ces mots si calmes et si simples. – Nous sommes reconnaissants aux saints, dit-il, qui nous élèvent le cœur aux jours de notre détresse. Ferons-nous moins ? Car si nous faisons moins, il n'y aura plus de saints pour élever aucun cœur. Si le Christ est le Christ, dit-il, véritable Seigneur du ciel, véritable Seigneur des hommes, qu'y a-t-il que nous ne fassions, et malgré nos souffrances ?

Je t'entends mon frère. Il n'est pas un mot que je n'entende.

Il termine. Je le devine à sa voix. On comprend que ce qui est dit est dit, est achevé, fini, est

perfection. Il ouvre le livre et recommence à lire.
Il lit pour moi :

N'as-tu pas su, n'as-tu pas entendu
Que l'Éternel Dieu, le Seigneur,
Le Créateur des bouts de la terre
Ne faillit point ni ne se lasse ?

Et la voix s'élève de nouveau et la langue zoulou est
transfigurée et l'homme aussi est élevé et transfiguré...

Même les jouvenceaux faibliront et se lasseront
et les jeunes hommes tomberont
mais ceux qui ont foi dans le Seigneur
renouvelleront leurs forces.
Ils monteront avec des ailes d'aigle,
courront et ne seront pas fatigués,
et ils marcheront sans s'évanouir.

*

Les gens soupirent et Koumalo soupire, car une
grande parole a été prononcée. C'est vrai que ce
Msimangu est un prédicateur connu. Le gouvernement a de la chance, dit-on à Johannesbourg, que
Msimangu parle d'un monde qui n'est pas fait par
les mains, car il touche le cœur des gens et les dirige
vers le ciel au lieu de les faire marcher sur Prétoria.
Et il y a des blancs qui s'émerveillent et disent :
« Quelles paroles dans la bouche du fils d'un peuple
barbare qui, il n'y a pas si longtemps, pillait et
massacrait par milliers et dizaines de milliers sous
le plus terrible chef qui se puisse voir. »
Oui, certains le méprisent de ne pas utiliser
autrement sa voix d'or qui pourrait soulever une
nation. Mais ce lieu de souffrance dont les hommes

parviendraient peut-être à s'évader si une voix savait enfin tous les unir, n'est pas pour lui une cité continue. On dit qu'il parle d'un monde qui n'est pas fait par les mains, tandis que, dans les rues autour de lui, des hommes souffrent, luttent et meurent. On demande quelle folie peut ainsi s'emparer d'un homme, quelle folie s'est emparée d'un si grand nombre d'hommes de son peuple, pour rendre les affamés patients, les souffrants résignés, les mourants sereins ? Et comme ces fous l'écoutent, silencieux, ravis, soupirant quand il a terminé, remplissant leurs ventres creux de ses paroles vides !

Koumalo va à lui.

– Frère, je suis guéri.

Le visage de Msimangu s'éclaire, mais il parle humblement, sans orgueil ni fausse modestie.

– J'ai essayé tous les moyens de vous approcher, dit-il, mais je n'arrivais pas à vous toucher. Soyons reconnaissants et heureux.

XIV

Le jour de leur retour d'Ezenzéléni, Koumalo déjeuna à la Mission puis s'en fut chez Mme Lithébé jouer avec le fils de Gertrude. Il arriva au milieu de grands marchandages, car Mme Lithébé avait trouvé un acquéreur pour la table et les chaises de Gertrude ainsi que pour sa vaisselle. Le tout fut vendu trois livres ce qui n'était pas un mauvais prix pour une table très abîmée, rayée et déteinte, par quoi, il ne le demanda pas. Et les chaises aussi étaient si disloquées qu'il fallait s'y asseoir avec précaution. En fait, ce fut la vaisselle qui atteignit ce prix, car elle était de ce métal appelé aluminium, que les noirs n'achètent pas généralement, mais sa sœur disait que quelqu'un lui en avait fait cadeau et il ne lui demanda pas qui.

Elle avait l'intention d'employer cet argent à acheter des chaussures et un manteau pour se protéger de la pluie qui commençait à tomber ; et il approuva ce projet, car son vieux manteau et ses vieilles chaussures allaient mal avec la robe rouge et le turban blanc qu'il lui avait donnés.

Quand tous les objets eurent été chargés, l'argent versé et le camion parti, il allait se mettre à jouer avec le petit garçon lorsqu'il aperçut – et la peur l'étreignit soudain avec la violence d'une souffrance physique – Msimangu et le jeune homme blanc qui se dirigeaient vers la maison. Obéissant à une vieille habitude de courtoisie, il se força à aller jusqu'à la barrière pour les accueillir et remarqua avec appréhension qu'ils avaient des visages composés et parlaient à voix basse.

– Bonjour, umfundisi. Y a-t-il un endroit où nous puissions parler ? demanda le jeune homme.

– Venez dans ma chambre, dit-il, mal maître de sa voix.

Dans sa chambre, il ferma la porte et s'arrêta, debout, sans les regarder.

– On m'a dit ce que vous redoutiez, dit le jeune homme. C'est vrai.

Koumalo restait debout, courbé, et ne pouvait les regarder. Il s'assit dans son fauteuil, les yeux au sol.

Que pouvait-on dire ? Fallait-il le prendre par les épaules, lui serrer la main ? Msimangu et le jeune homme ne savaient pas et parlaient à voix basse comme dans une chambre où il y a un mort.

Le jeune homme haussa les épaules.

– Cela va faire du tort à la Maison de Redressement, dit-il un peu plus haut, sur un ton presque indifférent.

Et Koumalo hocha la tête, non pas une, ni deux, mais trois ou quatre fois comme pour dire lui aussi : Oui, ça va faire du tort à la Maison de Redressement.

– Oui, dit le jeune homme, c'est mauvais pour nous. On dira que nous l'avons laissé sortir trop tôt. Il y a tout de même une chose, ajouta-t-il, c'est que les deux autres ne sortaient pas de notre Maison. Mais c'est lui qui a tiré.

– Mon ami, dit Msimangu, d'une voix aussi naturelle qu'il put, l'un des deux autres est le fils de votre frère.

Et Koumalo se remit à hocher la tête, une, deux, trois, quatre fois, comme pour dire lui aussi : L'un des deux autres est le fils de mon frère.

Puis il se leva et regarda autour de lui. Ses visiteurs le suivaient des yeux. Il décrocha son manteau et l'enfila, il mit son chapeau sur sa tête et prit son bâton dans sa main. Ainsi vêtu, il se tourna vers eux et hocha de nouveau la tête. Mais, cette fois, ils ne savaient pas ce qu'il voulait dire.

– Vous sortez, mon ami ?

– Voulez-vous venir à la prison, umfundisi ? J'ai arrangé cela pour vous.

Et Koumalo acquiesça en hochant la tête. Il se retourna et regarda de nouveau la chambre, s'aperçut qu'il était déjà vêtu pour la rue ; il toucha son manteau et son chapeau et regarda le bâton qu'il avait à la main.

– Mon frère d'abord, dit-il, si vous voulez seulement me montrer le chemin.

– Je vais vous montrer le chemin, mon ami.

– Et moi, je vous attendrai à la Mission, dit le jeune homme.

Comme Msimangu posait la main sur le bouton de la porte, Koumalo l'arrêta. – Je marcherai tout doucement, dit-il et vous me rejoindrez dans la rue. Il faut que vous leur disiez... Il désignait de la main la chambre voisine.

– Je leur dirai, mon ami.

Il le leur dit, et, ayant dit, referma la porte sur les lamentations des femmes, car telle est leur coutume. Lentement, il suivit le vieillard courbé qui montait la rue, le vit hocher la tête tout en marchant, vit des gens se retourner. Il se demanda si la sénilité allait à présent s'emparer de lui ? Ce terrible hochement de tête durerait-il maintenant jusqu'à la fin de ses jours, si bien que les gens diraient tout haut en sa présence : Ce n'est rien, il est vieux et ne fait qu'oublier. Continuerait-il alors à hocher la tête comme pour dire lui aussi : Ce n'est rien, je suis vieux et ne fais qu'oublier ? Mais qui sait s'il ne voudrait pas dire : Je ne fais que me souvenir ?

Msimangu le rejoignit au haut de la côte et lui prit le bras. Il avait l'impression de marcher avec un enfant ou un malade. Ils arrivèrent ainsi à la menuiserie. Devant la boutique, Koumalo se retourna, ferma les yeux, et ses lèvres remuèrent. Puis il ouvrit les yeux et, s'adressant à Msimangu :

– Ne venez pas plus loin, dit-il. C'est à moi de faire ça.

Et il entra dans la boutique.

Oui, la voix de taureau retentissait toujours, lourde et assurée. Son frère John était assis sur une chaise et parlait à deux autres hommes ; il était assis devant eux comme un chef. Il ne reconnut pas son frère, car il avait la lumière de la rue derrière lui.

– Bonjour, mon frère.

– Bonjour, monsieur.

– Bonjour, mon propre frère, fils de notre mère.

– Ah ! mon frère, c'est toi. Eh bien, mais je suis content de te voir. Ne veux-tu pas entrer te joindre à nous ?

Koumalo regarda les visiteurs.

– Je te demande pardon, dit-il, mais je viens de nouveau pour affaires, pour affaires très importantes.

– Je suis sûr que mes amis nous excuseront. Excusez-nous, mes amis.

Alors tout le monde dit : Restez bien et allez bien et les deux étrangers les laissèrent seuls.

– Eh bien, mais je suis content de te voir, mon frère. Et tes recherches, comment progressent-elles ? As-tu retrouvé l'enfant prodigue ? Tu vois que je n'ai pas tout à fait oublié mon catéchisme.

Et il rit à cela, d'un grand rire de taureau.

– Mais il nous faut du thé, dit-il et il s'approcha d'une porte et parla vers l'arrière-boutique.

– C'est toujours la même femme, dit-il. Tu vois, j'ai aussi mes idées de... comment appelle-t-on ça en anglais ? Et il rit de nouveau, de son grand rire, car il disait tout cela pour taquiner son frère. Fidélité, voilà le mot ! Un beau mot, je ne l'oublierai pas de si tôt. C'est un homme intelligent que ton monsieur Msimangu. Et alors, cet enfant prodigue est-il retrouvé ?

– Il est retrouvé, mon frère. Mais pas comme il a été retrouvé dans le catéchisme. Il est en prison, accusé du meurtre d'un homme blanc.

– Meurtre ? L'homme ne plaisante plus. On ne plaisante pas à propos de meurtre, surtout du meurtre d'un homme blanc.

– Oui, meurtre. Il s'est introduit dans une maison, dans un endroit qui s'appelle Parkwold, et il a tué l'homme blanc qui voulait l'arrêter.

– Quoi ? Je me rappelle ! Il n'y a qu'un jour ou deux ? Mardi ?

– Oui.

– Oui, je me rappelle.

Oui, il se rappelle. Il se rappelle aussi que son propre fils et le fils de son frère sont deux amis. Les veines se gonflent sur son cou de taureau et la sueur perle à son front. Il n'en faut pas douter, c'est de la peur qu'il y a dans ses yeux. Il s'éponge le front avec un mouchoir. Il y a encore beaucoup de questions qu'il pourrait poser avant d'en arriver là. Mais tout ce qu'il dit est : Oui, c'est vrai, je me rappelle. Son frère se sent plein de compassion pour lui. Il va essayer de lui annoncer la nouvelle avec ménagements.

– Je suis désolé, mon frère.

Que faut-il dire ? Faut-il dire : Bien sûr, tu es désolé ? Faut-il dire : Bien sûr, c'est ton fils ? Comment peut-on dire cela quand on sait ce que cela signifie ? Tais-toi alors, mais ses yeux sont sur toi. On sait ce qu'ils demandent.

– Tu veux dire..., demande enfin John Koumalo.

– Oui. Lui aussi y était.

John Koumalo soupire *Tixo, Tixo.* Et encore, *Tixo, Tixo.* Koumalo s'approche de lui et lui met la main sur l'épaule.

– Il y a bien des choses que je pourrais dire, fait-il.

– Il y a bien des choses que tu pourrais dire.

– Mais je ne les dis pas. Je dis seulement que je sais ce que tu souffres.

– Qui pourrait mieux le savoir ?

– Oui, c'est là une des choses que je pourrais dire. Il y a un jeune homme blanc à la Mission et il m'attend pour m'emmener à la prison. Peut-être t'emmènerait-il aussi ?

– Laisse-moi prendre mon manteau et mon chapeau, mon frère.

Ils n'attendent pas qu'on apporte le thé. Ils prennent le chemin de la Mission. Msimangu, qui guettait anxieusement leur sortie, les voit s'approcher. Le vieux marche d'un pas plus ferme à présent, c'est l'autre qui semble courbé et brisé.

A la Mission, le Père Vincent, le prêtre anglais aux joues roses, prend la main de Koumalo dans les siennes.

– Tout ce que je pourrai, dit-il, tout. Vous n'avez qu'à demander. Je ferai n'importe quoi.

*

Ils franchissent la lourde grille dans la haute muraille sombre. Le jeune homme parle pour eux et ce qu'il demande est accordé. L'on conduit John Koumalo dans une pièce et le jeune homme accompagne Stephen Koumalo dans une autre. Là, on lui amène son fils.

Ils se serrent la main, ou plutôt le vieil homme prend la main de son fils dans les siennes et des larmes chaudes tombent sur elles. Le garçon reste là, immobile et malheureux. Il n'y a pas de joie dans ses yeux. Il tourne la tête de côté et d'autre comme si son vêtement lâche était encore trop serré.

– Mon enfant, mon enfant.

– Oui, mon père.

– Enfin, je t'ai trouvé.

– Oui, mon père.

– Et il est trop tard.

A cela, le garçon ne répond pas. Comme s'il puisait un peu d'espoir dans ce silence, son père le presse.

– N'est-il pas trop tard ? demande-t-il. Mais il ne reçoit pas de réponse. Le garçon tourne la tête de côté et d'autre, il rencontre les yeux du jeune homme blanc et retire vivement son regard.

– Mon père, c'est comme mon père le dit, répond-il.

– Je t'ai cherché partout.

A cela non plus, point de réponse. Le vieil homme ouvre les mains et celle de son fils en retombe sans vie. Il y a ici une barrière, un mur, quelque chose qui les sépare l'un de l'autre.

– Pourquoi as-tu fait cette chose terrible, mon enfant ?

Le jeune homme blanc fait un signe de prudence, le gardien blanc ne bouge pas, peut-être connaît-il cette langue. Il y a de la buée dans les yeux du garçon, il tourne la tête de côté et d'autre et ne répond pas.

– Réponds-moi mon enfant.

– Je ne sais pas, dit-il.

– Pourquoi portais-tu un revolver ?

Le gardien blanc a tressailli lui aussi, car le mot en zoulou est le même qu'en anglais et en african. Le garçon aussi paraît s'animer.

– Par prudence, dit-il. Johannesbourg est un endroit dangereux. On n'est jamais sûr de ne pas se faire attaquer.

– Mais pourquoi l'avoir apporté dans cette maison ?

A cela non plus on ne peut pas répondre.

– Est-ce qu'ils l'ont, mon enfant ?

– Oui, mon père.

– Ils n'ont pas de doute que c'est toi ?

– Je leur ai dit, mon père.

– Qu'est-ce que tu leur as dit ?

– Je leur ai dit que j'avais été effrayé quand l'homme blanc était entré. Alors j'ai tiré. Je n'avais pas l'intention de le tuer.

– Et ton cousin ? Et l'autre ?

– Oui, je leur ai dit. Ils étaient venus avec moi, mais c'est moi qui ai tiré sur l'homme blanc.

– Vous y étiez allés pour voler ?

A cela non plus l'on ne peut pas répondre.

– Tu as été dans la Maison de Redressement, mon enfant ?

Le garçon regarde sa bottine et avance le pied en frottant le sol.

– J'y ai été, dit-il.

– Est-ce qu'on t'y a bien traité ?

De la buée monte de nouveau dans ses yeux, de nouveau il tourne la tête de côté et d'autre, baisse le regard vers sa bottine qui frotte le sol.

– On m'y a bien traité, répond-il.

– Et est-ce là ta reconnaissance, mon fils ?

Encore une question sans réponse. Le jeune homme blanc s'avance, car il sait que tout cela ne sert à rien, ne mène à rien. Peut-être, n'aime-t-il pas voir ces deux êtres se torturer.

– Alors, Absalon ?

– Monsieur ?

– Pourquoi avez-vous quitté le travail que je vous avais trouvé ?

Et vous non plus, jeune homme blanc, vous n'obtenez pas de réponse. Il n'y a pas de réponses à ces choses.

– Pourquoi l'avez-vous quitté, Absalon ?

Il n'y a pas de réponses à ces choses.

– Et votre amie. Celle pour qui nous vous avons laissé partir, la jeune femme dont vous aviez tant de souci que nous avons eu pitié de vous ?

De nouveau des larmes dans ses yeux. Qui sait s'il pleure sur la jeune fille qu'il a abandonnée ? Qui sait s'il pleure sur une promesse brisée ? Qui sait s'il pleure sur un autre lui-même qui aurait travaillé pour une femme, payé ses impôts, mis de l'argent de côté, respecté les lois, aimé ses enfants, un autre lui-même qui a toujours été vaincu. Ou bien ne pleure-t-il que sur soi, pour qu'on le laisse tranquille, qu'on le laisse seul, qu'on lui épargne cette impitoyable pluie de questions, pourquoi, pourquoi, pourquoi, quand il ne sait pas pourquoi. On ne parle pas avec lui, on ne plaisante pas avec lui, on ne s'assoit pas tout simplement en le laissant tranquille, mais on l'interroge, l'interroge, l'interroge, pourquoi, pourquoi, pourquoi... Son père, l'homme blanc, les fonctionnaires de la prison, les policiers, les magistrats, pourquoi, pourquoi, pourquoi.

Le jeune homme blanc hausse les épaules, sourit d'un air indifférent. Mais il n'est pas indifférent et il y a un pli douloureux entre ses yeux.

– Ainsi va le monde, dit-il.

– Réponds-moi une chose, mon enfant. Me répondras-tu ?

– Je peux répondre, père.

– Tu n'as rien écrit, envoyé aucune nouvelle. Tu t'es lié avec de mauvais compagnons. Tu as volé, cambriolé, et... oui, tu as fait tout cela. Mais pourquoi ?

Le garçon s'accroche au mot qu'on lui a tendu.

– C'étaient les mauvais compagnons, dit-il.

– Je n'ai pas besoin de te dire que ce n'est pas une réponse, dit Koumalo. Mais il sait que, de cette façon, il n'en obtiendra pas d'autres. Oui, je comprends, dit-il, de mauvais compagnons. Oui, je comprends. Mais toi, toi-même, qu'est-ce qui t'a fait faire ça ?

Comme ils se torturent mutuellement ! Et le garçon torturé de nouveau s'anime un peu.

– C'était le diable, dit-il.

Oh ! garçon, ne peux-tu pas dire que tu as combattu le diable, lutté contre le diable, résisté au diable nuit et jour jusqu'à ce que la sueur t'inonde et que la force te manque ? Ne peux-tu pas dire que tu as pleuré sur tes péchés et juré de t'amender, que tu t'es redressé, que tu as trébuché, que tu es retombé ? Cela serait une faible consolation pour cet homme au supplice qui te demande désespérément pourquoi tu n'as pas lutté ?

Et le garçon regarde de nouveau ses pieds et dit :
– Je ne sais pas.

Le vieux est épuisé, le garçon est épuisé et le temps de la visite est presque écoulé. Le jeune homme blanc revient vers eux.

– Est-ce qu'il souhaite toujours épouser la jeune femme ? demande-t-il à Koumalo.

– Tu souhaites toujours épouser cette jeune femme, mon fils ?

– Oui, mon père.

– Je verrai ce que je peux faire, dit le jeune homme. Je crois qu'il est temps de nous en aller.

– Pourrons-nous revenir ?

– Oui, nous pourrons revenir. Nous demanderons les heures à l'entrée.

– Reste bien, mon fils.

– Va bien, mon père.

– Mon enfant, tu dois pouvoir envoyer des lettres d'ici. Mais n'écris pas à ta mère avant que je t'aie revu. Il faut que je lui écrive d'abord.

– C'est bien, mon père.

Ils s'en vont et, devant la grille, ils rencontrent John Koumalo. Le gros homme à nuque de taureau est ragaillardi.

– Eh bien, eh bien, dit-il, il faut tout de suite aller trouver un avocat.

– Un avocat, mon frère. Pourquoi dépenser tant d'argent ? Les faits sont simples et ne font aucun doute.

– Quels faits ? demande John Koumalo.

– Quels faits ? Ces trois garçons sont entrés dans une maison qu'ils croyaient vide. Ils ont assommé le domestique. L'homme blanc a entendu du bruit et est venu voir. Et alors... et alors... mon fils... le mien, pas le tien,... a tiré sur lui. Il dit qu'il a eu peur.

– Eh bien, eh bien, dit John Koumalo, en effet. Il paraît rassuré. En effet, répète-t-il. Et il t'a raconté tout ça devant les gens qui étaient là ?

– Pourquoi pas, puisque c'est la vérité ?

John Koumalo semble rassuré.

– Peut-être n'as-tu pas besoin d'un avocat, en effet, dit-il. S'il a tiré sur l'homme blanc, il n'y a sans doute rien à ajouter.

– Et toi, est-ce que tu vas prendre un avocat ?

John Koumalo sourit à son frère.

– Peut-être que j'aurai besoin d'un avocat, dit-il. D'abord, un avocat aura le droit de parler à mon fils en particulier.

Il paraît réfléchir, puis dit à son frère :

– Vois-tu, mon frère, il n'y a aucune preuve que mon fils ni cet autre jeune homme aient été présents.

Oui, John Koumalo sourit à cette idée, il semble tout à fait rasséréné.

– Aient été présents ? Mais mon fils...

– Oui, oui, interrompt John Koumalo et il lui sourit, mais qui va croire ton fils ? demande-t-il.

Il le dit avec intention, une intention cruelle et impitoyable. Koumalo s'arrête, consterné, et le jeune homme blanc monte en voiture. Koumalo le regarde en quête d'un conseil mais le jeune homme hausse les épaules.

– Faites ce que vous voudrez, dit-il avec indifférence. Ce n'est pas mon métier de procurer des avocats. Mais si vous voulez rentrer à Sophiatown, je vous emmène.

Koumalo, que cette indifférence achève d'abattre, reste devant la voiture, irrésolu. Son hésitation paraît irriter le jeune homme blanc qui se penche à la portière et élève la voix.

– Ce n'est pas mon métier de procurer des avocats, dit-il. Mon métier est de réformer, d'aider, d'élever.

Ses mains dessinent un geste irrité d'élévation, puis il rentre la tête dans la voiture et fait mine de partir. Mais il change d'avis et se penche de nouveau au-dehors.

– C'est un merveilleux métier, dit-il, un merveilleux métier, un noble métier.

Il se retire de nouveau puis se penche encore une fois pour parler à Koumalo.

– Ne vous figurez pas que le métier de pasteur soit plus noble, dit-il.

Sans doute se rend-il compte qu'il a parlé trop fort, car il baisse la voix entre ses lèvres serrées :

– Vous sauvez des âmes, dit-il comme si c'était une sombre plaisanterie de sauver des âmes. Mais moi aussi je sauve des âmes. Vous assistez aux naissances et aux morts. Et moi aussi. J'ai vu cet Absalon naître à un monde nouveau et maintenant je le vois le quitter.

Il regarde Koumalo comme pour le défier.

– Nous allons le voir le quitter, dit-il. Il s'adosse de nouveau sur son siège et saisit le volant comme pour le briser. Vous rentrez à Sophiatown ? demande-t-il.

Mais Koumalo secoue la tête, car comment pourrait-il monter en voiture avec cet étranger ? Le jeune homme regarde John Koumalo et il sort de nouveau la tête et lui dit : – Vous êtes un homme intelligent mais, Dieu merci, vous n'êtes pas mon frère ! Il met sa voiture en marche à grand bruit et s'éloigne dans un grincement de roues tout en se parlant à lui-même avec des gestes de colère.

Koumalo regarde son frère, mais son frère s'éloigne sans le regarder. Las, très las, il franchit la haute grille et se trouve dans la rue. – *Tixo*, dit-il. *Tixo*, ne m'abandonne pas. Les paroles du Père Vincent lui reviennent à la mémoire, tout ce que je pourrai, tout, a-t-il dit, vous n'avez qu'à me le demander. C'est donc le Père Vincent qu'il faut aller trouver.

XV

Koumalo rentra chez Mme Lithébé accablé et découragé. Les deux femmes se taisaient et il n'avait pas envie de leur parler ni de jouer avec son petit neveu. Il se retira dans sa chambre et y resta assis en silence attendant d'avoir retrouvé assez de forces pour aller à la Mission. Mais, tandis qu'il attendait là, on frappa à sa porte et Mme Lithébé entra avec le jeune homme blanc. Encore écorché par leur dernier contact, Koumalo eut un mouvement de recul. Voyant cela, le jeune homme fronça les sourcils et parla en sesuto à Mme Lithébé qui s'éloigna.

Koumalo se leva, vieillard courbé. Il aurait voulu dire des mots humbles, des mots d'excuse, mais aucun ne lui venait aux lèvres. Et comme il ne pouvait regarder le jeune homme, il fixa des yeux le plancher.

– Umfundisi.

– Monsieur ?

Le jeune homme avait l'air plus furieux que jamais.

– Je vous demande pardon de m'être mis en colère, umfundisi, dit-il. Je suis venu pour vous parler de cette affaire d'avocat.

– Monsieur ?

C'était vraiment difficile de parler à un homme qui se tenait ainsi devant vous.

– Umfundisi, voulez-vous que nous en parlions ?

Koumalo luttait avec lui-même. Il y a des moments difficiles pour un noir qui a appris à être humble et qui désire pourtant montrer qu'il est bien lui.

– Monsieur, répéta-t-il.

– Umfundisi, répéta patiemment le jeune homme, je sais ce que vous éprouvez. Vous ne voulez pas vous asseoir ?

Koumalo s'assit et le jeune homme, toujours debout, le sourcil toujours froncé de colère, lui dit :

– Je vous ai parlé comme je l'ai fait tout à l'heure parce que j'avais du chagrin et parce que j'essaie de me donner entièrement à mon travail. Et quand mon travail va de travers, je me fais mal et je fais mal aux autres aussi. Mais ensuite j'ai honte et c'est pourquoi je suis venu.

Et comme Koumalo continuait à se taire, il dit :

– Comprenez-vous ?

Et Koumalo répondit :

– Oui, je comprends. Il détourna le visage et le jeune homme ne vit pas qu'il n'avait plus l'air blessé. Je comprends complètement, dit-il.

Le jeune homme cessa de froncer le sourcil.

– A propos de l'avocat, dit-il, je pense qu'il faut que vous en preniez un. Non pas pour qu'il déguise la vérité, mais parce que je n'ai pas confiance en votre frère. On voit bien ce qu'il a derrière la tête. Son plan est de nier que son fils et le troisième garçon aient accompagné votre fils. Or, ni vous ni moi ne savons si cela peut ou non empirer la situation, mais un avocat le saura. Et autre chose encore : Absalon dit qu'il a tiré parce qu'il avait peur et sans intention de tuer l'homme blanc. Il faudra un avocat pour convaincre le tribunal que c'est la vérité.

– Oui, je comprends cela.

– Connaissez-vous un avocat, un membre de votre Église peut-être ?

– Non, monsieur, je n'en connais pas. Mais j'avais l'intention d'aller voir le Père Vincent à la Mission après m'être reposé.

– Êtes-vous reposé à présent ?

– Votre visite m'a redonné du cœur, monsieur. Je me sentais si...

– Oui, je sais.

Le jeune homme fronça le sourcil et dit comme pour lui-même : c'est ma grande faute.

– Irons-nous maintenant ? ajouta-t-il.

Ils se rendirent donc à la Mission où on les introduisit dans la chambre du Père Vincent ; et là ils parlèrent longuement avec le prêtre anglais aux joues roses.

– Je crois que je connais un homme très bien qui se chargera de cette affaire, dit le Père Vincent. Je pense que nous sommes tous d'accord pour qu'on dise la vérité et rien que la vérité, et que la thèse de la défense sera que le coup de revolver fut tiré dans un mouvement de peur et non pour tuer. Notre avocat nous dira que faire au sujet du second point : la possibilité, mon ami, que votre neveu et l'autre jeune homme nient avoir été là. Car il semble qu'il n'y ait que votre fils pour déclarer qu'ils y furent. Pour nous, ce sera la vérité et rien que la vérité et, d'ailleurs, l'homme auquel je pense ne se chargerait pas de l'affaire s'il en était autrement. Je le verrai aussitôt que possible.

– Et à propos du mariage ? demanda le jeune homme.

– Je lui en parlerai également. Je ne sais pas si cela peut se faire, mais si cela se pouvait, je serais heureux de les marier moi-même.

Ils se levèrent pour se séparer et le Père Vincent posa la main sur le bras du vieil homme.

– Ayez du courage, dit-il. Dans tous les cas, votre fils sera sévèrement puni, mais si sa défense est acceptée, ce ne sera pas la peine capitale. Et tant qu'il y a vie, il y a espoir d'amendement.

– Je ne cesse pas de me répéter cela, dit Koumalo. Mais j'ai peu d'espoir.

– Restez ici et parlons ensemble, dit le Père Vincent.

– Moi, il faut que je m'en aille, dit le jeune homme blanc. Mais, umfundisi, je suis prêt à vous aider si mon aide peut vous être utile.

Quand le jeune homme fut parti, Koumalo et le prêtre anglais s'assirent et Koumalo dit :

– Vous devez comprendre que ç'a été un triste voyage.

– Je le comprends, mon ami.

– D'abord, ç'a été une recherche. J'ai commencé par être inquiet mais, à mesure que la recherche se prolongeait, l'inquiétude se changeait en peur et cette peur grandissait à chaque pas. C'est à Alexandra que j'ai eu peur pour la première fois, mais c'est ici dans votre Maison, quand j'ai appris le meurtre, que ma peur est devenue quelque chose de trop grand pour qu'on puisse le supporter.

Le vieillard se tut et regarda le plancher, se souvenant, perdu dans ses souvenirs. Il resta ainsi, l'œil fixe assez longtemps, puis il reprit :

– Msimangu m'a dit : Pourquoi aller imaginer que cette chose précisément se soit passée dans une ville où il y a des milliers et des milliers de gens ? Cela m'a rassuré, dit-il.

Et la façon dont il dit « cela m'a rassuré » était si poignante que le Père Vincent se raidit et cessa presque de respirer, espérant que cela serait bientôt terminé.

– Cela m'a rassuré, continua Koumalo, et cela ne m'a pas rassuré. Et même maintenant, j'ai du mal à croire que cette chose qui arrive une fois sur mille me soit arrivée à moi. Oui, parfois, pendant une seconde ou deux, je me surprends même à croire que cela n'est pas arrivé, que je vais me réveiller et apprendre que cela n'est pas arrivé. Mais ça ne dure qu'une seconde ou deux.

« Penser, reprit Koumalo, que ma femme et moi menions notre vie en toute innocence là-bas à Ndotshéni, sans nous douter que cette chose arrivait pas à pas.

« C'est vrai, fit-il encore, si l'on avait seulement pu nous dire : Ce pas est franchi et ce pas est sur le point de l'être. Si seulement l'on avait pu nous dire cela.

« Mais nous ne savions rien, continua Koumalo. Maintenant, nous voyons, mais alors nous ne pouvions rien voir. Pourtant, d'autres voyaient les choses se préparer. Elles ont été révélées à d'autres pour qui elles étaient sans importance. Ils y ont assisté, pas à pas. Ils disaient : C'est Johannesbourg, c'est un garçon qui tourne mal comme d'autres ont mal tourné à Johannesbourg. Mais à nous pour qui c'était la vie et la mort, rien n'a été révélé.

Le Père Vincent mit sa main sur ses yeux pour les cacher à la lumière, pour les cacher à la vue de l'homme qui parlait. Il aurait voulu parler à son tour pour briser le charme douloureux qui se tissait autour de lui, mais quelque chose lui disait de n'en rien faire. Et d'ailleurs, qu'aurait-il pu dire ?

– Il y a un homme qui dort dans l'herbe, dit Koumalo. Et au-dessus de lui se rassemble la plus grande tempête de sa vie. Les éclairs et le tonnerre qui se préparent, on n'en a jamais vu de pareils, portant la mort et la destruction. Les gens se dépêchent de rentrer chez eux, passant devant lui pour gagner des lieux à l'abri du danger. Et soit qu'ils ne le voient pas là couché dans l'herbe ou qu'ils craignent de s'arrêter, fût-ce un instant, ils ne le réveillent pas, ils le laissent tranquille.

Après cela, Koumalo se tut et le silence régna dans la chambre. Le Père Vincent essaya en lui-même une douzaine de phrases, mais aucune ne lui parut convenir. Enfin il dit :

– Mon ami, et, bien qu'il ne dît rien de plus, il espéra que Koumalo prendrait cela comme un signal que d'autres mots allaient suivre, mais Koumalo n'y répondit point.

Alors il répéta :

– Mon ami.

– Frère ?

– Mon ami, votre inquiétude s'est changée en peur et votre peur en chagrin. Mais le chagrin vaut mieux que la peur. Car la peur toujours appauvrit tandis que le chagrin peut enrichir.

Koumalo le regarda avec une intensité étrange chez un homme si humble, et difficile à déchiffrer.

– Je ne vois pas en quoi je suis enrichi, dit-il.

– Le chagrin vaut mieux que la peur, répéta le Père Vincent qui s'obstinait. La peur est un voyage, un terrible voyage, mais le chagrin au moins est une arrivée.

– Et où suis-je arrivé ? demanda Koumalo.

– Quand l'orage menace, l'homme craint pour sa maison, dit le Père Vincent dans cette langue symbolique qui ressemble au langage zoulou. Mais lorsque la maison est détruite, il y a quelque chose à faire. Contre l'orage, il ne peut rien, mais il peut rebâtir une maison.

– A mon âge ? demanda Koumalo. Regardez ce qui est arrivé à la maison que j'ai bâtie quand j'étais jeune et fort. Quelle maison bâtirais-je aujourd'hui ?

– Personne ne peut comprendre les voies de Dieu, dit le Père Vincent désespéré.

Koumalo le regarda sans amertume, accusation, ni reproche.

– On dirait que Dieu s'est détourné de moi, dit-il.

– Cela peut paraître quelquefois, dit le Père Vincent. Mais cela n'arrive pas. Jamais. Jamais cela n'arrive.

– J'aime vous l'entendre dire, fit Koumalo humblement.

– Nous avons parlé d'amendement, dit le prêtre blanc. De l'amendement de votre fils. Et vous qui êtes prêtre, cela doit vous importer plus que tout le reste, plus même que votre chagrin et le chagrin de votre femme.

– C'est vrai. Mais je ne vois pas comment une telle vie s'amenderait.

– Vous ne pouvez douter de cela. Vous êtes chrétien. Il y avait un voleur sur la croix.

– Mon fils n'était pas qu'un voleur, dit durement Koumalo. Il y avait un homme blanc, un homme bon qui aimait sa femme et ses enfants. Et, mieux que tout, qui aimait notre peuple. Et cette femme, ces enfants sont en deuil à cause de mon fils. Je ne peux pas imaginer de plus grand crime.

– Un homme peut se repentir de n'importe quel crime.

– Il se repentira, dit amèrement Koumalo. Si je lui demande : Est-ce que tu te repens ? Il dira : C'est comme mon père le dit. Si je lui dis : N'était-ce pas mal ? il dira : C'est mal. Mais si je parle autrement sans lui dicter ses paroles, si je dis : Que vas-tu faire

145

maintenant ? il dira : Je n'en sais rien, ou bien il dira : C'est comme mon père dit.

La voix de Koumalo devenait plus aiguë sous l'empire de l'angoisse.

– C'est un étranger, dit-il. Je ne peux pas le toucher, je ne peux pas l'atteindre. Je ne vois point de honte en lui, pas de pitié pour ceux auxquels il a fait du mal. Des larmes lui viennent aux yeux, mais il pleure seulement sur lui, non pas sur sa méchanceté, mais sur le danger où il se trouve.

Il s'écria :

– Un être peut-il perdre tout sens du mal ? Un garçon élevé comme il l'a été ? Je ne vois en lui que pitié pour lui-même, lui qui a rendu deux enfants orphelins. Je vous dis que pour quiconque offense un de ces petits, il vaudrait mieux...

– Taisez-vous, dit le Père Vincent. Vous êtes hors de vous. Allez prier, allez vous reposer. Et ne jugez pas votre fils hâtivement. Lui aussi a subi un choc qui le rend silencieux peut-être. C'est pourquoi il vous dit : C'est comme mon père veut, et : Oui, c'est ainsi, et : Je ne sais pas.

Koumalo se leva.

– Je le crois, dit-il, mais je n'ai plus d'espoir. Qu'est-ce que vous avez dit que je devais faire ? Oui, prier et me reposer.

Il n'y avait pas d'ironie dans sa voix et le Père Vincent savait qu'il n'était pas dans la nature de cet homme de se moquer. Mais il y avait une telle dérision dans ses paroles que le prêtre blanc le prit par le bras et lui dit avec autorité :

– Asseyez-vous, il faut que je vous parle en prêtre.

Quand Koumalo se fut assis, le Père Vincent lui dit :

– Oui, j'ai dit : Priez et reposez-vous. Même si votre prière n'est faite que de mots et même si votre repos ne consiste qu'à rester étendu sur un lit. Et ne priez pas pour vous-même, et ne priez pas pour comprendre les voies de Dieu. Car elles sont secrètes. Nul ne sait ce que c'est que la vie, car la vie est un secret. Et pourquoi vous éprouvez de la compassion pour une jeune femme quand vous n'en trouvez pas pour vous-même, cela est un secret. Et pourquoi vous continuez à vivre quand il semblerait qu'il vaille mieux mourir, cela est un secret. Ne priez pas et ne méditez pas sur ces choses à présent, il sera temps plus tard. Priez pour Gertrude et pour son enfant, et pour la jeune femme qui va être l'épouse de votre fils, et pour l'enfant qui sera votre petit-fils. Priez pour votre femme et pour tous ceux de Ndotshéni. Priez pour la femme et les enfants en deuil. Priez pour l'âme de celui qui a été tué. Priez pour nous tous à la Mission et pour ceux d'Ezenzéléni qui essaient de rebâtir dans un lieu de destruction. Priez pour votre propre rétablissement. Priez pour tous les blancs, pour ceux qui sont justes et pour ceux qui le seraient s'ils n'avaient pas peur. Et ne craignez pas de prier pour votre fils et pour son amendement.

– Je vous entends, dit humblement Koumalo.

– Et remerciez là où vous pouvez remercier. Car rien n'est meilleur. N'y a-t-il pas votre femme et Mme Lithébé, et Msimangu, et ce jeune homme blanc de la Maison de Redressement ? Non, pour ce qui est de votre fils et de son amendement, laissez-nous cela, à Msimangu et à moi, car vous êtes trop troublé pour reconnaître la volonté de Dieu. Et maintenant, mon fils, allez prier, allez vous reposer.

Il aida le vieil homme à se mettre debout et lui tendit son chapeau. Et comme Koumalo allait le remercier, il dit :

– Nous faisons ce qui est en nous, et pourquoi c'est en nous, cela aussi est un secret. C'est le

Christ en nous qui crie que l'homme doit être secouru et pardonné, alors que Lui-même est abandonné.

Il reconduisit le vieillard à la porte de la Mission et là, prit congé de lui.

– Je vais prier pour vous, dit-il, nuit et jour. Et rappelez-vous que je ferai tout ce que vous pourrez me demander.

XVI

Le lendemain, Koumalo, qui commençait à reconnaître son chemin dans la grande ville, prit le
train pour Pimville afin d'aller voir la jeune femme
qui allait donner un enfant à son fils. Il avait choisi
son moment afin que Msimangu ne pût l'accompagner, non qu'il lui en voulût, mais parce qu'il avait
l'impression qu'il agirait mieux seul. Il pensait
lentement et agissait lentement, sans doute parce
qu'il avait toujours vécu selon le rythme lent de la
tribu ; et il s'était aperçu que cela agaçait parfois
ceux qui l'entouraient et il avait souvent trouvé qu'il
atteignait plus sûrement son but sans eux.

Il reconnut la maison sans difficulté et frappa à
la porte. La jeune femme lui ouvrit. Elle lui sourit
d'un air incertain avec une expression où se
mêlaient la peur et quelque chose de puéril et
d'accueillant.

– Comment vas-tu, mon enfant ?
– Je vais bien, umfundisi.

Il s'assit sur l'unique chaise, s'y assit prudemment
et s'essuya le front.

– As-tu des nouvelles de ton mari ? demanda-t-il.
Mais le mot qu'il employa ne signifiait pas tout à
fait mari.

Le sourire s'effaça de son visage.
– Je n'ai pas de nouvelles, dit-elle.

– Ce que j'ai à te dire est grave, fit-il. Il est en prison.

– En prison, dit-elle.

– Il est en prison pour l'action la plus terrible qu'un homme puisse commettre.

Mais la jeune femme ne le comprenait pas. Elle attendait patiemment qu'il poursuivît. Elle n'était, certes, qu'une enfant.

– Il a tué un homme blanc.

– Oh s'écria-t-elle, et elle couvrit son visage de ses mains. Et Koumalo lui-même ne pouvait en dire davantage, car les mots étaient comme des couteaux enfoncés dans une plaie toute fraîche. Elle s'assit sur une caisse, les yeux fixant le sol, et les larmes coulaient doucement sur ses joues.

– Je ne veux pas parler de cela, mon enfant. Sais-tu lire ? Le journal des blancs ?

– Un peu.

– Alors, je te le laisserai. Mais ne le montre à personne.

– Je ne le montrerai à personne, umfundisi.

– Je ne veux plus parler de cela. Je suis venu te parler d'autre chose. Désires-tu épouser mon fils ?

– C'est comme l'umfundisi voudra.

– Je te le demande, mon enfant.

– Je veux bien.

– Et pourquoi le voudrais-tu ?

Elle le regarda, car elle ne comprenait pas sa question.

– Pourquoi désires-tu l'épouser ? insista-t-il.

Elle cueillait des petits brins de bois sur les parois de la caisse et souriait dans sa perplexité.

– C'est mon mari, dit-elle, en employant le mot qui ne veut pas tout à fait dire mari.

– Mais tu ne désirais pas l'épouser auparavant ?

Les questions l'embarrassaient ; elle se leva, mais

150

elle n'avait rien à faire et elle s'assit de nouveau et recommença à éplucher la caisse.

– Parle, mon enfant.

– Je ne sais pas quoi dire, umfundisi.

– Est-ce vraiment ton désir de l'épouser ?

– C'est vraiment mon désir, umfundisi.

– Il faut que j'en sois sûr. Je ne veux pas t'accueillir dans ma famille, si tu ne désires pas y entrer.

A ces mots, elle le regarda intensément.

– Je le désire, dit-elle.

– Nous habitons une maison isolée, fit-il. Il n'y a ni rues, ni lumières, ni autobus là-bas. Il n'y a que ma femme et moi et l'endroit est très calme. Tu es Zoulou ?

– Oui, umfundisi.

– Où es-tu née ?

– A Alexandra.

– Et tes parents ?

– Mon père a abandonné ma mère, umfundisi. Et avec mon second père, je ne pouvais pas m'entendre.

– Pourquoi est-ce que ton père est parti ?

– Ils se disputaient umfundisi. Parce que ma mère était si souvent ivre.

– Alors ton père l'a abandonnée. Et il t'a abandonnée toi aussi.

– Il nous a abandonnés, mes deux frères et moi, mes frères plus jeunes.

– Et tes deux frères, où sont-ils ?

– Il y en a un à l'école, umfundisi, l'école où on avait envoyé Absalon. Et il y en a un à Alexandra. Mais il est désobéissant et l'on dit que lui aussi ira dans cette école.

– Mais comment ton père a-t-il pu vous abandonner ainsi ?

Elle le regarda avec une étrange innocence.

151

– Je ne sais pas, dit-elle.

– Et tu ne t'entendais pas avec ton second père ? Alors qu'est-ce que tu as fait ?

– Je suis partie.

– Et qu'est-ce que tu as fait ?

– J'ai vécu à Sophiatown.

– Seule ?

– Non, pas seule.

– Avec ton premier mari ? demanda-t-il froidement.

– Avec mon premier, acquiesça-t-elle sans remarquer sa froideur.

– Combien y en a-t-il eu ?

Elle rit nerveusement et regarda sa main qui jouait avec la caisse. Elle leva les yeux et fut confuse de voir son regard sur elle.

– Seulement trois, dit-elle.

– Et qu'est-ce qui est arrivé au premier ?

– Il a été arrêté, umfundisi.

– Et le second ?

– Il a été arrêté aussi.

– Et maintenant, le troisième aussi a été arrêté.

Il se leva et le désir de la blesser s'empara de lui. Tout en sachant que c'était mal, il y céda et il lui dit :

– Oui, ton troisième est arrêté aussi, mais cette fois c'est pour assassinat. Est-ce que tu avais déjà eu un assassin ?

Il fit un pas vers elle et elle recula sur sa caisse en criant :

– Non, non. Et lui, craignant qu'on ne pût les entendre du dehors, lui parla plus bas, lui dit de ne pas avoir peur et fit un pas en arrière. Mais à peine était-elle remise, qu'il désira de nouveau lui faire mal. Et il lui dit :

– Vas-tu maintenant prendre un quatrième mari ? Et elle répondit désespérément :

– Non, non, je ne veux plus de mari.

Et une pensée sauvage vint à Koumalo au milieu de son accès de cruauté.

– Pas même, demanda-t-il, si je te désirais ?

– Vous ! dit-elle en se reculant encore.

– Oui, moi, dit-il.

Elle regarda autour d'elle comme une créature traquée.

– Non, non, dit-elle, ce ne serait pas bien.

– Était-ce bien avant ?

– Non, ce n'était pas bien.

– Alors est-ce que tu voudrais ?

Elle rit nerveusement et regarda autour d'elle, en arrachant des brindilles de bois à la caisse. Mais elle sentait ses yeux sur elle et elle dit à voix basse :

– Je veux bien.

Il s'assit et cacha son visage dans ses mains ; et elle, en le voyant, éclata en sanglots, honteuse et torturée. Et lui, la voyant, et voyant la fragilité de son corps menu, eut honte aussi, mais de sa cruauté et non du consentement de ce petit être.

Il vint à elle et lui dit :

– Quel âge as-tu, mon enfant ?

– Je ne sais pas, sanglota-t-elle, mais je crois que j'ai seize ans.

Et une pitié profonde l'emplit et il posa sa main sur le petit crâne. Et, fut-ce parce que c'était le geste d'un prêtre, ou parce qu'une profonde pitié coulait de ses doigts et de sa paume, ou pour toute autre raison, les sanglots se turent et il sentit la tête s'apaiser sous sa main. Alors, avançant l'autre bras, il prit les deux mains de la jeune femme dans la sienne et y sentit les callosités des vaines besognes qu'elles accomplissaient dans ce misérable ménage.

– Je te demande pardon, dit-il. J'ai honte de t'avoir posé une pareille question.

– Je ne savais pas ce qu'il fallait répondre, dit-elle.

– Je savais bien que tu ne saurais pas. C'est pour cela que j'ai honte. Dis-moi, tu désires vraiment épouser mon fils ?

Elle s'accrocha à ses mains :

– Je le désire, dit-elle.

– Et venir dans un endroit très calme et très loin et être notre fille ?

On ne pouvait se tromper au plaisir qu'exprimait sa voix.

– Je le désire, dit-elle.

– Beaucoup ?

– Beaucoup, dit-elle.

– Mon enfant ?

– Umfundisi ?

– J'ai encore une chose dure à te dire.

– J'écoute, umfundisi.

– Que feras-tu dans cet endroit si calme quand le désir sera en toi ? Je suis pasteur et j'habite près de mon église, et notre vie est tranquille et ordonnée. Je ne voudrais pas te demander quelque chose que tu ne pourrais pas faire.

– Je comprends, umfundisi. Je comprends complètement. Elle le regarda à travers ses larmes. Vous n'aurez pas honte de moi. Ne craignez rien pour moi. Ne craignez pas que ce soit trop calme. Le calme, c'est ça que je désire.

Et le mot, le mot « désire » mit en elle une espèce de lumière.

– Ce sera mon désir, c'est là le désir qui sera en moi, dit-elle, avec une force qui le surprit.

– Je te comprends, dit-il. Tu es plus intelligente que je ne pensais.

– J'étais intelligente en classe, dit-elle très sérieusement.

154

Il ne put s'empêcher de rire et s'arrêta, étonné du son de son rire.

– De quelle Église es-tu ?

– Église anglicane, umfundisi..., dit-elle avec le même sérieux.

Il rit de nouveau de sa simplicité, puis reprit d'un ton soudain solennel :

– Je vais te demander une promesse, dit-il, une promesse grave.

Elle répondit aussi solennellement :

– Laquelle, umfundisi ?

– Si tu devais jamais regretter cette décision, ici ou quand tu seras dans ma maison, il ne faudra pas le cacher en toi-même ou te sauver comme tu l'as fait de chez ta mère. Mais promets-moi que tu viendras me le dire.

– Je le promets, dit-elle gravement, puis avec ardeur : Je ne le regretterai jamais.

Il rit de nouveau et lâcha les petites mains. Il prit son chapeau.

– Je viendrai te chercher quand tout sera prêt pour le mariage. Tu as des vêtements ?

– J'ai quelques vêtements, umfundisi. Je vais les raccommoder.

– Et il ne faut plus habiter ici. Veux-tu que je te cherche une chambre près de moi ?

– Oh ! je le voudrais, umfundisi ! Elle frappa des mains comme une enfant. Que ce soit bientôt, dit-elle, et je quitterai ma chambre dans cette maison.

– Alors, reste bien, mon enfant.

– Allez bien, umfundisi.

Il sortit de la maison et elle l'accompagna jusqu'à la petite barrière. Lorsqu'il se retourna pour la regarder, elle lui souriait. Il se remit en marche comme un homme dont la peine est un peu allégée, pas entièrement, mais un peu. Il se rappela aussi qu'il avait ri et que cela lui avait fait mal physiquement, comme cela fait mal à un homme malade et qui ne devrait pas rire. Et il se rappela aussi avec un choc soudain que le Père Vincent avait dit : « Je prierai nuit et jour. » Au coin de la rue, il se retourna et, regardant derrière lui, il vit que la jeune femme continuait à le suivre des yeux.

XVII

Il y a peu de gens qui ne louent pas leurs chambres supplémentaires, Mme Lithébé est de ce petit nombre. Son mari était maçon, brave et honnête, mais ils n'ont pas eu d'enfants. C'est lui qui a bâti cette belle maison, avec une pièce où manger et se tenir dans la journée, et trois où dormir. Elle en a une pour elle-même et une pour le prêtre qu'elle est heureuse d'héberger, car il est bon d'avoir un prêtre chez soi, il est bon d'avoir des prières dans la maison. Et dans la troisième, elle a installé Gertrude et l'enfant, car ne sont-ils pas la famille du prêtre ? Mais elle ne veut pas d'inconnus, elle a assez d'argent.

Elle pense au prêtre avec tristesse, à Gertrude et à l'enfant, aussi. Mais le plus triste de tout, c'est ce qui est arrivé au fils de ce saint homme. Il est doux et bon et la traite toujours avec courtoisie et respect, marquant par sa manière d'être qu'il sait qu'il est chez elle. Et elle l'admire pour ce qu'il a fait, pour la façon dont il a sauvé Gertrude et son enfant, pour la robe neuve et le chapeau blanc qu'il lui a achetés, pour la chemise, le chandail et la culotte qu'il a donnés au petit. Selon la coutume, Mme Lithébé l'a remercié elle aussi de ces cadeaux.

Et c'est agréable d'avoir Gertrude et l'enfant dans la maison. Elle est serviable et propre, en dépit d'une espèce de laisser-aller ; et il faut dire aussi qu'elle parle trop facilement avec n'importe qui, surtout lorsque ce n'importe qui est un homme. Gertrude sait que la vieille femme est sévère sur la tenue de sa maison et elle comprend et se montre docile.

Mais, le plus triste de tout, c'est l'affaire du fils et, selon la coutume, elle a pleuré et gémi sur lui. Gertrude et elle en parlent continuellement, c'est même à présent leur unique sujet de conversation. Le vieil homme garde le silence et son visage est un masque de douleur. Mais elle entend toutes ses prières et le plaint du fond du cœur. Et, bien qu'il reste des heures dans un fauteuil en regardant devant lui avec des yeux tragiques, il s'anime un peu lorsqu'elle lui parle, et son sourire soulève un peu le masque de sa souffrance, et il ne se montre pas moins courtois envers elle. Quand il joue avec l'enfant aussi, quelque chose en lui s'allège, mais, même dans ces moments-là, il y a des silences et elle entend l'enfant lui poser des questions qui restent sans réponse, et si elle regarde à travers la porte, elle le voit assis là perdu dans ses pensées, le visage pétrifié de douleur.

*

– Madame Lithébé.

  – Umfundisi ?

  – Madame Lithébé, vous m'avez déjà témoigné tant de bontés et j'ai encore un service à vous demander.

  – Peut-être que c'est possible.

  – Madame Lithébé, vous avez entendu parler d'une jeune femme qui est enceinte par mon fils.

  – J'en ai entendu parler.

  – Elle habite à Pimville une chambre dans la maison d'autres gens. Elle désire épouser mon fils et je crois que ça peut se faire. Dans ce cas – quoi qu'il arrive – elle viendra avec moi à Ndotshéni et mettra son enfant au monde là-bas dans une maison propre et décente. Mais je voudrais beaucoup lui faire quitter cet endroit qu'elle habite et je me suis demandé... Je ne voudrais pas vous déranger, mère.

– Vous aimeriez l'amener ici, umfundisi.

– Ce serait vraiment une grande bonté de votre part.

– Je vais la prendre, dit Mme Lithébé. Elle pourra dormir dans la pièce où nous mangeons. Mais je n'ai pas de lit pour elle.

– Ça ne fait rien. Il vaut mieux pour elle dormir par terre dans une maison honnête que...

– Comme vous dites.

– Mère, je vous suis bien reconnaissant. Vous êtes vraiment une mère pour moi.

– C'est pour ça qu'on est sur terre, répondit-elle.

Après cela, il se montra presque gai et appela le petit garçon, le prit sur ses genoux et le fit sauter comme un cavalier sur un cheval. Mais ce n'est pas un bon jeu, car un vieillard s'y fatigue beaucoup plus vite qu'un enfant ; aussi allèrent-ils chercher les cubes pour construire de hautes maisons comme celles de Johannesbourg puis les abattre à grand fracas en riant beaucoup.

– Et maintenant, il faut que je sorte, dit Koumalo, et je te ramènerai une nouvelle sœur.

Il compta son argent. Il ne restait plus qu'un ou deux billets. Il lui faudrait bientôt recourir au livret du compte postal. Il poussa un petit soupir, mit son manteau et son chapeau et prit son bâton. Sa femme devrait encore attendre son fourneau et lui ses habits neufs et ses cols.

*

La jeune femme n'est pas comme Gertrude. Elle se montre spontanément heureuse d'être dans cette maison. Elle a peu de vêtements mais ils sont propres et elle les a réparés avec soin. Elle ne possède guère d'autres objets. Elle ouvre les portes et regarde dans les chambres et elle est contente, car elle n'a jamais vécu dans une maison pareille. Elle appelle Mme Lithébé mère et cela fait plaisir à la bonne femme et ce qui lui fait plaisir encore c'est que la petite parle un peu sesuto. Gertrude, elle aussi, se réjouit de son arrivée, car elle trouve la maison un peu triste à son goût. Elles vont beaucoup bavarder.

Voilà Mme Lithébé qui les surprend en train de rire ensemble. Elles se taisent aussitôt, Gertrude, les yeux amusés, la jeune femme confuse. Mme Lithébé n'aime pas ce rire insouciant. Elle demande à la jeune femme de venir l'aider à la cuisine et elle lui dit que ce rire lui déplaît.

– Vous êtes dans une maison convenable, mon enfant.

– Oui, mère, dit la jeune femme en baissant les yeux.

– Et vous y avez été amenée par un bon et brave homme, si bon qu'il n'y a pas de mots pour le dire.

La jeune femme la regarde avec chaleur.

– Je le sais, dit-elle.

– Alors, si vous êtes contente d'avoir été amenée ici par lui, il ne faut pas rire de cette façon.

– Oui, mère.

– Vous n'êtes qu'une enfant et rire fait du bien aux enfants, mais il y a rire et rire.

– Oui, mère.

– Vous comprenez ce que je veux dire ?

– Je comprends complètement.

– Ce vieil homme a été blessé profondément. Vous comprenez ce que je veux dire ?

– Je vous comprends complètement.

– Et il ne faut plus qu'il soit blessé, pas ici, pas dans ma maison.

– Je vous comprends.

– Alors, allez, mon enfant. Mais ne parlez pas de ce que nous venons de dire.

– Je vous comprends.

– Mon enfant, êtes-vous contente d'avoir été amenée ici ?

La jeune femme la regarde bien en face. Elle étend la main, cherchant un geste pour exprimer ce qu'elle éprouve.

– Je suis contente, dit-elle. Je ne désire être nulle part ailleurs qu'où je suis. Je ne désire pas d'autre père que l'umfundisi. Je ne désire rien qui ne soit ici.

– Je vois que vous êtes contente. Et, une chose encore, mon enfant. Quand vous jouez avec le petit, ne le laissez pas se presser si fort contre vous. Il est temps pour vous de prendre des précautions.

– Je vous comprends.

– Alors, allez, mon enfant. Cette maison est la vôtre.

Après cela, il n'y eut plus de ces rires insouciants, et la jeune femme se montra calme et docile. Et Gertrude vit qu'elle n'était qu'une enfant et n'insista pas, indifférente et amusée à sa façon.

*

IL franchit de nouveau la lourde grille dans la haute muraille sombre et on lui amena le garçon. De nouveau, il prit la main sans vie dans les siennes et fut ému aux larmes et cette fois par le malheur de son fils.

– Es-tu en bonne santé, mon fils ?

Le fils, debout, tourna la tête et regarda un instant l'une des fenêtres, puis l'autre, mais il ne regarda pas son père.

– Je suis en bonne santé, mon père.

– J'ai à te parler, mon fils. Es-tu sûr que tu souhaites épouser cette jeune femme ?

– Je veux bien l'épouser.

– Il y a un de mes amis, un prêtre blanc, qui va voir comment arranger cela, et il ira trouver l'évêque pour savoir si cela peut se faire rapidement. Et il va te chercher un avocat.

Il y a une étincelle de vie dans ses yeux, d'espoir peut-être.

– Tu aimerais avoir un avocat ?

– On dit que ça peut aider.

– Tu as dit à la police que les deux autres étaient avec toi ?

– Je leur ai dit. Et je viens de nouveau de le dire.

– Eh alors ?

– Alors, on les a fait sortir de leur cellule et on les a amenés.

– Et alors ?

– Alors, ils se sont mis en colère après moi et ils m'ont injurié devant les policiers et ils ont dit que je voulais leur causer des ennuis.

– Et alors ?

– Alors, ils m'ont demandé quelle preuve j'avais. Et la seule preuve que j'avais était que c'était vrai : c'étaient ces deux-là et pas d'autres, et ils étaient avec moi dans la maison, moi là, et eux en arrière.

Il désignait de la main leurs places respectives, et les larmes lui vinrent aux yeux.

– Et alors, dit-il, ils m'ont encore injurié et ils me regardaient en colère et l'un a dit à l'autre : Comment peut-il mentir comme ça sur nous ?

– C'étaient tes amis ?

– Oui, c'étaient mes amis.

– Et ils vont te laisser souffrir seul ?

– Oui, je le vois bien.

– Et jusqu'à présent, est-ce que c'étaient des amis en qui tu pouvais avoir confiance ?

– Je pouvais avoir confiance.

– Je vois ce que tu veux dire. Tu veux dire que c'étaient des amis qu'un honnête homme aurait pu choisir, droits, travailleurs, respectueux des lois ?

– Vieillard, laisse-le tranquille. Tu l'amènes jusque-là et puis tu te jettes sur lui. Il te regarde avec rancune, bientôt il ne te répondra plus du tout.

– Dis-moi, est-ce que c'étaient des amis de ce genre ?

Mais le garçon ne répondit pas.

– Et maintenant, ils te laissent tout seul ?

Il y eut un silence, puis il dit :

– Je le vois.

– Tu ne l'avais pas vu avant ?

A contrecœur, le garçon répondit :

– Je l'avais vu. Le vieil homme fut tenté de dire : Alors pourquoi, pourquoi es-tu resté avec eux ? Mais les yeux du garçon étaient pleins de larmes et la pitié du père lutta contre sa tentation de poursuivre. Il prit les mains de son fils et, cette fois, elles n'étaient plus tout à fait sans vie, et il les tint avec une pression ferme et chaleureuse.

– Aie courage, mon fils. N'oublie pas que tu vas avoir un avocat. Mais il ne faut lui dire que la vérité.

– Je ne lui dirai que la vérité, mon père.

Il ouvrit la bouche comme pour parler, mais il ne parla pas.

– Ne crains point de parler, mon fils.

– Il faut qu'il vienne bientôt, mon père.

Il regarda vers la fenêtre et ses yeux s'emplirent de nouveau de larmes. Il s'efforçait de paraître indifférent.

– Ou bien il pourra être trop tard, dit-il.

– Ne crains rien. Il viendra bientôt. Veux-tu que j'aille tout de suite demander quand il viendra ?

– Vas-y tout de suite, tout de suite, mon père.

– Et le Père Vincent va venir te voir pour que tu puisses te confesser, recevoir l'absolution et t'amender.

– C'est bien, mon père.

– Et le mariage se fera s'il peut se faire. Et la jeune femme – je ne te l'ai pas dit – elle habite avec moi à Sophiatown. Et elle va rentrer avec moi à Ndotshéni, et l'enfant naîtra là-bas.

– C'est bien, mon père.

– Et tu peux écrire à ta mère maintenant.

– J'écrirai, mon père.

– Et essuie tes larmes.

Le garçon s'essuya les yeux avec le mouchoir que son père lui tendait. Ils se serrèrent la main et il y avait un peu de vie à présent dans celle du garçon. Le gardien dit au garçon :

– Vous pouvez rester ici, il y a un avocat qui vient pour vous voir. Vous, vieil homme, il faut vous en aller.

Koumalo le quitta et croisa à la porte un homme blanc prêt à entrer. Il était grand et avait l'air sérieux comme quelqu'un habitué à s'occuper de choses importantes. Le gardien le connaissait et lui témoignait beaucoup de respect. Il avait l'air d'un homme habitué à traiter de grandes affaires, des affaires bien plus considérables que celle d'un jeune noir qui a tué un homme, et il entra gravement dans la pièce, avec une démarche de chef.

*

Koumalo retourna à la Mission et y prit le thé avec le Père Vincent. Le thé terminé, on frappa à la porte et l'homme grand et grave fut introduit. Le Père Vincent lui aussi le traitait avec respect et l'appelait monsieur, ou Monsieur Carmichael. Il lui présenta Koumalo et

M. Carmichael lui serra la main et l'appela monsieur Koumalo bien que ce ne soit pas l'usage. Ils reprirent du thé et se mirent à discuter l'affaire.

– Je m'en chargerai pour vous, monsieur Koumalo, dit M. Carmichael. Je m'en chargerai *pro deo* comme on dit. C'est une affaire simple, car le garçon dit simplement qu'il a tiré parce qu'il avait peur et sans intention de donner la mort. Et cela dépendra entièrement du juge et de ses assesseurs, car je crois que c'est ça que nous demanderons et non pas un jury. Mais, en ce qui concerne les deux autres garçons, je ne sais pas quoi dire. J'ai appris, monsieur Koumalo, que votre frère a pris un autre avocat pour eux, et, en effet, je n'aurais pas pu les défendre, car, d'après ce que je sais, ils vont plaider qu'ils n'étaient même pas présents au meurtre et que votre fils, pour des motifs personnels, essaie de les impliquer dans l'affaire. Vrai ou non, ce sera à la Cour d'en décider, mais mon opinion à moi est que votre fils dit la vérité et n'a aucune raison d'essayer de les compromettre. Ce sera ma tâche de persuader la Cour qu'il dit toute la vérité, et qu'il dit toute la vérité également lorsqu'il déclare qu'il a tiré parce qu'il avait peur. Je ne peux évidemment pas, par conséquent, défendre les deux inculpés qui disent qu'il ment. Est-ce clair, monsieur Koumalo ?

– C'est clair, monsieur.

– Maintenant, il me faut tous les renseignements possibles sur votre fils, monsieur Koumalo : quand et où il est né et quel genre d'enfant il était, et s'il était obéissant et sincère, et quand et pourquoi il a quitté la maison, et ce qu'il a fait depuis son arrivée à Johannesbourg. Vous comprenez ?

– Je comprends, monsieur.

– Je voudrais tout cela le plus tôt possible, monsieur Koumalo, car l'affaire va probablement passer à la prochaine session. Il faut que vous sachiez

165

exactement ce qu'il a fait, non seulement d'après ses dires à lui, mais aussi d'après le témoignage d'autres gens. Il faut que vous contrôliez ses dires par ceux des autres, comprenez-vous, et, s'il y a des différences, il faudra me les exposer aussi. Et je ferai la même enquête de mon côté. Vous comprenez ?

– Je comprends, monsieur.

– Et maintenant, Père Vincent, pourrions-nous discuter ensemble cette affaire d'école ?

– Avec plaisir, monsieur. Monsieur Koumalo, voulez-vous nous excuser ?

Il accompagna Koumalo de l'autre côté de la porte qu'il ferma derrière eux.

– Vous pouvez remercier Dieu d'avoir cet homme pour vous, dit-il. C'est un grand homme, l'un des plus célèbres avocats d'Afrique du Sud, et l'un des meilleurs amis de votre peuple.

– Je remercie Dieu et vous aussi, mon père. Mais, dites-moi, j'ai une inquiétude : Combien cela va-t-il coûter ? Mon peu d'argent est presque épuisé.

– Vous ne l'avez donc pas entendu vous dire qu'il se chargeait de l'affaire *pro deo* ? Ah ! oui, vous ne connaissez pas l'expression. C'est du latin et cela signifie pour Dieu. Donc cela ne vous coûtera rien ou extrêmement peu de chose.

– Il s'en charge pour Dieu ?

– C'était ce que cela signifiait aux temps anciens de la foi, bien que cela ait perdu beaucoup de son sens. Mais cela veut toujours dire que l'on se charge gratuitement d'une affaire.

Koumalo balbutia :

– Je n'ai jamais rencontré tant de bonté. Il détourna le visage, car il pleurait facilement depuis quelques jours. Le Père Vincent lui sourit. Allez bien, dit-il, et il rentra retrouver l'avocat qui se chargeait de l'affaire pour Dieu.

LIVRE DEUXIÈME

XVIII

Il y a une jolie route qui mène d'Ixopo dans les collines. Ces collines sont couvertes de prairies, vallonnées et plus charmantes qu'on ne pourrait dire ou chanter. La route y monte pendant douze kilomètres jusqu'à Carisbrooke ; et, de là, lorsqu'il n'y a point de brouillard, l'on découvre à ses pieds l'une des plus belles vallées d'Afrique. Alentour s'étendent herbages et fougères et l'on entend au loin le cri mélancolique du titihoya, l'un des oiseaux du veld. Plus bas, coule l'Umzikulu qui vient du Drakensberg et s'en va vers la mer ; et, de l'autre côté du fleuve, les hautes chaînes de collines se dressent les unes derrière les autres jusqu'aux montagnes d'Ingeli et d'East Griqualand.

La prairie est riche et touffue, l'on ne voit pas le sol. Elle retient la pluie et le brouillard qui pénètrent dans la terre, alimentant des ruisseaux dans tous les ravins. Elle est bien entretenue, et il n'y a pas trop de troupeaux pour la paître, pas trop d'incendies pour la dévaster.

Ici, sur les sommets, se trouve un joli vallon entre deux collines qui l'abritent. Il y a une maison et des champs plats et labourés ; on vous dira que c'est une des plus belles fermes de cette région. Elle s'appelle la ferme du Haut-Val, et appartient à James Jarvis,

Esquire, qui y habite. Elle domine Ndotshéni et la grande vallée de l'Umzikulu.

*

JARVIS suivait la charrue d'un œil morne. Le soleil d'un chaud après-midi d'octobre rayonnait sur les champs, et il n'y avait pas un nuage au ciel. De la pluie... de la pluie... Il ne pleuvait toujours pas. Les mottes de terre se retournaient, dures et compactes, et, par endroits, le soc passait en vain sur le sol de fer. Au bout du champ, le laboureur s'arrêta. Les bœufs fumaient et transpiraient.

– Ça ne sert à rien, umnumzana [1].

– Continue quand même, Thomas. Je vais monter jusqu'en haut de la colline et voir comment ça se présente.

– Vous ne verrez rien, umnumzana. Je le sais parce que j'ai déjà regardé.

Jarvis grommela et, appelant son chien, prit le sentier cafre qui montait au sommet de la colline. Il n'y avait point de signe de sécheresse là-haut, car la prairie était nourrie par les brouillards, et la brise rafraîchit son visage en sueur. Mais, un peu plus bas, l'herbe était sèche et les collines de Ndotshéni rouges et nues, et les fermiers des sommets commençaient à craindre que leur désolation ne finît par gagner, année par année, kilomètre par kilomètre, jusqu'à ce que leurs terres elles aussi se desséchassent.

Ils en parlaient souvent, car, lorsqu'ils se rendaient visite les uns aux autres, assis dans les

1. Umnumzana : mot zoulou, se prononce approximativement Oumnoumzana, le dernier *a* étant presque muet. Signifie monsieur.

170

longues et fraîches vérandas et buvant du thé, ils étaient bien obligés de voir les vallées et les coteaux nus qui s'étendaient à leurs pieds. Certains de leurs ouvriers venaient de Ndotshéni et ils savaient comment, année par année, la nourriture diminuait dans ces régions. Il y avait trop de troupeaux par là et la terre arable se retirait des champs les uns après les autres. L'on aurait pu y remédier un peu si ces gens avaient seulement appris les moyens de combattre l'érosion, s'ils avaient construit des murs pour empêcher le sol d'être entraîné par les pluies, s'ils avaient labouré en suivant le contour des collines. Mais les collines étaient abruptes et certaines n'étaient vraiment pas faites pour le labour. Et les bœufs étaient faibles et il était plus facile de labourer en descendant. Et les gens étaient ignorants et ne savaient rien des méthodes d'agriculture.

C'était, en fait, un problème insoluble. Certains disaient qu'il aurait fallu donner aux gens plus d'instruction, mais un garçon instruit n'avait plus envie de travailler dans les fermes et s'en allait à la ville en quête d'une occupation plus à son goût. Le travail était fait par des vieux, et quand les hommes dans la force de l'âge revenaient des mines et des villes, ils restaient assis au soleil à boire de l'alcool et à discuter interminablement. Certains disaient que, de toute façon, il n'y avait pas assez de terres et que les indigènes ne pouvaient pas en vivre, quand bien même on y eût appliqué les méthodes d'agriculture les plus modernes. Mais il y avait différents aspects à une telle question. Car, s'ils avaient eu plus de terres et les avaient traitées comme celles qu'ils possédaient déjà, le pays eût fini tout de même par se changer en désert. Et où prendre les terres, et qui les paierait ? L'on invoquait

171

d'ailleurs encore un autre argument, car, s'ils avaient eu plus de terres, et si, par extraordinaire, ils avaient pu en vivre, qui alors aurait travaillé dans les fermes des blancs ? Il existait un règlement qui permettait à un indigène d'habiter Ndotshéni et d'aller travailler à volonté dans les fermes avoisinantes. Et il existait un autre règlement par lequel un indigène pouvait obtenir une terre du cultivateur, y installer son enclos et sa famille et travailler ce lopin à son profit, à condition que lui et les siens donnassent chaque année une certaine quantite de travail au propriétaire blanc. Mais cela même n'était pas satisfaisant, car certains d'entre eux avaient des fils ou des filles qui s'en allaient à la ville et ne revenaient jamais s'acquitter de leur part du contrat ; et certains gâchaient leur bout de terre ; et d'autres volaient bœufs ou moutons pour en prendre la viande ; et certains étaient paresseux et bons à rien de sorte qu'on était obligé de les chasser de la ferme sans savoir si leurs successeurs vaudraient mieux.

Jarvis remuait ces vieilles pensées dans sa tête tout en montant vers le sommet des collines, et, lorsqu'il l'atteignit, il s'assit sur une pierre et ôta son chapeau pour laisser la brise rafraîchir son front. Voilà un paysage qu'un homme pouvait regarder sans se lasser, la grande vallée de l'Umzikulu ! Alentour, Jarvis contemplait les riches collines vertes qu'il avait héritées de son père et, à ses pieds, le vallon qu'il habitait et cultivait. Il aurait souhaité que son fils, son unique enfant, lui succédât. Mais le jeune homme avait d'autres idées, il avait voulu devenir ingénieur. Et le père lui avait dit : A ta guise. Il avait épousé une belle et bonne fille et avait donné à ses parents une paire de beaux et bons petits-enfants. Sa décision de ne pas rester à Haut-Val avait été une grosse déception pour son père, mais chacun sa vie et personne n'a le droit de se mêler de celle d'un autre.

En bas dans la vallée, une auto montait vers la maison. Il reconnut la voiture de police d'Ixopo. Ce devait être Binnendyk qui faisait sa ronde ; un brave type pour un Africander. Ixopo était plein d'Africanders à présent ; autrefois, il n'y en avait pas un. Tous les policiers étaient des Africanders, et les employés de la poste et les gens de la gare. Les villageois s'entendaient assez bien avec eux. Beaucoup d'entre eux avaient même épousé des femmes de langue anglaise, et il en allait ainsi dans tout le pays. Son propre père avait juré qu'il déshériterait ses enfants s'ils épousaient des Africanders, mais les temps avaient changé. La guerre cependant avait amené un léger recul, car si certains Africanders s'étaient engagés dans l'armée, d'autres, bien qu'approuvant la guerre, étaient restés chez eux, et d'autres se déclaraient simplement en faveur de la neutralité, et il y en avait qui étaient pour l'Allemagne, mais il n'était pas prudent de leur part de l'avouer.

Sa femme sortait de la maison à la rencontre de la voiture, et deux policiers en descendaient. L'un semblait être le capitaine lui-même, van Jaarsveld, l'un des personnages les plus populaires du village, bon joueur de rugby dans sa jeunesse et soldat de la Grande Guerre. Jarvis se dit que les officiers de police devaient être choisis avec soin lorsqu'il s'agissait de les envoyer dans un arrondissement de langue anglaise comme Ixopo. Les deux hommes semblaient être venus pour le voir, car sa femme leur désignait le sommet des collines. Il décida de redescendre, mais jeta d'abord un regard vers la grande vallée. Il n'y avait nulle part de pluie ni aucun signe qu'il dût jamais pleuvoir. Il appela son chien et s'engagea dans le sentier qui descendait à pic parmi les pierres. Comme il atteignait un petit plateau, à mi-chemin environ de sa descente vers les champs, il aperçut van Jaarsveld et Binnendyk qui grimpaient à sa rencontre et remarqua qu'ils avaient amené leur voiture jusqu'à la lisière du champ qu'on labourait. Ils le virent aussi et il leur fit des signes en s'asseyant sur une pierre pour les attendre. Binnendyk resta en arrière et le capitaine monta vers lui.

– Eh bien, capitaine, est-ce que vous nous apportez de la pluie ?

Le capitaine s'arrêta et se retourna pour regarder vers la vallée et les montagnes au-delà.

– Je n'en vois pas, monsieur Jarvis, dit-il.

– Moi non plus. Qu'est-ce qui vous amène par ici aujourd'hui ?

Ils se serrèrent la main et le capitaine le regarda.

– Monsieur Jarvis.

– Oui.

– J'ai de mauvaises nouvelles pour vous.

– De mauvaises nouvelles.

Jarvis s'assit, son cœur battant lourdement.

– Il s'agit de mon fils ? demanda-t-il.

– Oui, monsieur Jarvis.

– Est-ce qu'il est mort ?

– Oui, monsieur Jarvis. Le capitaine se tut, puis reprit : Il a été tué d'un coup de revolver, à une heure et demie de l'après-midi aujourd'hui à Johannesbourg.

Jarvis se leva, la bouche tremblante.

– D'un coup de révolver, dit-il, par qui ?

– On suppose qu'il s'agit d'un cambrioleur indigène. Vous saviez que sa femme était absente ?

– Oui, je le savais.

– Il était resté chez lui, légèrement souffrant.

J'imagine que cet indigène ignorait qu'il y avait quelqu'un dans la maison. Il semble que votre fils ait entendu du bruit et soit descendu voir ce qui se passait. L'indigène l'a tué sur le coup. On n'a relevé aucun signe de lutte.

– Mon Dieu !

– Je suis désolé, monsieur Jarvis. Je suis désolé d'avoir à vous apporter cette nouvelle.

Il lui tendit la main, mais Jarvis s'était de nouveau assis sur la pierre et ne la vit pas.

– Mon Dieu, dit-il.

Van Jaarsveld gardait le silence tandis que Jarvis essayait de maîtriser son émotion.

– Vous ne l'avez pas dit à ma femme, capitaine ?

– Non, monsieur Jarvis.

Jarvis fronça les sourcils en pensant à cette tâche qui restait à accomplir.

– Elle n'est pas forte, dit-il. Je ne sais pas comment elle va pouvoir le supporter.

– Monsieur Jarvis, j'ai ordre de me mettre entièrement à votre disposition. Binnendyk conduira votre voiture à Pietermaritzbourg, si vous le désirez. Vous pourrez y attraper le rapide de neuf heures du soir et être à Johannesbourg demain matin à onze heures. Il y a un compartiment réservé pour vous et Mme Jarvis.

– C'est très gentil à vous.

– Je ferai tout ce que vous voudrez, monsieur Jarvis.

– Quelle heure est-il ?

– Trois heures et demie.

– Il y a deux heures.

– Oui, monsieur Jarvis.

– Il y a trois heures, il était vivant.

– Oui.

– Mon Dieu.

– Si vous voulez prendre ce train, il faudra partir à six heures. Ou bien, si vous préférez, vous pouvez prendre un avion. Il y en a un qui vous attend à Pietermaritzbourg. Mais il faudra les prévenir vers quatre heures. Dans ce cas, vous seriez à Johannesbourg à minuit.

– Oui, oui. Vous savez, je ne peux pas penser.

– Oui, je comprends.

– Qu'est-ce qui serait le mieux ?

– A mon avis, l'avion, monsieur Jarvis.

– Bon, alors nous le prendrons. Il faut les prévenir, vous dites ?

– Je vais le faire dès que nous serons redescendus chez vous. Pourrai-je téléphoner sans être entendu de Mme Jarvis ? Il faut que je me dépêche, vous comprenez.

– Oui, oui, vous pourrez le faire.

– Je crois que nous devrions descendre.

Mais Jarvis restait assis sans bouger.

– Pouvez-vous vous lever, monsieur Jarvis ? Je ne voudrais pas vous aider. Votre femme nous regarde.

– Elle se demande ce qui se passe. Même à cette distance, elle sent que quelque chose ne va pas.

– C'est bien probable. Elle a peut-être remarqué quelque chose à mon visage bien que j'aie essayé de ne rien laisser voir.

Jarvis se leva.

– Mon Dieu, dit-il. Il faut encore faire cela.

Comme ils descendaient la pente abrupte, Binnendyk marchait devant eux. Jarvis avançait comme un homme en transe. Au milieu d'un ciel sans nuage, de telles choses éclatent...

– Tué, dit-il.

– Oui, monsieur Jarvis.

– Est-ce qu'on a arrêté l'indigène ?

– Pas encore.

Les pleurs remplirent les yeux, les dents mordirent les lèvres.

– Qu'est-ce que ça fait ? dit-il. Ils descendaient la colline, ils approchaient du champ. A travers ses yeux embués, il vit la charrue retourner les mottes puis passer sur le sol de fer. – Laisse cela, Thomas, dit-il. C'était notre fils unique, capitaine.

– Je sais, monsieur Jarvis.

Ils montèrent dans la voiture et, quelques minutes plus tard, arrivaient à la maison.

– James, qu'est-ce qui se passe ?

– Un malheur, ma chérie. Viens dans mon bureau. Capitaine, vous vouliez téléphoner. Vous savez où se trouve le téléphone ?

– Oui, monsieur Jarvis.

Le capitaine décrocha le téléphone. La ligne n'était pas automatique. Il entendit deux voisins converser.

– Je vous en prie, raccrochez, cria le capitaine. J'ai une communication urgente pour la police. Je vous en prie, raccrochez.

Il sonna furieusement et ne reçut pas de réponse. Il devrait y avoir un appel spécial pour la police sur ces lignes rurales, se dit-il, et décida de s'en occuper. Il sonna plus furieusement encore.

– Régional, dit-il, Police, Pietermaritzbourg. C'est très urgent.

– Je vous mets en communication tout de suite, lui répondit-on.

Il attendit impatiemment, écoutant toutes sortes de bruits bizarres, inexplicables.

– Vous avez votre communication, Police, Pietermaritzbourg, dit la voix.

Il commença à donner des instructions au sujet de l'avion. Sa main tâtonna vers le second écouteur et l'appliqua à son oreille pour éloigner les cris de la femme et ses sanglots.

XIX

Un jeune homme les attendait à l'aéroport.

– Monsieur et madame Jarvis ?

– Oui.

– Je suis John Harrison, le frère de Mary. Vous ne devez pas vous souvenir de moi. J'étais un petit garçon, la dernière fois que vous m'avez vu. Laissez-moi prendre vos valises. J'ai une voiture ici pour vous.

Tout en marchant vers la sortie, le jeune homme continua :

– Je n'ai pas besoin de vous dire combien nous sommes peinés, monsieur Jarvis. Arthur était l'homme le plus admirable que j'aie jamais rencontré.

Dans l'auto, il reprit :

– Mary et les enfants sont chez ma mère et nous comptons que vous y descendrez aussi.

– Comment va Mary ?

– Le choc a été terrible. Mais elle est très brave.

– Et les enfants ?

– Cela les a affreusement secoués, monsieur Jarvis. Et cela a obligé Mary à s'en occuper et à sortir d'elle-même.

Ils ne dirent plus rien. Jarvis tenait la main de sa femme et tous gardèrent le silence sur leurs pensées jusqu'au moment où la voiture franchit la grille d'une maison de banlieue et s'arrêta devant un porche éclairé. Une jeune femme sortit au bruit de la voiture, embrassa Mme Jarvis et elles pleurèrent ensemble. Puis elle se tourna vers Jarvis qui l'embrassa. Ces premières effusions terminées, M. et Mme Harrison sortirent également et, après les paroles de bienvenue et les formules d'usage, tout le monde entra dans la maison.

Harrison se tourna vers Jarvis :

– Voulez-vous boire quelque chose ? demanda-t-il.

– Volontiers.

– Venez dans mon bureau.

– Et maintenant, dit Harrison quand ils se trouvèrent seuls, faites exactement comme vous voudrez. Si nous pouvons quelque chose pour vous, demandez-le. Si vous voulez aller tout de suite à l'Institut médico-légal, John vous y accompagnera. Ou bien vous pourrez y aller demain matin si vous préférez. La police voudrait vous voir, mais on vous laissera tranquille ce soir.

– Je vais demander à ma femme, Harrison. Vous savez, nous en avons à peine parlé encore. Je vais la trouver, ne vous dérangez pas.

– Je vous attends ici.

Il trouva sa femme et sa belle-fille la main dans la main, sortant sur la pointe des pieds de la chambre où dormaient ses petits-enfants. Il lui parla et elle se remit à pleurer et sanglota, pressée contre lui.

– Maintenant, dit-elle. Il retourna auprès d'Harrison et finit son verre, puis sa femme, sa belle-fille et lui montèrent dans la voiture où John les attendait.

Tandis qu'ils roulaient vers l'Institut médico-légal, John Harrison dit à Jarvis tout ce qu'il savait du crime. La Police attendait que le domestique reprît connaissance pour l'interroger et avait fouillé les plantations autour de Parkwold. Il lui parla aussi de l'article qu'Arthur Jarvis était en train d'écrire au moment où il avait été tué : *la Vérité sur la Criminalité indigène.*

– Je voudrais le voir, dit Jarvis.

– Nous le demanderons pour vous demain, monsieur Jarvis.

– Mon fils et moi n'avions pas exactement les mêmes opinions sur cette question indigène, John. Nous en avons discuté plus d'une fois et très vivement. Mais j'aimerais voir ce qu'il a écrit.

– Mon père et moi n'avons pas non plus exactement les mêmes opinions sur la question indigène, monsieur Jarvis. Vous savez que personne en Afrique du Sud n'y avait réfléchi aussi profondément et n'en parlait aussi lucidement qu'Arthur. A quoi s'appliquer profondément et lucidement en Afrique du Sud, sinon à cela ? disait-il.

Ils arrivèrent à l'Institut médico-légal et John Harrison resta dans la voiture tandis que les autres allaient affronter la dure et nécessaire épreuve. Ils en sortirent sans parler mais les deux femmes pleuraient, et ils revinrent en silence à la maison où le père de Mary leur ouvrit la porte.

– Encore un verre, Jarvis ? Ou bien aimez-vous mieux aller vous coucher ?

– Margaret, est-ce que tu préfères que je monte avec toi.

– Non, cher, reste encore un moment.

– Alors, bonsoir, ma chérie.

– Bonsoir, James.

Il l'embrassa et elle s'accrocha un moment à lui.

– Et merci pour tout ton appui, dit-elle. Les larmes lui vinrent de nouveau aux yeux et son mari sentit ses paupières se mouiller également. Il la regarda monter l'escalier avec leur belle-fille et, lorsque la porte se fut refermée sur elles, Harrison et lui retournèrent dans le bureau.

– C'est toujours pire pour la mère, Jarvis.

– Oui.

Il réfléchit à cela puis dit :

– J'aimais beaucoup mon fils. Je n'ai jamais regretté de l'avoir.

Ils s'installèrent devant leurs verres et Harrison lui dit combien le crime avait ému les gens de Parkwold, et tous les témoignages de sympathie qu'ils avaient reçus.

– Des messages de partout, de toutes sortes de gens, dit-il. A propos, Jarvis, nous avons provisoirement fixé les obsèques à demain après-midi, avec un service religieux à l'église de Parkwold. Le service doit avoir lieu à trois heures.

Jarvis acquiesça.

– Je vous remercie, dit-il.

– Et nous vous avons gardé toutes les lettres de condoléances. Il y en a de l'évêque et du premier ministre et du maire et de douzaines d'autres gens. Et des organisations indigènes également, une qui s'appelle les Filles d'Afrique et une quantité d'autres que je ne me rappelle pas. Et de gens de couleur, et d'Hindous et de Juifs.

Jarvis sentit une fierté triste se gonfler en lui.

– Il était intelligent, dit-il, il tenait ça de sa mère.

– Il était intelligent, en effet. Il faut entendre John parler de lui. Et les gens l'aimaient, toutes sortes de gens. Vous savez qu'il parlait african comme un Africander ?

– Je savais qu'il avait appris.

– C'est un jargon que je ne connais pas et n'ai nulle envie de connaître. Mais il disait qu'il en avait besoin, alors il a pris des leçons et il est allé vivre dans une ferme chez des Africanders. Il parlait zoulou, ça, vous le savez, mais il avait l'intention d'apprendre aussi le sesuto. Vous savez, ces députés qu'ont les indigènes ? Eh bien, il était question qu'il se présente aux prochaines élections.

– Je ne savais pas ça.

– Oui, il parlait beaucoup en public un peu partout. Vous connaissez toutes ces questions : la criminalité indigène, l'insuffisance des écoles indigènes... Il a fait beaucoup de bruit dans les journaux à propos de l'état dans lequel se trouve l'hôpital non-européen. Et vous savez qu'il était indigné du système des camps de travail pour les mineurs indigènes, et il aurait voulu que la Chambre votât à l'unanimité une organisation qui permît à la femme et aux enfants de s'installer avec le mari sur le lieu de son travail.

Jarvis remplit lentement sa pipe, en écoutant ces récits sur son fils, ces récits sur un inconnu.

– Hathaway de la Chambre des Mines m'en avait parlé, dit Harrison. Il m'avait même demandé de dire au garçon de se calmer un peu, car sa maison faisait beaucoup d'affaires avec les mines. Alors, je lui ai parlé, je lui ai dit que je savais qu'il prenait toutes ces choses très à cœur, mais qu'il ferait bien d'y aller un peu plus doucement. Je lui ai dit qu'il devait penser à Mary et aux enfants. Je ne lui parlais pas de la part de Mary vous comprenez. Je ne me mêle pas des affaires des jeunes.

– Je comprends.

– Il m'a répondu qu'il en avait parlé avec Mary, et qu'elle et lui étaient d'accord pour penser qu'il est plus important de dire la vérité que de gagner de l'argent.

Harrison rit à cette réponse, puis s'arrêta court en se rappelant la tristesse de la situation.

– Mon fils John était là, dit-il, et regardait Arthur comme s'il avait été le Bon Dieu. Qu'est-ce que vous vouliez que je dise ?

Ils fumèrent quelque temps en silence.

– Je lui ai demandé ce que ses associés en pen-
saient, reprit Harrison. Après tout, leur métier est de
vendre du matériel aux mines. J'en ai discuté avec
mes associés, m'a-t-il répondu, et je leur ai dit que si
mon action devait leur attirer la moindre difficulté,
je me retirerais aussitôt. Et qu'est-ce que tu feras
alors ? lui ai-je demandé. – Qu'est-ce que je ne ferai
pas ! m'a-t-il répondu. Il avait une espèce d'enthou-
siasme. Qu'est-ce que vous vouliez que je dise ?

Jarvis ne répondit pas. Car ce garçon qui était son
fils avait voyagé dans des eaux étrangères bien plus
loin que ses parents ne l'avaient su. Sa mère
peut-être avait été au courant. Jarvis n'aurait pas
été surpris que Margaret eût été au courant. Mais,
pour lui-même, il n'avait jamais entrepris de tels
voyages, et il n'avait rien à en dire.

– Je vous fatigue, Jarvis ? Peut-être préféreriez-
vous parler d'autre chose ? Ou encore, aller vous
coucher ?

– Au contraire, Harrison, vous me faites du bien.
Continuez.

– Oh ! je vous ai à peu près tout raconté. Lui et
moi ne parlions pas beaucoup de ces choses-là. Ce
n'est pas ma spécialité. J'essaie de traiter les
indigènes convenablement, mais leurs misères ne
m'empêchent pas de dormir. Et, pour vous dire la
vérité, ces crimes m'ont indigné. Croyez-moi, Jarvis,
nous ne sommes pas du tout rassurés en ce moment
à Johannesbourg. Nous avons peur.

– Peur des criminels ?

– Oui, des criminels indigènes. Il y a beaucoup
trop d'assassinats, de vols et d'agressions à main
armée. Si je vous disais que nous ne nous couchons
pas avant d'avoir barricadé la maison... Chez les
Phillipson, à trois portes d'ici, une bande de ces
brutes a fait irruption, ils ont presque assommé le

vieux Phillipson et battu sa femme. Heureusement que les filles étaient au bal, sinon, on frémit en pensant à ce qui aurait pu se passer. J'ai demandé à Arthur son opinion là-dessus, mais, à son avis, tout était de notre faute. Je ne peux pas dire que je le suivais toujours très bien, mais il avait une espèce de sincérité. On avait l'impression que, si l'on avait eu le temps de discuter avec lui, on aurait fini par voir par quel côté il avait raison.

– Il y a une chose que je ne peux pas arriver à voir, dit Jarvis. Pourquoi est-ce que cela lui est arrivé ?...

– Vous voulez dire : à lui, justement à lui ?

– Oui.

– C'est une des premières choses que nous nous sommes dites. Il passait sa vie à accomplir une espèce de mission et c'est lui qu'on a assassiné.

–. Remarquez, fit Jarvis comme devant une soudaine découverte, remarquez que ça n'est pas la première fois que ça arrive. Je veux dire : que des missionnaires soient assassinés.

Harrison ne répondit pas et ils fumèrent leurs pipes en silence. Un missionnaire, songeait Jarvis, et cela lui parut bien étrange d'appeler son fils un missionnaire. Car il n'avait jamais eu une estime particulière pour les missionnaires. Certes, l'Église en faisait grand cas et l'on organisait pour eux des quêtes spéciales auxquelles il contribuait toujours, mais c'étaient de ces choses que l'on fait sans y croire beaucoup. Il y avait une Mission près de chez lui à Ndotshéni, un endroit plutôt triste, pour autant qu'il s'en souvînt : une petite église assez sale, en bois et en tôle, raccommodée par des moyens de fortune, l'air abandonné, et un vieux pasteur tout aussi sale et décrépit, dans une vallée désolée où l'herbe poussait à peine, et une petite école mal tenue où il entendait les enfants réciter comme des perroquets, quand par hasard il passait devant à cheval, réciter des choses qu'ils ne comprenaient pas.

– Vous voulez aller vous coucher, Jarvis ? Ou bien prendrez-vous encore un verre ?

– Je crois que je vais aller me coucher. Vous avez dit que la police devait venir demain ?

– Oui, demain matin à neuf heures.

– Et je voudrais voir sa maison.

– Je le pensais. Nous vous y conduirons.

– Bien, alors je vais me coucher. Voulez-vous dire bonsoir de ma part à votre femme ?

– Je n'y manquerai pas. Vous savez où est votre chambre ? Et le petit déjeuner ? A huit heures et demie ?

– Huit heures et demie. Bonne nuit, Harrison. Et merci beaucoup pour toutes vos gentillesses.

– Ne me remerciez pas. Nous n'en ferons jamais assez. Bonne nuit, Jarvis, j'espère que Margaret et vous arriverez à dormir.

Jarvis monta l'escalier jusqu'à la chambre. Il y entra silencieusement et referma la porte sans allumer l'électricité. La lune luisait à travers les fenêtres et il s'arrêta debout à regarder le monde. Tout ce qu'il avait entendu ce soir lui revenait silencieusement à l'esprit. Sa femme se retourna dans son lit et dit :

– James.

– Ma chérie.

– A quoi pensais-tu, cher ?

Il se tut, cherchant une réponse.

– A tout cela, dit-il.

– Je croyais que tu ne remonterais plus jamais.

Il vint vivement à elle et elle lui prit les mains.

– Nous parlions du garçon, dit-il. De tout ce qu'il faisait et essayait de faire. De tous les gens qui en ont du chagrin.

– Raconte, cher.

Et il lui raconta à voix basse tout ce qu'il avait appris. Elle s'étonna un peu, car son mari était un silencieux qui parlait rarement autant. Mais, ce soir, il lui répéta tout ce que Harrison lui avait dit.

– Je suis fière de lui, chuchota-t-elle.

– Mais tu as toujours su qu'il était comme ça.

– Oui, je le savais.

– Oh ! moi aussi je savais que c'était un homme bien, dit-il. Mais tu as toujours été plus proche de lui que moi.

– C'est plus facile pour une mère, James.

– Probablement. Mais je regrette maintenant de n'avoir pas su plus de choses de lui. Vois-tu, toutes ces questions dont il s'occupait, je ne m'y suis jamais beaucoup intéressé.

– Moi non plus, James. Sa vie était très différente de la nôtre.

– C'était une belle vie à tous les points de vue.

Ils gardèrent le silence, lui assis, elle couchée, chacun avec ses pensées, ses souvenirs et son chagrin.

– Mais sa vie avait beau être différente, reprit-il, tu la comprenais.

– Oui, James.

– Je regrette de ne l'avoir pas comprise.

Puis il ajouta tout bas :

– Je ne savais pas que cela deviendrait si important de la comprendre.

– Mon cher, mon cher... Elle avait ses bras autour de lui et elle pleurait.

Il reprit, toujours tout bas :

– Il y a une chose que je ne comprends pas. Pourquoi faut-il que ça lui soit arrivé, à lui ?...

Elle restait étendue, réfléchissant à ce qu'il venait de dire, et sa douleur était profonde, profonde et inéluctable. Elle le serra encore plus fort dans ses bras.

– James, essayons de dormir, dit-elle.

XX

Jarvis s'assit dans le fauteuil de son fils tandis que sa femme et Mary retournaient chez les Harrison. Des livres, des livres, des livres, plus de livres qu'il n'en avait jamais vu dans aucune maison ! Sur la table, des papiers, des lettres et encore des livres. M. Jarvis, voulez-vous nous faire l'honneur de prendre la parole à l'Association Méthodiste de Parkwold ? M. Jarvis, voulez-vous nous faire le plaisir de prendre la parole à l'Association des Jeunesses Anglicanes à Sophiatown ? M. Jarvis, nous vous serions extrêmement obligés de bien vouloir prendre part à une conférence contradictoire qui doit avoir lieu à l'Université... Non, M. Jarvis ne prendrait part à aucune de ces conférences.

M. Jarvis, nous avons le plaisir de vous inviter à assister à la réunion annuelle de l'Association Chrétienne et Israélite. M. et Mme H. B. Singh prient M. et Mme Jarvis de bien vouloir assister au mariage de leur fille aînée, Sarajini. M. Jarvis et Mme Jarvis sont invités à honorer de leur présence la soirée Toch, qui aura lieu à Van Wyk Vallée. Non, M. Jarvis ne pourrait pas se rendre à ces aimables invitations.

Sur les murs, entre les livres, il y avait trois gravures : le Christ en croix, Abraham Lincoln, la maison blanche de Vergelegen, et un paysage de veld en hiver : des saules dénudés au bord de l'eau.

Il quitta le fauteuil pour aller regarder les livres. Il y en avait des centaines rien que sur Abraham Lincoln. Il n'aurait jamais cru qu'un seul homme avait pu inspirer tant d'écrits. Ils remplissaient toute une bibliothèque. Une autre contenait des ouvrages sur l'Afrique du Sud : la *Vie de Rhodes* par Sarah Gertrude Millin et son livre sur Smuts, et la *Vie de Louis Botha* d'Engelenbourg et des études sur les problèmes raciaux en Afrique du Sud et des monographies sur les oiseaux d'Afrique du Sud et sur Kruger Park et d'innombrables autres. Une bibliothèque était pleine de livres en african, mais les titres ne lui apprenaient rien. Et il y avait encore des volumes et des volumes sur les religions, et sur la Russie Soviétique et sur la criminalité et les criminels, et des recueils de poèmes. Il chercha Shakespeare. Shakespeare y était aussi.

Il revint au fauteuil et regarda longuement le Christ en croix, Abraham Lincoln, et les saules au bord de la rivière. Puis il approcha de lui quelques papiers.

Le premier était une lettre adressée à son fils par le secrétaire du Club des Jeunes Gens Africains de Claremont, Gladiolus Street, regrettant que M. Jarvis n'ait pu assister à la réunion annuelle du Club et l'informant qu'il avait été réélu président. Et la lettre continuait dans une orthographe et une syntaxe bizarres :

« Je suis chargé par la réunion annuelle de vous féliciter à ce sujet et de vous exprimer des remerciements considérables pour tout le temps que vous avez passé avec nous, et pour les cadeaux que vous avez donnés au Club. Comment ce Club se serait organisé sans votre participation, c'est là un mystère pour beaucoup parmi nous. C'est pourquoi nous tenons à vous réélire pour notre président.

« Je vous demande pardon pour ce papier, mais le papier à lettres de notre Club est perdu par suite de circonstances imprévues.

　　« Je suis

　　　« Votre dévoué serviteur,

　　　　WASHINGTON LEFIFI. »

Les autres papiers étaient de l'écriture de son fils. C'étaient certainement des fragments d'un plus important ouvrage, car la première ligne était la fin d'une phrase, et la dernière une phrase inachevée. Il chercha le reste, mais ne le trouvant pas, se mit à lire ce qu'il avait entre les mains :

« était légitime. Ce que nous avons fait quand nous sommes arrivés en Afrique du Sud était légitime. Il était légitime de développer nos vastes ressources à l'aide de la main-d'œuvre qui se trouvait là. Il était légitime d'utiliser des hommes non spécialisés pour un travail non spécialisé. Mais il n'est pas légitime de maintenir des ouvriers au stade de la main-d'œuvre non spécialisée sous prétexte qu'on a un travail non spécialisé à accomplir.

« Il était légitime, lorsque nous avons découvert de l'or, d'amener de la main-d'œuvre vers les mines. Il était légitime d'installer des camps pour les travailleurs en gardant les femmes et les enfants hors des villes. Cela était légitime, à titre d'expérience et à la lumière de ce que nous savions alors. Mais, à la lumière de ce que nous savons aujourd'hui, cela n'est plus légitime. Il n'est pas légitime de continuer à détruire la vie de famille lorsque nous savons que nous la détruisons.

« Il est légitime de mettre ses ressources en valeur si la main-d'œuvre y consent. Mais il n'est pas légitime de les mettre en valeur aux dépens de la main-d'œuvre. Il n'est pas légitime d'extraire de l'or, de fabriquer des produits ou de cultiver des terres, si cette extraction, cette fabrication et cette culture exigent une politique qui maintient la main-d'œuvre dans la misère. Il n'est pas légitime que des hommes accroissent leur fortune s'ils ne peuvent le faire qu'aux dépens d'autres hommes. De telles actions n'ont en vérité qu'un seul nom et c'est le mot exploitation. Cela a pu être légitime aux premiers jours de notre pays, alors que nous ne pouvions mesurer ce que cette exploitation représentait de destruction de la vie communautaire indigène, de déchéance de la vie de famille indigène, de pauvreté, d'abjection, de crimes. Mais, maintenant que le prix nous en est connu, cela n'est plus légitime.

« Il était légitime d'abandonner l'instruction des indigènes à ceux qui voulaient bien s'en charger. Il était légitime de douter de ses bienfaits. Mais cela n'est plus légitime à la lumière de l'expérience. Tant à cause du développement de notre industrie que pour des raisons indépendantes de notre volonté, il existe à présent une population indigène urbaine considérable. La société a toujours, dans son propre intérêt sinon pour d'autres raisons, instruit ses enfants afin de leur inculquer le respect des lois et de leur donner des buts et des coutumes conformes à la vie en société. C'est le seul moyen d'y parvenir. Pourtant, nous continuons à laisser tout le soin de l'instruction de notre société indigène urbaine, aux quelques Européens qui s'y intéressent et à leur refuser les crédits et les facilités nécessaires à son expansion. Cela n'est pas légitime. En outre, et à ne considérer que le seul intérêt de la société, cela est dangereux.

« Il était légitime de détruire un régime de tribus qui retardait le développement de ce pays. Il était

190

légitime de croire cette destruction inévitable. Mais il n'est pas légitime d'assister à une telle destruction et de ne la remplacer par rien, ou par si peu de chose, qu'un peuple entier en périt physiquement et moralement.

« Le vieux système de la tribu était, en dépit de ses violences et de sa sauvagerie, en dépit de ses superstitions et de sa sorcellerie, un système moral. Nos indigènes d'aujourd'hui deviennent des criminels, des prostituées et des ivrognes, non point parce que cela est dans leur nature, mais parce que leur système primitif d'ordre, de traditions et de conventions a été détruit. Il a été détruit par l'irruption de notre propre civilisation. Notre civilisation a, par conséquent, le devoir impérieux d'établir ici un autre système d'ordre, de traditions et de conventions.

« Il est vrai que nous espérions sauvegarder le régime de la tribu par une politique de ségrégation. Cela était légitime. Mais nous n'avons jamais suivi cette politique complètement ni sincèrement. Nous avons assigné un dixième des terres aux quatre cinquièmes de la population. Nous avons rendu inévitable de la sorte, et certains affirment que nous l'avons fait consciemment, l'afflux de la main-d'œuvre indigène vers les villes. Nous subissons les conséquences de notre propre égoïsme.

« Il ne s'agit pas de minimiser le problème. Il ne s'agit pas de donner à croire que sa solution en soit facile. Il ne s'agit pas de prendre à la légère les dangers qui nous menacent. Mais, quelles que soient nos craintes devant ces dangers, nous ne pourrons jamais – et cela parce que nous sommes des chrétiens – éliminer la question morale. Il est temps... »

Ici s'arrêtaient la page et le manuscrit. Jarvis, passionné par sa lecture, chercha la suite parmi les papiers qui encombraient la table mais il ne trouva rien. Il alluma sa pipe et, attirant les feuillets à lui, se mit à les relire.

Quand il les eut lus pour la seconde fois, il continua à fumer sa pipe, perdu dans ses pensées. Puis il se leva et alla regarder la bibliothèque des ouvrages sur Lincoln et le portrait de l'homme qui avait exercé une telle influence sur son fils. Il parcourut du regard les centaines de titres, fit glisser un panneau vitré et sortit un volume. Puis, revenant à son fauteuil, il commença à le feuilleter. L'un des chapitres s'intitulait : *Le Célèbre discours de Gettysburg,* un discours qui, passé d'abord inaperçu, avait été reconnu par la suite comme un des plus grands discours du monde. Il tourna les pages préliminaires jusqu'au texte même du discours et le lut attentivement de la première à la dernière ligne. Puis il se remit à fumer, perdu dans ses réflexions. Au bout de quelque temps, il se leva, alla remettre le volume en place et referma la bibliothèque. Puis, il la rouvrit, glissa le livre dans sa poche et repoussa le panneau vitré. Il regarda sa montre, vida sa pipe en la frappant contre la cheminée, mit son chapeau prit sa canne. Il descendit lentement l'escalier et ouvrit la porte qui conduisait au couloir fatal. Il se découvrit en regardant la tache sombre par terre. Sans qu'il l'eût invoquée ou désirée, l'image du petit garçon lui vint à l'esprit, le petit garçon du Haut-Val, le petit garçon aux pistolets de bois. Il suivit le couloir sans rien voir et franchit la porte par laquelle la mort avait fait irruption. Le policier le salua et il lui répondit par des mots qui ne voulaient rien dire, qui n'avaient aucun sens. Il remit son chapeau et gagna la grille. Indécis, il regarda la route. Puis, avec effort, il se mit en marche. Le policier poussa un soupir et s'étira.

XXI

Le service funèbre à l'église de Parkwold touchait à sa fin. L'église était trop petite pour tous ceux qui avaient tenu à y assister. Il y avait des blancs, des noirs, des Hindous. C'était la première fois que Jarvis et sa femme s'asseyaient dans une église avec des gens de couleur. L'évêque lui-même avait parlé, il avait dit des mots qui faisaient mal et qui en même temps vous élevaient l'âme. Il avait dit lui aussi que les hommes ne comprenaient point cette énigme : Pourquoi voyait-on un jeune homme si plein de promesses abattu dans toute sa force, sa femme veuve et ses enfants orphelins, pourquoi voyait-on un pays privé d'un fils qui l'aurait si bien servi ? Et la voix de l'évêque s'élevait lorsqu'il parlait de l'Afrique du Sud et il s'exprimait dans une langue d'une grande beauté. Jarvis l'écouta un moment sans souffrance, pris par le charme de sa parole. Et l'évêque disait qu'on avait vu là une vie consacrée à l'Afrique du Sud, une vie d'intelligence et de courage, une vie tout inspirée par cet amour qui triomphe de la peur, et il se sentit fier dans son cœur, fier de cet inconnu qui avait été son fils.

*

La cérémonie était terminée. Les portes de bronze s'ouvrirent en silence et le cercueil descendit sans bruit dans la fournaise qui allait le réduire en cendres. Et des gens que Jarvis ne connaissait pas lui serreraient la main, certains avec quelques mots conventionnels de condoléances, d'autres en lui parlant simplement de son fils. Des noirs, oui des noirs aussi, venaient lui exprimer leur chagrin. C'était la première fois qu'il serrait des mains de noirs.

Ils rentrèrent chez les Harrison pour y passer la nuit dont on dit qu'elle est la pire de toutes. Il en serait ainsi sans doute pour Margaret et il ne la laisserait pas ce soir monter seule se coucher. Mais pour lui, c'était terminé ; il pouvait s'asseoir dans le bureau de Harrison et boire son verre de whisky, et fumer sa pipe, et parler de ce qui plairait à Harrison, fût-ce même de son fils.

— Jusqu'à quand pensez-vous rester ici, Jarvis ? Vous savez que nous ne demandons qu'à vous garder le plus longtemps possible.

— Merci, Harrison. Je crois que Margaret a envie de rentrer avec Mary et les enfants, et nous nous arrangerons pour que le fils d'un de mes voisins vienne habiter avec elles. C'est un gentil garçon qui vient de rentrer de l'armée. Moi, je pense rester quelque temps encore pour régler un peu les affaires d'Arthur.

— Et qu'est-ce que la police en dit, si je peux vous demander ça ?

— On attend toujours que le domestique puisse être interrogé. On espère qu'il aura reconnu l'un des agresseurs. Sinon, ils disent que ce sera très difficile. Tout cela s'est passé si rapidement. On espère aussi que quelqu'un aura pu les voir sortir de la maison. On pense qu'ils étaient effrayés et excités et ne devaient pas avoir une allure normale.

— J'espère, mon Dieu, qu'on les pincera. Et qu'on les pendra tous. Excusez-moi, Jarvis.

194

– Je vous comprends très bien.

– Nous ne sommes pas en sûreté, Jarvis. Je ne sais même pas si de les pendre y changera quelque chose. J'ai l'impression parfois que cela nous dépasse.

– Je sais ce que vous voulez dire. Quant à moi... Je crois qu'il est trop tôt pour y penser.

– Je comprends votre point de vue, je crois comprendre. Ce côté de la question n'est évidemment pas celui qui vous touche le plus. Je serais sans doute comme vous à votre place. Je ne sais vraiment pas.

– Je ne sais vraiment pas moi-même. Mais vous avez raison, ce n'est pas ce côté qui me semble important en effet, pas pour l'instant du moins. Pourtant, je me rends bien compte qu'il existe.

– Nous nous remuons pour qu'on renforce notre police, Jarvis. Il doit y avoir une grande manifestation à Parkwold demain soir. Le quartier bout d'indignation. Savez-vous, Jarvis, qu'il n'y a guère un propriétaire dans ces banlieues qui sache au juste qui habite dans ses communs ? Je ne veux pas de ça chez moi. J'ai dit à mes domestiques que je ne tolérerais pas d'inconnus autour de ma maison et encore moins dedans. Le mari de notre cuisinière vient de temps en temps de l'endroit où il travaille, Benoni ou Springs ou quelque part par là, et elle le reçoit convenablement, et je l'y autorise. Mais je ne permets cela à personne d'autre. Si je n'y veillais pas, j'aurais ma maison pleine de cousins, d'oncles et de frères, et, pour la plupart, des vauriens.

– Oui, j'imagine que cela doit se passer ainsi à Johannesbourg.

– Et ces fossés qui servaient autrefois d'égouts derrière les maisons. Nous avons demandé et demandé qu'on les comble, maintenant que nous avons un système moderne. Ils sont dangereux et sombres, et servent de repaire à ces crapules. Dieu sait ce qui va arriver à ce pays. Je ne suis pas un bourreau pour les nègres, Jarvis. J'essaie de les bien traiter, je leur donne un salaire convenable, une chambre propre et des congés raisonnables. Nos domestiques restent des années chez nous. Mais les indigènes dans l'ensemble nous échappent. Savez-vous qu'ils commencent à organiser des syndicats ?

– Non, je ne le savais pas.

– Eh bien, c'est ainsi. Ils menacent de se mettre en grève ici dans les mines pour dix shillings par jour. Ils ont à peu près trois shillings pour l'instant et certaines mines sont sur le point de fermer. Ils vivent dans des camps très convenables, il y en a de tout à fait modernes où j'accepterais très bien d'habiter moi-même. Ils ont un régime alimentaire très sain, bien meilleur que ce qu'ils ont jamais mangé chez eux, des soins médicaux gratuits et Dieu sait quoi. Je vous le dis, Jarvis, si les frais d'extraction augmentent encore, il n'y aura plus de mines. Et que deviendra alors l'Afrique du Sud ? Et que deviendront les indigènes eux-mêmes ? Ils mourront de faim par milliers.

– Je ne vous dérange pas ? demanda John Harrison en entrant dans le bureau de son père.

– Assieds-toi, John, dit Harrison.

Le jeune homme s'assit et son père qui commençait à s'animer se mit en devoir de développer sa thèse.

– Et que deviendront les cultivateurs, Jarvis ? Où vendrez-vous vos produits et qui aura les moyens de les payer ? Et que deviendra l'industrie ? L'industrie dépend des mines, ce sont elles qui fournissent l'argent pour acheter les marchandises fabriquées. Et notre gouvernement imbécile pressure les mines et leur prend froidement chaque année soixante-dix pour cent de leur bénéfice. Mais que deviendrait-il, s'il n'y avait pas de mines ? La moitié des African-ders de ce pays seraient sans travail. Il n'y aurait plus de fonctionnaires non plus. La moitié d'entre eux seraient en chômage aussi.

Il versa du whisky dans les verres puis reprit son discours.

— Je vous le dis, l'Afrique du Sud n'existerait pas sans les mines. On n'aurait plus qu'à fermer boutique et rendre le pays aux indigènes. C'est ça qui me met en colère quand les gens critiquent les mines. Surtout les Africanders. Ils se figurent que les propriétaires des mines sont des étrangers au pays et en sucent le sang, tout prêts à se retirer quand la poule aux œufs d'or cessera de pondre. Moi, je vous dis que la plus grande partie des actions des mines sont entre les mains de gens d'ici ; ce sont *nos* mines. Je suis dégoûté par toutes ces calomnies. Une République ! Que deviendrions-nous si nous étions jamais en République ?

— Harrison, je vais me coucher. Je ne veux pas laisser Margaret monter toute seule ce soir.

— Excusez-moi, mon vieux. Je crains de m'être laissé emporter.

— Il n'y a aucune raison de vous excuser. Cela m'a fait du bien de vous écouter. Si je n'ai pas beaucoup parlé moi-même, ce n'est pas parce que cela ne m'intéressait pas. Je suis sûr que vous comprenez.

— Je suis désolé, désolé, dit doucement Harrison. Je me suis laissé emporter.

— Croyez-moi, dit Jarvis, je suis sincère en vous disant que cela m'a fait du bien de vous écouter.

Il regarda les deux Harrison.

— Je ne suis pas homme à parler de la mort pendant des heures, dit-il.

Harrison le regarda, gêné.

– Vraiment, vraiment, dit-il, vous ne m'en voulez pas ?

– J'aurais souhaité qu'il ait été là ce soir, dit Jarvis. J'aurais voulu l'entendre discuter avec vous.

– Cela vous aurait fait plaisir, monsieur Jarvis, dit John Harrison avec chaleur. Je n'ai jamais entendu personne discuter de ces choses-là comme lui.

– Je n'étais pas d'accord avec lui, dit Harrison, remis de sa confusion, mais j'avais beaucoup de considération pour tout ce qu'il disait.

– C'était un homme bien, Harrison. Je ne regrette pas de l'avoir eu. Bonne nuit.

– Bonne nuit, Jarvis. Avez-vous dormi la nuit dernière ? Est-ce que Margaret a dormi ?

– Nous avons un peu dormi tous les deux.

– J'espère que vous dormirez davantage cette nuit. N'oubliez pas que toute la maison est à votre service.

– Merci et bonne nuit. John ?

– Monsieur Jarvis ?

– Vous connaissez le Club de jeunes gens de Gladiolus Street à Claremont ?

– Je le connais très bien. C'était notre Club à Arthur et à moi.

– J'aimerais le visiter. Quand cela vous arrangera.

– Je serai heureux de vous y emmener, monsieur Jarvis. Et puis...

– Quoi donc ?

– Je voudrais vous dire que, quand mon père parle des Africanders, il veut dire les nationalistes. Arthur le lui faisait toujours remarquer. Et père le reconnaissait, mais on dirait qu'il l'a oublié.

Jarvis sourit d'abord au garçon puis au père. – C'est un bon point, dit-il. Bonsoir, Harrison. Bonsoir, John.

LE lendemain matin, Harrison attendait son hôte au pied de l'escalier.

– Venez dans mon bureau, dit-il.

Ils y entrèrent et Harrison referma la porte sur eux.

– La police vient de téléphoner, Jarvis. Le domestique a repris connaissance ce matin. Il dit qu'ils étaient bien trois. Ils avaient la bouche et le nez masqués, mais il est sûr que celui qui l'a assommé était un ancien garçon jardinier de Mary. Mary avait dû se débarrasser de lui à la suite de je ne sais plus quelle histoire. Il l'a reconnu à une espèce de tic qu'il a dans les yeux. Quand ce garçon a quitté Mary, il a pris du travail dans une fabrique de tissus à Doornfontein. Puis il a quitté ce travail et personne ne sait plus ce qu'il est devenu. Mais on a eu des renseignements sur un autre indigène avec lequel il était très lié. On le recherche en ce moment, dans l'espoir qu'il pourra dire où se trouve le garçon jardinier. Ils se démènent vraiment.

– En effet.

– Et voici le manuscrit d'Arthur sur la criminalité indigène. Voulez-vous que je le laisse sur la table pour que vous puissiez le lire tranquillement après le petit déjeuner ?

– Merci, oui, laissez-le là.

– Comment avez-vous dormi ? Et Margaret ?

– Elle a dormi très profondément. Elle en avait besoin.

– Je m'en doute. Venez prendre votre petit déjeuner.

APRÈS le petit déjeuner, Jarvis revint dans le bureau et se mit à lire le manuscrit de son fils. Il tourna d'abord la dernière page et lut avec un sentiment de peine le dernier paragraphe inachevé. C'était presque la dernière chose que son fils eût faite. Pendant que ces lettres se traçaient sur la page, il vivait encore. Puis, à ce moment, sur ce mot même qui restait suspendu en l'air, il s'était levé et était descendu vers la mort. Si quelqu'un avait pu lui crier alors : Ne descends pas ! Si quelqu'un avait pu lui crier : Arrête, tu es en danger !... Mais il n'y avait eu personne pour crier. Personne ne pouvait savoir alors ce que tant de gens savaient à présent. Mais ces pensées ne menaient à rien et ce n'était pas son habitude de s'appesantir sur ce qui aurait pu être. Il ne servait à rien d'imaginer que, si l'on avait été là, l'on aurait pu empêcher une chose qui n'avait eu lieu que parce qu'on ne l'avait pas empêchée. C'était le chagrin qui vous rendait ainsi, qui vous obligeait à ces pensées infructueuses. Il voulait essayer de comprendre son fils et non pas se laisser aller à désirer ce que le désir ne pouvait plus atteindre. Aussi, se força-t-il à lire le dernier paragraphe lentement, avec sa tête et non avec son cœur, afin de le comprendre.

« La vérité c'est que notre civilisation chrétienne est accablée de dilemmes. Nous croyons à la fraternité des hommes, mais nous n'en voulons pas ici, en Afrique du Sud. Nous croyons que Dieu dote les hommes de divers dons et que la vie humaine dépend pour sa plénitude de leur emploi et de leur puissance, mais nous n'en voulons pas en Afrique du Sud. Nous croyons qu'il faut secourir nos frères inférieurs, mais nous souhaitons qu'ils restent inférieurs. Et nous nous trouvons ainsi amenés, afin de garder l'illusion que nous sommes chrétiens, à prêter au Tout-Puissant, créateur du ciel et de la terre, nos propres intentions humaines et à dire que, parce qu'Il a créé les blancs et les noirs, Il donne Sa divine approbation à toute action humaine qui empêche les noirs de progresser. Nous allons jusqu'à prêter au Tout-Puissant l'intention d'avoir créé les noirs pour scier le bois et tirer l'eau des blancs. Nous allons jusqu'à présumer qu'Il bénit toute action destinée à empêcher les noirs de jouir pleinement des dons qu'Il leur a faits. Nous recourons à ces arguments et à d'autres aussi pour nous disculper de l'accusation d'oppression. Nous disons que, si nous refusons l'instruction aux enfants noirs, c'est qu'ils n'ont pas l'intelligence nécessaire pour en profiter ; nous refusons aux noirs l'opportunité de développer leurs dons sous prétexte qu'ils n'ont pas de dons ; nous justifions nos actions en disant qu'il nous a fallu des milliers d'années pour arriver au stade de civilisation où nous sommes aujourd'hui, qu'il serait fou de supposer que les noirs puissent accomplir ce chemin en moins de temps et que, par conséquent, il n'y a pas lieu de se hâter. Puis nous changeons notre fusil d'épaule et nous nous apitoyons sur le cruel destin des hommes supérieurs, sur la solitude à laquelle leur supériorité même les condamne, et nous décrétons que c'est charité chrétienne d'empêcher les noirs de devenir des hommes supérieurs. Ainsi notre Dieu lui-même n'est plus qu'une créature confuse et contradictoire, distribuant ses dons et en interdisant l'emploi. Faut-il s'étonner après cela de voir notre civilisation accablée de dilemmes ? La vérité est que notre civilisation n'est pas chrétienne, c'est un mélange tragique de haut idéal et de craintive pratique, de haute assurance et d'angoisse désespérée, de charité pleine d'amour et de cupidité pleine d'effroi. Laissez-moi un instant... »

Jarvis se sentit profondément ému, sans doute parce que c'était là l'œuvre de son fils et presque la dernière action de son fils, mais peut-être aussi à cause d'une qualité particulière de ces paroles. Il n'aurait su le dire, n'ayant jamais consacré beaucoup de temps dans sa vie à l'étude et au plaisir des mots. Son émotion provenait-elle encore d'une qualité particulière de ces idées ? De cela non plus, faute d'habitude sans doute, il n'était pas grand juge. Il se leva et monta à sa chambre. Il fut heureux de n'y pas trouver sa femme, car il désirait poursuivre le cours de ses pensées. Il aperçut le livre d'Abraham Lincoln qu'il avait pris dans la bibliothèque de son fils et redescendit dans le bureau. Là, il ouvrit le livre au second discours inaugural du grand président. Il le lut tout entier et sentit, avec une élévation soudaine de son esprit, qu'il retrouvait là un élément secret déjà entr'aperçu, comme une piste interrompue qui reprenait. Il eut l'impression qu'une connaissance en lui s'élargissait, qu'il pénétrait de plus en plus avant dans une âme inconnue. Il commençait à comprendre pourquoi le portrait de cet homme était dans la maison de son fils, pourquoi il avait inspiré la multitude de livres qui s'y trouvaient également.

Il reprit la page manuscrite, mais en pensant à son fils et non pas pour y peser les mots et les idées. Il regarda la dernière ligne.

– Laissez-moi un instant...

Puis, plus rien. Ces doigts n'écriraient plus jamais. Laissez-moi un instant, j'entends du bruit dans la cuisine. Laissez-moi un instant pendant que je vais à la mort. Laissez-moi mille instants, je ne reviendrai plus jamais.

Jarvis se secoua et ralluma sa pipe, puis, après avoir relu tout le manuscrit, se mit à rêver tout en fumant.

– James.

Il tressaillit.

– Oui, ma chère, dit-il.

– Tu ne devrais pas rester seul, dit-elle.

Il lui sourit.

– Ce n'est pas ma nature de broyer du noir, dit-il.

– Alors, qu'est-ce que tu faisais ?

– Je réfléchissais. Et je lisais. Regarde ce que je lisais.

Elle prit le feuillet, le regarda et le mit sur son cœur.

– Lis-le, dit-il doucement. Ça en vaut la peine.

Elle s'assit pour lire et il la regardait en sachant ce qu'elle allait faire. Elle regarda la dernière page, les derniers mots. Laissez-moi un instant... Elle les regardait. Puis elle tourna les yeux vers son mari pour lui parler. Il l'écouta.

– Le chagrin ne s'efface pas si vite.

XXII

Au milieu du tribunal, s'élève un grand fauteuil. C'est celui du Juge. Au pied de l'estrade, il y a une table pour les greffiers et, de chaque côté de la table, des sièges. Quelques-uns de ces sièges sont groupés à part et entourés d'une barrière ; ce sont ceux du jury, lorsqu'il y a un jury. Face à la table, d'autres sièges encore forment un demi-cercle avec des tables devant eux pour les avocats. Derrière ce demi-cercle, un passage sépare la salle en deux et mène à un escalier qui descend vers un lieu souterrain. C'est de ce lieu souterrain que l'on amène les hommes qui vont être jugés. Derrière le tribunal, quelques rangées de bancs pour le public, ceux des Européens à droite et ceux des non-Européens à gauche, selon la coutume.

L'on ne doit pas fumer dans la salle du tribunal, l'on ne doit pas chuchoter, parler, ni rire. L'on doit être vêtu convenablement et les hommes restent tête nue, sauf ceux auxquels leur religion l'interdit. Cela en l'honneur du Juge, en l'honneur du Roi dont il est l'officier, en l'honneur de la Loi qui est derrière le Juge et en l'honneur du Peuple qui est derrière la Loi. Quand le Juge entre, l'on se lève et l'on ne s'assoit pas tant qu'il reste debout. Quand le Juge se retire, l'on se lève et l'on ne bouge pas tant qu'il n'est pas sorti. Tout cela, en l'honneur du Juge et des choses qui sont derrière le Juge.

Car le Juge est chargé d'une tâche très grave : juger et prononcer des condamnations et même des condamnations à mort. Les juges, de par leurs hautes fonctions, ont le pas sur les autres hommes dans toutes les cérémonies officielles. Et ils sont tenus en grand respect par les hommes, tant blancs que noirs. Dans ce pays de peur, le Juge doit être sans peur, afin que la justice puisse être rendue conformément à la Loi. Un juge doit être incorruptible.

Le Juge ne fait pas la Loi. C'est le Peuple qui fait la Loi. Il arrive qu'une Loi soit injuste, mais c'est le devoir du Juge de juger conformément à la Loi et, en appliquant une loi, même injuste, il rend la justice.

C'est le devoir du Juge de rendre la justice, mais c'est au Peuple seul qu'il incombe d'être juste. Par conséquent, si la justice n'est pas juste, il ne faut pas en blâmer le Juge mais le Peuple, c'est-à-dire les blancs, car ce sont les blancs qui font la Loi.

En Afrique du Sud, les gens sont fiers de leurs juges, car ceux-ci sont considérés comme incorruptibles. Même les noirs ont confiance en eux, bien qu'ils n'aient pas toujours confiance dans la Loi. Dans un pays de peur, cette intégrité est comme une lampe, un haut flambeau qui répand sa lumière également sur tous les habitants de la maison.

*

On demande le silence et tout le monde se lève. Même s'il y avait ici un plus grand personnage que le Juge, il se lèverait quand même, car, derrière le Juge, il y a des choses plus grandes que n'importe quel homme. Le Juge entre avec ses deux assesseurs, ils s'assoient et le public s'assoit aussi. La Cour siège.

De la salle souterraine montent trois hommes qui vont être jugés et tout le monde les regarde. Certains trouvent qu'ils ont des têtes d'assassins et même le chuchotent, bien qu'il soit interdit de chuchoter. D'autres pensent qu'ils n'ont pas l'air d'assassins, et d'autres encore que celui-ci a bien l'air d'un assassin mais pas celui-là.

Un homme blanc se lève et dit que ces trois hommes sont accusés du meurtre d'Arthur Trevelyan Jarvis, dans sa maison de Plantation Road, Parkwold, Johannesburg, le mardi 8 octobre 1946 au début de l'après-midi. Le premier se nomme Absalon Koumalo, le second Mathieu Koumalo, le troisième Johannes Pafuri. On leur demande s'ils plaident coupables ou non coupables et le premier dit : Je plaide coupable d'avoir tué mais je n'avais pas l'intention de tuer. Le deuxième dit : Je ne suis pas coupable, et le troisième de même. Toutes ces choses sont dites en anglais et en zoulou afin que ces trois hommes comprennent. Car, bien que Pafuri ne soit pas Zoulou, il comprend bien cette langue, dit-il.

L'avocat, l'homme blanc qui s'est chargé de cette affaire pour Dieu, dit qu'Absalon Koumalo plaidera coupable d'homicide mais non de meurtre, car il n'avait pas l'intention de donner la mort. Mais le procureur dit que cela ne se peut : il ne s'agit pas d'homicide, c'est de meurtre qu'il est accusé. Dans ce cas, Absalon Koumalo plaidera comme les deux autres non coupable.

Puis l'avocat général parle longuement et fait à la Cour le récit entier du crime. Absalon Koumalo reste immobile et silencieux, mais les deux autres paraissent peinés et choqués que de telles choses puissent être dites.

*

– Ensuite, une fois votre plan bien arrêté, vous avez décidé la date, le 8 octobre ?

– Oui.

– Pourquoi avez-vous choisi ce jour-là ?

– Parce que Johannes disait qu'il n'y aurait personne dans la maison.

– Johannes Pafuri ?

– Johannes Pafuri qui est accusé ici avec moi.

– Et vous avez choisi l'heure : une heure et demie ?

– Oui.

– L'heure n'était-elle pas mal choisie ? Les blancs rentrent généralement déjeuner chez eux à cette heure-là.

Mais l'accusé ne répond pas.

– Pourquoi avez-vous choisi cette heure-là ?

– C'est Johannes qui a choisi l'heure. Il a dit qu'elle lui avait été indiquée par une voix.

– Quelle voix ?

– Non, ça je ne sais pas.

– Une mauvaise voix ?

Pas de réponse.

– Donc vous êtes allés tous les trois derrière la maison ?

– C'est ça.

– Vous et ces deux hommes qui sont accusés avec vous ?

– Moi et ces deux-là mêmes.

– Et ensuite ?

– Ensuite nous avons attaché nos mouchoirs devant notre bouche.

– Et ensuite ?

– Ensuite nous sommes entrés dans la cuisine.

– Qui y était ?

– Le domestique de la maison y était.

– Richard Mpiring ?

– Non, je ne sais pas son nom.

– Est-ce cet homme-là ?

– Oui, c'est cet homme-là.

– Et ensuite ? Dites à la Cour ce qui s'est passé.

– Cet homme a eu peur. Il a vu mon revolver. Il avait le dos contre l'évier où il travaillait quand nous sommes entrés. Il a dit : « Qu'est-ce que vous voulez ? Johannes a dit : Nous voulons de l'argent et des vêtements. Cet homme a dit : Vous ne pouvez pas faire une chose pareille. Johannes a dit : Tu as envie de mourir ? L'homme n'a rien répondu mais il s'est mis tout d'un coup à crier : Maître, maître ! Puis Johannes l'a frappé sur la tête avec la barre de fer qu'il tenait derrière son dos.

– Combien de fois l'a-t-il frappé ?

– Une fois.

– Est-ce qu'il a encore crié ?

– On ne l'a plus entendu.

– Qu'avez-vous fait ?

– Non, nous nous sommes tus. Johannes avait dit qu'il fallait nous taire.

– Qu'est-ce que vous avez fait ? Vous avez écouté ?

– Nous écoutions.

– Avez-vous entendu quelque chose ?

– Nous n'avons rien entendu.

– Où était votre revolver ?

– Dans ma main.

– Et alors ?

– Alors un homme blanc est arrivé dans le couloir.

– Et ensuite ?

– J'ai eu peur. J'ai tiré.

– Et ensuite ?

L'accusé regarda le plancher.

– L'homme blanc est tombé, dit-il.

– Et ensuite ?

– Johannes a dit vivement : Il faut nous en aller. Alors nous sommes tous partis vivement.

– Par la porte de derrière ?

– Oui.

– Puis vous avez traversé la route et gagné la plantation ?

– C'est ça.

– Est-ce que vous êtes restés ensemble ?

– Non, je suis parti de mon côté.

– Et quand avez-vous revu les deux autres ?

– A la maison de Baby Mkizé.

Mais le Juge interrompt :

– Vous pourrez reprendre votre interrogatoire, monsieur l'Avocat général. Mais je voudrais poser une ou deux questions au premier accusé.

– Comme vous voudrez, monsieur le Président.

– Pourquoi portiez-vous ce revolver ?

– C'était pour faire peur au domestique de la maison.

– Mais pourquoi possédiez-vous un revolver ?

Le garçon se tait.

– Répondez.

– On m'avait dit d'en avoir un.

– Qui vous l'avait dit ?

– Non, on m'avait dit que Johannesbourg était dangereux.

– Qui vous avait dit ça ?

Le garçon se tait.

– Est-ce que ceux qui vous l'avaient dit étaient de ces gens qui se livrent à des pratiques de vol et de cambriolage ?

– Non. Ce n'étaient pas des gens comme ça.

– Alors qui vous l'a dit ?

– Je ne me rappelle pas. On a dit ça dans un endroit où j'étais.

– Vous voulez dire que vous vous êtes trouvé dans une réunion assez nombreuse où quelqu'un a dit :

Il faut posséder un revolver à Johannesbourg, l'endroit est dangereux ?

– Oui, c'est ça que je veux dire.

– Et vous saviez que votre revolver était chargé ?

– Oui, je le savais.

– Si vous aviez ce revolver uniquement pour faire peur aux gens, pourquoi fallait-il qu'il fût chargé ?

Mais le garçon ne répond pas.

– Vous étiez donc prêt à tirer ?

– Non, je n'aurais pas tiré sur quelqu'un de bien. J'aurais tiré seulement si l'on avait tiré sur moi.

– Auriez-vous tiré sur un agent de police s'il avait tiré sur vous dans l'exercice de ses fonctions ?

– Non, pas sur un agent de police.

Le Juge se tait et tout le monde est silencieux. Puis il dit gravement :

– Et cet homme blanc sur lequel vous avez tiré, ce n'était pas quelqu'un de bien ?

L'accusé regarde de nouveau le plancher. Puis il répond à voix basse :

– J'ai eu peur, j'ai eu peur. Je n'avais jamais eu l'intention de le tuer.

– Comment vous étiez-vous procuré ce revolver ?

– Je l'avais acheté à un homme.

– Où ?

– A Alexandra.

– Qui est cet homme ? Comment s'appelle-t-il ?

– Je ne sais pas comment il s'appelle.

– Où habite-t-il ?

– Je ne sais pas où il habite.

– Pourriez-vous le retrouver ?

– Je pourrais essayer de le retrouver.

– Ce revolver était-il chargé quand vous l'avez acheté ?

– Il y avait deux balles dedans.

210

– Combien y avait-il de balles quand vous êtes allés dans la maison de Parkwold ?

– Il y en avait une.

– Qu'était devenue l'autre ?

– J'étais allé avec le revolver dans une des plantations des collines derrière Alexandra et là j'avais tiré.

– Sur quoi avez-vous tiré ?

– J'ai tiré sur un arbre.

– Avez-vous touché l'arbre ?

– Oui, je l'ai touché.

– Alors vous vous êtes dit : Maintenant, je sais me servir de ce revolver ?

– Oui, c'est ça.

– Qui portait la barre de fer.

– Johannes la portait.

– Saviez-vous qu'il la portait ?

– Je le savais.

– Vous saviez que c'était une arme dangereuse ? Qu'on pouvait tuer un homme avec ?

La voix du garçon s'élève :

– Ce n'était pas pour tuer ou frapper, dit-il. C'était seulement pour faire peur.

– Mais vous aviez déjà un revolver pour faire peur ?

– Oui, mais Johannes a dit qu'il prendrait la barre. Il a dit qu'elle avait été bénite.

– Elle avait été bénite ?

– C'est ce qu'il a dit.

– Qu'est-ce que Johannes voulait dire en disant cela ?

– Je ne sais pas.

– Voulait-il dire que la barre avait été bénite par un prêtre ?

– Je ne sais pas.

– Vous n'avez pas demandé ?

– Non, je n'ai pas demandé.

– Votre père est prêtre ?

Le garçon regarde de nouveau le plancher et d'une voix très basse, répond :

– Oui.

– Est-ce qu'il bénirait une barre comme celle-là ?

– Non.

– Vous n'avez pas dit à Johannes : Il ne faut pas prendre cette barre ?

– Non.

– Vous ne lui avez pas dit : Comment un tel objet peut-il être bénit ?

– Non.

– Reprenez, monsieur l'Avocat général.

*

– Et quand ces deux hommes disent qu'on n'a pas parlé du crime dans la maison de Baby Mkizé, ils mentent ?

– Ils mentent.

– Et quand ils disent que vous avez inventé cette histoire après les avoir rencontrés dans la maison Mkizé, ils mentent ?

– Ils mentent.

– Et quand Baby Mkizé dit qu'on n'a pas parlé du crime devant elle, elle ment ?

– Elle ment. Elle a eu peur et elle nous a dit de quitter sa maison et de ne jamais y revenir.

– Est-ce que vous l'avez quittée tous ensemble ?

– Non, je suis parti le premier.

– Et où êtes-vous allé ?

– Je suis allé dans une plantation.

– Et qu'est-ce que vous y avez fait ?

– J'ai enterré le revolver.

– Est-ce le revolver qui est devant la Cour ?

On tend le revolver à l'accusé qui l'examine.

– C'est ce revolver-là, dit-il.

– Comment l'a-t-on trouvé ?

212

– Non, j'ai dit à la police où il était.

– Qu'avez-vous fait après avoir enterré le revolver ?

– J'ai prié.

L'Avocat général semble interdit, mais le Juge dit :

– Et qu'avez-vous demandé dans votre prière ?

– J'ai demandé pardon.

– Et quoi encore ?

– Non, il n'y avait rien d'autre pour quoi j'avais envie de prier.

*

– Et le lendemain vous êtes retourné à Johannesbourg ?

– Oui.

– Et vous avez marché au milieu des gens qui boycottent les autobus.

– Oui.

– Est-ce qu'ils parlaient encore du meurtrier ?

– Ils en parlaient encore. Il y en avait qui disaient qu'il serait bientôt découvert.

– Et alors ?

– J'ai eu peur.

– Qu'avez-vous fait ensuite ?

– Cette nuit-là, j'ai couché à Genniston.

– Mais qu'avez-vous fait dans la journée ? Vous êtes-vous de nouveau caché ?

– Non, j'ai acheté une chemise et je me suis promené avec mon paquet.

– Pourquoi avez-vous fait ça ?

– Non, je pensais qu'on me prendrait pour un garçon livreur.

– Avez-vous fait autre chose ?

– Je n'ai rien fait d'autre.

– Ensuite vous êtes allé à Genniston ? Où cela ?

– Chez Joseph Bhergu, 12, Maseru Street dans le lotissement.

– Et ensuite ?

– Pendant que j'y étais, la police est venue.

– Que s'est-il passé alors ?

– On m'a demandé si j'étais Absalon Koumalo. Et j'ai dit oui, et j'avais peur, et j'avais eu l'intention d'aller ce jour-là tout dire à la police et je voyais bien maintenant que j'avais été idiot d'attendre si longtemps.

– Vous a-t-on arrêté tout de suite ?

– Non, on m'a demandé si je pouvais dire où se trouvait Johannes et j'ai dit que non, que je ne savais pas, mais que ce n'était pas Johannes qui avait tué l'homme blanc, que c'était moi. Mais que c'était Johannes qui avait assommé le domestique de la maison. Et j'ai dit que Mathieu y était aussi. Et j'ai dit que je montrerais où j'avais caché le revolver. Et j'ai dit que j'avais l'intention d'aller tout dire ce jour-là, mais que j'avais remis bêtement parce que j'avais peur.

– Vous avez ensuite fait une déposition devant Andries Cœtzee, magistrat adjoint à Johannesbourg ?

– Je ne sais pas son nom.

– Est-ce là votre déposition ?

On remet la déposition au garçon qui la regarde et dit :

– Oui, c'est ma déposition.

– Et chaque mot en est vrai ?

– Chaque mot en est vrai.

– Elle ne contient pas de mensonge ?

– Elle ne contient pas de mensonge, car je m'étais dit : Je ne mentirai plus jamais, tout le reste de mes jours, je ne ferai plus jamais rien de mal.

– En somme, vous vous êtes repenti ?

– Oui, je me suis repenti.

– Parce que vous étiez en danger.

– Oui, parce que j'étais en danger.

– Aviez-vous d'autres raisons de vous repentir ?

– Non, je n'avais pas d'autres raisons.

*

Les gens se lèvent quand l'audience est terminée et restent debout tandis que le Juge et ses assesseurs quittent la salle du tribunal. Puis ils sortent par les portes qui sont derrière les rangées de bancs, les Européens par une porte et les non-Européens par l'autre, selon l'usage.

Koumalo et Msimangu, Gertrude et Mme Lithébé s'en vont ensemble et ils entendent près d'eux des gens qui disent : Voilà le père du blanc qui a été tué. Et Koumalo regarde et voit que c'est vrai : c'est le père de celui qui a été tué, l'homme qui possède la ferme sur les collines au-dessus de Ndotshéni, l'homme qu'il a vu passer à cheval devant l'église. Et Koumalo se met à trembler et détourne les yeux. Car comment regarder un tel homme ?

XXIII

Le procès des trois hommes accusés du meurtre d'Arthur Jarvis de Parkwold excite peu d'intérêt. Car on vient de découvrir de l'or, encore plus d'or. Il y a un petit village appelé Odendaalsrust dans la province de l'État libre d'Orange. Hier, il était inconnu, aujourd'hui, c'est un des endroits célèbres du monde.

Cet or égale le plus riche qui ait jamais été découvert en Afrique du Sud, il est aussi riche que le plus riche de Johannesbourg. Les hommes prédisent qu'un nouveau Johannesbourg va naître là-bas, une grande ville de hauts immeubles et de rues encombrées. Les hommes, qui étaient préoccupés par la pensée que l'or de Joahnnesbourg ne durerait pas indéfiniment, jubilent et s'enfièvrent. Un nouveau bail de vie, disent-ils. L'Afrique du Sud a un nouveau bail de vie.

On s'excite à Johannesbourg. A la Bourse, les hommes deviennent fous, ils crient, hurlent et lancent leurs chapeaux en l'air, car les actions qu'ils avaient achetées par pure spéculation, les actions qu'ils avaient achetées de mines qui n'existaient pas, ces actions grimpent à des prix qui dépassent tout ce qu'ils avaient rêvé.

Hier, il n'y avait dans l'État libre d'Orange que l'étendue plate du veld, des moutons, des bœufs et des bergers indigènes. Il n'y avait que de l'herbe et des fougères avec, çà et là, un champ de maïs. Il n'y avait rien qui ressemblât à une mine, sauf des machines à forer et des ingénieurs patients qui analysaient les mystères du sol ; personne pour les voir faire qu'un passant indigène, un berger, un vieux fermier de langue africane qui passait à cheval et les regardait avec du mépris, de la crainte ou de l'espoir, selon sa nature.

Avez-vous vu les cours des actions miraculeuses de Tweede Vlei ? Elles étaient à vingt shillings, puis à quarante, puis à soixante et maintenant – croyez-le ou non – elles sont à quatre-vingts ! Et beaucoup de gens s'arrachent les cheveux parce qu'ils ont vendu à midi et non à deux heures, ou parce qu'ils ont acheté à deux heures et non pas à midi. Et celui qui a vendu le regrettera encore davantage demain matin quand les actions seront à cent shillings.

C'est miraculeux ! L'Afrique du Sud est un pays miraculeux. Nous nous rengorgerons encore davantage quand nous irons à l'étranger, et les gens nous diront : ah ! mais vous êtes riches vous autres en Afrique du Sud.

Odendaalsrust, quel nom resplendissant ! Pourtant, il y en a déjà qui disent à la Bourse – de ceux qui ne parlent pas trop bien l'african – qu'il faudrait trouver un nom plus simple, Smuts ou Smutsville, par exemple ; un nom plus facile... que diriez-vous d'Hofmeyr ?... Mais il y a déjà un endroit qui s'appelle Hofmeyr et d'ailleurs, non, ça ne sonne pas très bien.

C'est vraiment fâcheux que toutes ces mines aient des noms imprononçables. Quel dommage qu'une grande industrie dirigée par de tels cerveaux, soutenue par une telle puissance, soit dotée de noms aussi biscornus que Blyvoornitzicht et Welgedacht ou Langlaagte et, maintenant, Odendaalsrust ! Mais disons ces choses dans notre barbe, disons-les dans nos clubs, disons-les entre nous, car nous sommes pour la plupart membres du Parti Unifié qui vante la coopération, la camaraderie, la fraternité et l'entente mutuelle. Mais quelle simplification pour tout le monde, si les africanders consentaient à se rendre compte que le bilinguisme est une folie.

*

DE l'or, de l'or, de l'or ! Le pays va redevenir riche. Les actions sont montées de vingt shillings à cent, rendez-vous compte et remerciez Dieu. Il y a des gens, à vrai dire, qui se montrent beaucoup moins enthousiastes. Mais il faut reconnaître qu'ils ne possèdent pas beaucoup d'actions, il faut même reconnaître qu'il en est parmi eux qui n'en possèdent pas du tout. Certains d'entre eux parlent en public, et il est intéressant et exaspérant à la fois de remarquer, à ce propos, que, très souvent, les gens qui ne possèdent pas d'actions sont très éloquents ; on dirait que la destinée, la nature ou la force vitale ou, enfin, la puissance qui dirige ces choses-là a voulu leur donner une espèce de compensation. C'est là évidemment une idée de fantaisie, une espèce de paradoxe et mieux vaut n'en pas parler. Ces gens éloquents et, pour ainsi dire, sans pouvoir financier, parlent le plus souvent au sein de petites associations comme les clubs de gauche, les organisations religieuses et autres sociétés de ce genre qui proclament la charité et la fraternité universelles. Ils écrivent aussi et, le plus souvent, dans de petites feuilles qui s'appellent *la Société Nouvelle* ou *l'Humanité en Marche,* ou dans cette curieuse *Croix du Carrefour,* un obscur journal de huit pages publié chaque semaine par cet étonnant Père Beresford qui a toujours l'air de n'avoir pas mangé depuis des semaines. Mais il parle un très bel anglais, l'anglais d'Oxford, et non celui qu'on entend à Rhodes ou à Stellenbosch et on le reçoit à cause de cela, bien que ses cheveux ne soient jamais brossés ni son pantalon repassé. Il a l'air d'un tigre converti au christianisme et ses yeux sont pleins de flamme ; c'est qu'ils brûlent au milieu des forêts de la nuit tandis qu'il écrit son extraordinaire journal. Il est missionnaire et croit en Dieu, intensément. Comme on dit, il faut de tout pour faire un monde.

Eh bien, il y a des gens qui prétendent qu'il aurait mieux valu que les actions restassent à vingt shillings, et que la différence de quatre-vingts shillings eût servi, par exemple, à financer de grands travaux afin de combattre l'érosion et de sauver la terre de ce pays. Il aurait été bon également d'en consacrer une partie à subventionner les clubs de jeunes gens et les clubs de jeunes filles et des centres d'assistance sociale, et à construire de nouveaux hôpitaux. Plutôt que de laisser coter si haut ces actions, dit-on encore, il aurait mieux valu augmenter le salaire des mineurs.

Mais il est bien évident que ces propos n'ont ni queue ni tête, car le prix des actions n'a vraiment aucun rapport avec la question de salaires. Et d'ailleurs ne dit-on pas qu'il y a vraiment des grands types dans l'administration de ces mines qui n'en possèdent même pas une action, et ça c'est vraiment beau, car la tentation doit être forte.

En tout cas, ne nous attristons pas trop en pensant que ces quatre-vingts shillings ne changent pas grand-chose à la situation. Considérons les choses d'un autre angle. Quand les actions montent de vingt à cent shillings, les quatre-vingts shillings sont bien gagnés par quelqu'un. Pas forcément par un homme seul, cela serait trop beau, et un homme pareil passerait pour un génie financier et mériterait une place dans les conseils du gouvernement. Il est plus probable que ces quatre-vingts shillings se soient en fait partagés entre plusieurs personnes, parce qu'elles se sont vraisemblablement énervées et ont vendu en hausse. Il est exact, certes, que ces gens n'ont pas effectivement travaillé pour cet argent, je veux dire travaillé à la sueur de leur front et aux callosités de leurs mains. Mais le goût du risque et la justesse des prévisions méritent une récompense, et il ne faut pas oublier la tension mentale qui use parfois plus qu'un travail physique. A présent, ces gens vont dépenser leurs quatre-vingts shillings et cela donnera du travail à d'autres, si bien que le pays se sera enrichi de quatre-vingts shillings. Et beaucoup d'entre eux donnent généreusement aux clubs de jeunes gens et de jeunes filles, aux centres d'assistance sociale et aux hôpitaux. Il est faux de prétendre, comme on le fait dans les endroits obscurs de Bloemfontein, Grahanstown ou Bearfort West, que Johannesbourg ne pense qu'à l'argent. Nous avons autant de bons maris, que je sache, et de bons pères de famille que n'importe quelle grande ville, et certains de nos notables possèdent de très belles collections d'œuvres d'art, ce qui donne du travail aux artistes et soutient les valeurs artistiques ; et certains ont acquis de grands domaines dans le Nord où ils vont chasser et communient avec la nature.

Nous avons vu qu'une partie de ces quatre-vingts shillings allait être dépensée pour le plus grand bien général. Une partie, pas tout évidemment, car il faut bien que les gens qui vendent leurs actions à cent shillings gardent de quoi les racheter quand elles auront un peu baissé. Mais les fermiers pourront produire plus de denrées, et les fabricants plus d'articles manufacturés, et l'administration aura plus de postes à offrir, bien qu'on puisse se demander pourquoi nous aurons besoin de plus de fonctionnaires. Et les indigènes ne seront plus réduits à mourir de faim dans leurs réserves. Il y aura du travail pour eux dans les mines. Et on leur construira des camps encore plus grands et plus confortables, et l'on mettra encore plus de vitamines dans leurs aliments. Mais il faudra prendre garde, car il y a un spécialiste qui vient de découvrir que la main-d'œuvre pouvait être survitaminée. C'est là un des exemples de la loi de la Diminution de Rendement.

Et peut-être qu'une grande ville va s'élever, un second Johannesbourg, avec un second Parktown et un second Houghton, un second Parkwold et un second Kensington, un second Jeppe et un second Vrederdorp, un second Pimville et un second Cabaneville, une grande cité qui fera l'orgueil de tout Odendaalsrust. Mais quel nom impossible !

*

Pourtant, il y a des gens pour dire qu'il ne faut pas que cela se passe ainsi. Tous les gens de l'assistance sociale et le Père Beresford, et autres Kafferboeties, affirment qu'il ne faut pas que cela se passe ainsi, mais disons tout de suite que la plupart d'entre eux ne possèdent pas deux actions à frotter l'une contre l'autre. Et ils s'enhardissent, voyez-vous, car Sir Ernest Oppenheimer, l'un des grands bonshommes des mines, a dit également que cela ne se passerait pas nécessairement ainsi. Voici, a-t-il dit, l'occasion de tenter l'expérience d'une main-d'œuvre minière vivant dans ses foyers, et non confinée dans des camps, habitant des villages où les hommes pourraient vivre avec leurs femmes et leurs enfants. Et l'on parle aussi d'un projet du gouvernement analogue à celui qui a été réalisé aux États-Unis dans la Vallée de Tennessee, afin de contrôler le développement des régions minières de l'État libre.

Parlez encore, Sir Ernest Oppenheimer. Certains vous applaudissent, et certains remercient Dieu du fond du cœur pour votre voix. Car les mines doivent être au service des hommes et non de la richesse. Et la richesse n'est pas une chose qui doit rendre fou et faire voler les chapeaux en l'air. L'argent doit servir à produire de la nourriture, des vêtements, du confort et une soirée au cinéma. L'argent est fait pour rendre heureuse la vie des enfants. L'argent est fait pour créer de la sécurité et des rêves et des espoirs et des projets. L'argent est fait pour acheter les fruits de la terre du pays où vous êtes nés.

*

Pas de second Johannesbourg sur terre. Un seul suffit.

XXIV

Jarvis retourna à la maison de son fils. C'était absurde de traverser la cuisine et de passer devant la tache du plancher pour monter l'escalier qui menait à la chambre. Pourtant, c'est le chemin qu'il prit. Il n'entra pas dans la chambre mais dans le bureau rempli de livres, passa devant la bibliothèque d'Abraham Lincoln et celle de l'Afrique du Sud, devant la bibliothèque d'ouvrages en african, et celle qui était pleine de religion, de sociologie, de criminalité et de criminels, et celle où se trouvaient les recueils de poésie, les romans et Shakespeare. Il regarda le Christ en croix et Abraham Lincoln, Vergelegen et les saules en hiver. Il s'assit à la table couverte d'invitations à faire ceci et cela et de convocations à venir ici et là, et des feuillets qui disaient ce qui était légitime en Afrique du Sud et ce qui ne l'était pas.

Il tira les tiroirs du bureau de son fils et y trouva dans l'un des comptes, dans un autre du papier, des enveloppes, des plumes et des crayons, dans un troisième des chèques timbrés par la banque ; et il en ouvrit un enfin qui contenait des articles dactylographiés bien classés. Il y avait un article intitulé : « Il faut créer des centres d'assistance sociale » et un autre sur « les Oiseaux d'un Jardin de Parkwold » et un troisième sur « l'Inde et l'Afrique du Sud ». Et il y en avait un qui s'appelait « Essai intime sur l'évolution d'un Sud-Africain ». C'est celui qu'il choisit de lire.

« Il est difficile d'être né Sud-Africain. L'on peut être né Africander ou Sud-Africain de langue anglaise, ou homme de couleur, ou Zoulou. L'on peut parcourir à cheval, comme je l'ai fait enfant, de vertes collines et de vastes vallées. L'on peut visiter, comme je l'ai fait enfant, les réserves où vivent les Bantous, et ne rien voir de ce qui s'y passe. L'on peut apprendre, comme je l'ai appris enfant, qu'il y a plus d'Africanders en Afrique du Sud que de gens de langue anglaise, et pourtant n'en rien savoir, n'en rien voir. L'on peut lire, comme j'en ai lu enfant, des brochures sur la belle Afrique du Sud, ce pays de soleil et de beauté, à l'abri des orages du monde, et éprouver de l'orgueil et de l'amour pour cette terre, et pourtant ne rien connaître d'elle. C'est plus tard seulement que l'on apprend qu'il y a autre chose ici que du soleil, de l'or et des oranges. C'est plus tard seulement que l'on découvre les haines et les terreurs de ce pays. Et c'est alors que notre amour pour lui devient profond et passionné comme celui qu'un homme peut porter à une femme à fois sincère, fausse, froide, aimante, cruelle et effrayée.

« Je suis né dans une ferme. J'ai été élevé par des parents honnêtes qui m'ont donné tout ce dont un enfant peut avoir besoin ou envie. Ils étaient loyaux et bons et respectueux des lois ; ils m'ont appris mes prières et ils m'emmenaient régulièrement à l'église ; ils n'avaient pas de difficultés avec leurs domestiques, et mon père n'a jamais manqué d'ouvriers. J'ai appris d'eux tout ce qu'un enfant doit apprendre d'honneur, de charité et de générosité. Mais de l'Afrique du Sud, je n'ai rien appris. »

Choqué, blessé, Jarvis reposa les feuillets. Pendant un instant, il s'abandonna presque à un mouvement de colère, mais il se frotta les yeux et secoua son irritation. Il tremblait cependant et ne put lire plus avant. Il se leva et mit son chapeau, descendit l'escalier, alla jusqu'à la tache sur le plancher. L'agent de police se préparait à le saluer, lorsqu'il se ravisa. Il revint sur ses pas, remonta l'escalier et se rassit à la table. Il reprit les feuillets et les lut jusqu'au bout. Peut-être était-il sensible à la beauté des mots après tout, car la conclusion l'émut. Peut-être était-il sensible aussi à la beauté des idées.

« C'est pourquoi je consacrerai ma vie, mon temps, mes forces, mes talents, au service de l'Afrique du Sud. Je ne me demanderai plus si telle ou telle chose est commode, mais seulement si elle est juste. J'agirai ainsi, non parce que je suis noble et désintéressé, mais parce que la vie nous dépasse et parce que j'ai besoin, pour le reste de mon voyage, d'une étoile qui ne me trahira pas, d'un compas qui ne mentira pas. J'agirai ainsi, non parce que je suis négrophile et ennemi de ma race, mais parce que je ne trouve pas en moi la possibilité d'agir autrement. Si je pèse ceci contre cela, je suis perdu ; si je me demande si ce que je fais est prudent, je suis perdu ; si je me demande si les hommes, blancs ou noirs, Anglais ou Africanders, Gentils ou Juifs, m'approuveront, je suis perdu. J'essaierai donc de faire ce qui est juste et de dire ce qui est vrai.

« J'agis ainsi, non parce que je suis courageux et sincère, mais parce que c'est la seule façon de mettre fin au conflit profond de mon âme. J'agis ainsi parce que je ne suis pas capable de continuer à aspirer au plus haut idéal avec une part de moi-même, tandis que l'autre trahit cet idéal. Je ne veux pas vivre de la sorte, je préférerais mourir. Je comprends à présent ceux qui sont morts pour leurs convictions et ne trouve point leur mort si surprenante, si brave ou si noble. Ils ont préféré la mort à une certaine façon de vivre, voilà tout.

« Toutefois, il ne serait pas honnête de prétendre que je ne suis mû que par une sorte d'égoïsme à rebours. Je suis mû par quelque chose qui ne dépend pas de moi et me pousse à faire ce qui est juste, à quelque prix que ce soit. Je suis heureux en cela d'avoir épousé une femme qui pense comme moi et qui s'est efforcée de surmonter ses propres craintes et ses propres haines. Cela facilite grandement ma tâche. Mes enfants sont trop jeunes pour comprendre. Il me serait douloureux qu'ils se missent en grandissant à me haïr ou à me craindre ou à voir en moi un traître à ces choses que j'appelle nos biens. Ce me sera une source infinie de joie si, en grandissant, ils pensent comme nous. Ce sera là un bonheur exaltant et magnifique, une raison de remercier Dieu. Mais c'est une chose qui ne se marchande pas. Elle me sera donnée ou refusée, et, dans l'un ou l'autre cas, elle ne doit pas altérer le cours de la justice. »

Jarvis demeura longtemps assis à fumer. Il ne lisait plus. Il rangea les papiers dans le tiroir et le ferma. Il finit sa pipe. Puis il mit son chapeau et descendit l'escalier. Au pied de l'escalier, il se retourna et se dirigea vers le grand vestibule. Il n'avait pas peur du couloir et de la tache sur le plancher ; il ne voulait plus passer par là, voilà tout.

La porte d'entrée n'était pas fermée à clef. Il sortit. Il regarda le ciel par habitude de vieux cultivateur, mais ces cieux inconnus ne lui apprenaient rien. Il traversa la pelouse et franchit la grille. L'agent de police, de faction derrière la maison, entendit la porte se refermer et hocha pensivement la tête. Il ne peut plus voir ça, se dit-il, le pauvre vieux, il ne peut plus voir ca.

XXV

L'UNE des nièces préférées de Margaret Jarvis, Barbara Smith, avait épousé un homme qui habitait Springs et, un jour que la Cour ne siégeait pas, Jarvis et sa femme allèrent passer la journée chez elle. Il pensait que la distraction ferait du bien à sa femme. Comme Margaret et Barbara parlaient des gens d'Ixopo, de Lufafa et d'Umzikulu, il les quitta et alla se promener dans le jardin, car il était un homme de la terre. Au bout d'un moment, elles l'appelèrent pour lui demander s'il voulait les accompagner en ville. Mais il répondit qu'il préférait rester à la maison à lire le journal, et c'est ce qu'il fit.

Le journal était rempli de détails sur l'or que l'on venait de découvrir à Odendaalsrust et sur la surexcitation qui continuait à régner sur le marché des actions en Bourse. Une autorité en la matière mettait les gens en garde contre le danger d'acheter à des cours de plus en plus élevés, disant que rien ne prouvait que ceux déjà atteints fussent justifiés et qu'ils pouvaient fort bien redescendre au bout de quelque temps en provoquant beaucoup de ruines. On relatait aussi de nouveaux crimes, des agressions commises par des indigènes contre des Européens pour la plupart, mais aucune n'avait ce caractère terrifiant qui fait que les gens redoutent d'ouvrir leurs journaux.

Tandis qu'il lisait, on frappa à la porte de derrière, il alla ouvrir et se trouva en face d'un pasteur indigène debout sur la pierre plate, au pied du perron de trois marches qui montait à la cuisine. Le pasteur était vieux, ses vêtements noirs verdis par l'âge, et son col jauni d'usure ou de saleté. Il ôta son chapeau, découvrant la blancheur de ses cheveux. Il avait l'air interdit et effrayé. Il tremblait.

— Bonjour, umfundisi, dit Jarvis en zoulou. Il connaissait parfaitement cette langue.

Le pasteur répondit d'une voix tremblante : Umnumzana, qui signifie monsieur, et, à la grande surprise de Jarvis, s'assit sur la plus basse marche comme un homme malade ou mourant de faim. Jarvis savait que ce n'était point là de l'impolitesse, car le vieillard était humble et courtois, aussi descendit-il jusqu'à lui en disant : — Êtes-vous souffrant, umfundisi ? Mais l'autre ne répondit pas. Il continuait à trembler et il regardait par terre, de sorte que Jarvis ne distinguait pas son visage. Il lui aurait fallu pour le voir en soulever le menton avec sa main, ce qu'il ne fit pas, car ce ne sont pas de ces choses qu'on fait facilement.

— Êtes-vous souffrant, umfunsidi ?

— Ça va passer, umnumzana.

— Voulez-vous un verre d'eau ? Ou quelque chose à manger ? Avez-vous faim ?

— Non, umnumzana. Ça va passer.

Jarvis restait debout devant la dernière marche, mais le vieillard ne se remettait pas vite. Il continuait à trembler en regardant par terre. Il n'est pas facile à un blanc d'attendre debout devant un noir, mais Jarvis attendit, car l'homme paraissait vraiment malade et faible. Le vieillard fit un effort pour se lever en se servant de son bâton mais le bâton glissa sur la pierre et y tomba en faisant du bruit. Jarvis le ramassa et le rendit au vieux, mais celui-ci le reposa comme s'il le gênait, posa également son chapeau et essaya de se lever en s'appuyant des deux mains à la marche. Ses efforts le trahirent et il s'assit de nouveau en continuant à trembler. Jarvis aurait voulu l'aider mais c'est là une chose moins facile que de ramasser un bâton. Enfin, le vieil homme s'appuya de nouveau des deux mains à la marche et, cette fois, réussit à se lever. Il leva aussi le visage et regarda Jarvis, et Jarvis vit que ce visage était plein d'une souffrance qui n'était ni de maladie ni de faim. Et Jarvis se pencha pour ramasser le chapeau et le bâton, et, tenant le chapeau avec précaution, car il était vieux et sale, il les remit tous deux au pasteur.

– Je vous remercie, umnumzana.

– Vous êtes sûr que vous n'êtes pas souffrant, umfundisi ?

– Ça va mieux, umnumzana.

– Et que désiriez-vous, umfundisi ?

Le vieux pasteur reposa son chapeau et son bâton sur la marche et, de ses mains tremblantes, sortit un portefeuille de la poche intérieure de son vieil habit verdâtre ; des papiers s'en échappèrent et tombèrent par terre, car il ne cessait de trembler.

– Je vous demande pardon, umnumzana.

Il se baissa pour ramasser les papiers, et, comme il était vieux, il dut se mettre à genoux, et les papiers étaient vieux et sales, et certains de ceux qu'il avait ramassés retombaient de ses mains tandis qu'il en ramassait d'autres, et ses mains tremblaient très fort. Jarvis, partagé entre la compassion et l'agacement, le regardait faire, debout, très gêné.

– Je m'excuse de vous retenir, umnumzana.

– Ça ne fait rien, umfundisi.

Enfin les papiers furent tous rassemblés et

replacés dans le portefeuille, sauf un que le vieux tendit à Jarvis. Il portait écrits le nom et l'adresse de la maison où ils se trouvaient.

– C'est bien ici, umfundisi.

– On m'a demandé de venir ici, umnumzana. Il y a un homme qui s'appelle Sibéko de Ndotshéni.

– Ndotshéni, je connais. Je suis de Ndotshéni.

– Et cet homme a une fille, umnumzana, une fille qui travaillait pour un homme blanc, nommé Smith à Ixopo.

– Oui, oui.

– Et quand la fille de Smith s'est mariée elle a épousé l'homme blanc qui a son nom sur ce papier.

– C'est ça.

– Et ils sont venus habiter ici à Springs, et la fille de Sibéko est venue aussi travailler pour eux. Maintenant, Sibéko n'a pas de ses nouvelles depuis douze mois et il a demandé – on m'a demandé – de me renseigner sur cette jeune fille.

Jarvis rentra dans la maison et en ressortit avec un jeune domestique. – Demandez-lui, dit-il et rentra de nouveau dans la maison. Mais il s'avisa tout à coup que le visiteur était le vieux pasteur de Ndotshéni et il ressortit.

– Avez-vous trouvé ce que vous vouliez umfundisi ?

– Ce garçon ne la connaît pas, umnumzana. Quand il est entré ici, elle en avait déjà quitté.

– La maîtresse de maison est sortie, la fille de Smith. Mais elle va bientôt rentrer. Vous pouvez l'attendre si vous le désirez.

Jarvis dit au domestique qu'il n'avait pas besoin de lui pour l'instant et attendit qu'il se fût retiré.

– Je vous connais, umfundisi, dit-il.

La souffrance sur le visage du vieillard était si déchirante qu'il lui dit de s'asseoir. Ainsi le vieil homme pourrait regarder par terre et n'aurait pas besoin de regarder Jarvis et Jarvis n'aurait pas besoin de le regarder, car son expression faisait mal. Le vieux s'assit donc et Jarvis lui dit sans le regarder :

– Il y a quelque chose entre vous et moi, mais je ne sais pas ce que c'est.

– Umnumzana.

– Vous avez peur de moi, mais je ne sais pas pourquoi. Vous n'avez pas à avoir peur de moi.

– C'est vrai, umnumzana. Vous ne savez pas ce que c'est.

– Je ne le sais pas, mais je désire le savoir.

– Je ne crois pas que je puisse vous le dire, umnumzana.

– Il faut me le dire, umfundisi. Est-ce grave ?

– C'est très grave, umnumzana. C'est la chose la plus grave de toutes mes années.

Il leva le visage et il y avait en lui une expression que Jarvis n'y avait pas encore vue.

– Dites-le-moi, fit-il. Cela vous soulagera.

– J'ai peur, umnumzana.

– Je le vois, umfundisi, et c'est ce que je ne comprends pas. Mais, je vous le dis, vous n'avez rien à craindre. Je ne me mettrai pas en colère. Il n'y aura pas de colère en moi contre vous.

– Eh bien, dit le vieux, cette chose qui est la plus grave de toutes mes années, elle est la plus grave de toutes vos années à vous aussi.

Jarvis le regarda, d'abord interloqué, puis une pensée lui vint à l'esprit.

– Il ne peut s'agir que d'une chose, dit-il. Il ne peut s'agir que d'une chose. Mais je ne comprends toujours pas.

– C'est mon fils qui a tué votre fils, dit le vieillard.

Ils se turent. Jarvis s'écarta et alla marcher sous les arbres du jardin. Il s'arrêta devant le mur et regarda au loin le veld et les grands monticules blancs des mines comme des coteaux au soleil. Quand il se retourna, il vit que le vieillard s'était levé, son chapeau dans une main, son bâton dans l'autre, la tête baissée, les yeux au sol. Il revint vers lui.

– Je vous ai entendu, dit-il. Je comprends ce que je ne comprenais pas. Il n'y a pas de colère en moi.

– Umnumzana.

– La maîtresse de maison est rentrée, la fille de Smith. Voulez-vous la voir ? Êtes-vous remis ?

– C'est pour ça que j'étais venu, umnumzana.

– En effet. Et vous avez reçu un choc en me voyant. Vous ne saviez pas me trouver ici. D'où me connaissez-vous ?

– Je vous ai vu passer à cheval à Ndotshéni devant mon église.

Jarvis écouta les bruits de la maison. Puis il reprit plus bas :

– Peut-être avez-vous vu le garçon alors ? Lui aussi passait à cheval à Ndotshéni. Un cheval roux à face blanche. Et il portait des pistolets de bois, là dans sa ceinture, comme tous les petits garçons.

Le visage du vieux était crispé. Il continuait à regarder par terre et Jarvis voyait ses larmes couler. Lui aussi était ému et il aurait voulu mettre fin à cette scène mais il ne savait comment s'y prendre.

– Je me rappelle, umnumzana. Il y avait quelque chose de brillant en lui.

– Oui, oui, dit Jarvis, il y avait quelque chose de brillant.

– Umnumzana, c'est bien difficile à dire. Mais mon cœur contient un profond chagrin pour vous et pour l'inkosikazi [1] et pour la jeune inkosikazi et pour les enfants.

1. Inkosikazi : mot zoulou. Maîtresse.

– Oui, oui, dit Jarvis. Oui, oui, dit-il vivement. Je vais appeler la maîtresse de maison.

Il rentra et revint avec elle.

– Ce vieux, dit-il en anglais, est venu se renseigner sur la fille d'un indigène nommé Sibéko qui travaillait pour vous à Ixopo. Ils sont sans nouvelles d'elle depuis des mois.

– Je l'ai renvoyée, dit la fille de Smith. Elle était parfaite au début et j'avais promis à son père de veiller sur elle. Mais elle a mal tourné et s'est mise à fabriquer de l'alcool dans sa chambre. Elle a été arrêtée et a fait un mois de prison. Après cela, évidemment, je ne pouvais plus la reprendre.

– Tu ne sais pas où elle est ? demanda Jarvis.

– Bien sûr que non, dit la fille de Smith en anglais, et je m'en moque.

– Elle ne sait pas, dit Jarvis en zoulou. Mais il n'ajouta pas que la fille de Smith s'en moquait.

– Je vous remercie, fit le vieux en zoulou. Restez bien, umnumzana. Et il s'inclina devant la fille de Smith qui répondit à son salut par un petit signe de tête.

Il remit son chapeau et s'engagea dans l'allée qui menait à l'entrée des communs, selon la coutume. La fille de Smith rentra dans la maison et Jarvis suivit le vieillard lentement de loin. Le vieux ouvrit la porte et sortit. Comme il se retournait pour fermer la porte derrière lui, il vit que Jarvis l'avait suivi et il s'inclina devant lui.

– Allez bien, umfunsidi, dit Jarvis.

– Restez bien, umnumzana. Le vieillard souleva son chapeau et le reposa sur sa tête. Puis il se mit en marche, lentement, vers la route de la gare. Jarvis le suivit des yeux jusqu'à ce qu'il eût disparu. Comme il se retournait pour remonter vers la maison, il vit sa femme qui venait à sa rencontre et il remarqua avec angoisse qu'elle aussi marchait courbée par l'âge.

Il remonta vers elle et elle passa son bras sous le sien.

– Qu'est-ce qui te bouleverse ainsi, James ? demanda-t-elle. Tu étais très ému tout à l'heure quand tu es entré dans la maison.

– Quelque chose qui est remonté du passé, dit-il. Tu sais comment cela arrive tout d'un coup.

Elle se contenta de cette réponse, et dit :

– Je sais.

Elle lui serra le bras plus fort.

– Barbara nous appelle pour le déjeuner, dit-elle.

XXVI

La grande voix de taureau retentit sur la place. Il y a beaucoup d'agents de police, tant blancs que noirs ; cela vous donne certes un sentiment de puissance de les voir là et de parler à tant de gens, car la grande voix de taureau gronde et s'élève et retombe.

Il y a des gens qui peuvent être émus par le seul son de cette voix. Il y en a qui se rappellent la première fois qu'ils l'ont entendue comme si c'était hier, qui se rappellent leur excitation et l'étrange sensation qu'ils avaient éprouvée dans leur corps, pareille à un courant électrique. Car la voix a quelque chose de magique et quelque chose de menaçant aussi, et l'on dirait que l'Afrique elle-même y est enfermée. Un lion y gronde et le tonnerre y résonne par-dessus des montagnes noires.

Dubula et Tomlinson l'écoutent avec mépris et avec envie. Car c'est là une voix à soulever des milliers de gens, sans cerveau derrière elle pour lui dicter quoi dire, sans courage pour le lui faire dire si elle le savait.

Les agents de police l'écoutent et l'un d'eux dit à son camarade :

– Cet homme est dangereux. Et l'autre dit :

– Ce n'est pas mon boulot de réfléchir à ça.

« Nous ne demandons pas ce qu'on ne peut nous donner, dit John Koumalo. Nous ne demandons que notre part du produit de notre travail. De l'or a été découvert et l'Afrique du Sud est de nouveau riche. Nous ne réclamons que notre part. Cet or restera dans les entrailles de la terre si nous ne l'en extrayons pas. Je ne dis pas que cet or soit à nous, je dis seulement que nous devrions en avoir notre part. C'est l'or de tout le monde, des blancs et des noirs et des Hindous. Mais qui en recevra le plus ? »

Et ici la grande voix gronde dans la gorge de taureau. Une onde d'émotion traverse la foule. Les agents de police se redressent, sur le qui-vive, sauf ceux qui ont déjà entendu tout cela. Car ils savent que ce Koumalo va jusque-là et pas plus loin. Que se passerait-il si cette voix criait les mots qu'elle prononce dans le secret de sa maison, s'élevait pour ne pas retomber, s'élevait, s'élevait, s'élevait, et si le peuple se soulevait avec elle, affolé par elle d'idées de rébellion et de domination, de volonté de puissance et de possession ? Qu'arriverait-il si elle leur présentait les images d'une Afrique s'éveillant de l'esclavage, d'une Afrique ressuscitée, d'une Afrique sombre et sauvage ? Ce ne serait pas difficile, il n'est pas besoin d'un grand cerveau pour fournir de telles paroles. Mais l'homme est pusillanime et le lourd tonnerre roule en s'éteignant, et les gens se secouent et reviennent à eux.

« Est-ce mal, demanda John Koumalo, est-ce mal de réclamer plus d'argent ? Nous en gagnons déjà bien peu. C'est notre part seulement que nous demandons, de quoi sauver de la misère nos femmes et nos enfants. Car nous ne sommes pas assez payés. La Commission Lansdown a conclu que nous n'étions pas assez payés. La Commission Smith a conclu que nous n'étions pas assez payés. »

Et voici que la voix gronde de nouveau et l'assistance frémit.

« Nous savons que nous ne sommes pas assez payés, dit Koumalo. Nous ne demandons que ces choses pour lesquelles les travailleurs luttent dans tous les pays du monde : le droit de vendre notre travail le prix qu'il vaut, le droit d'élever convenablement nos enfants. On dit qu'une hausse de salaires obligerait les mines à fermer. Alors que vaut l'industrie des mines ? Et pourquoi la préserver, si elle ne peut être préservée qu'au prix de notre misère ? On dit qu'elle enrichit le pays. Mais que voyons-nous de ces richesses ? Est-ce que nous devons rester pauvres pour que les autres puissent rester riches ? »

La foule frémit comme si un grand vent la secouait. Voici, John Koumalo, le moment pour cette grande voix de monter jusqu'aux portes du ciel. Voici le moment des mots de passion, des mots sauvages et violents qui éveillent, affolent et soulèvent. Mais il le sait. Il sait qu'il possède un grand pouvoir, un pouvoir dont il a peur. Et la voix s'éteint, comme s'éloigne le tonnerre dans les montagnes. Elle résonne de plus en plus faiblement.

– Je te dis que ce type est dangereux, répète l'agent de police.

– Je te crois, maintenant que je l'ai entendu, dit l'autre. Qu'est-ce qu'ils attendent pour coffrer ce salaud ?

– Qu'est-ce qu'ils attendent pour le fusiller, demande le premier.

– Oui, même le fusiller, approuve le second.

– Le gouvernement joue avec le feu, dit le premier.

– Je te crois, dit le second.

238

« Nous ne demandons que la justice, dit Koumalo. Nous ne demandons pas ici l'égalité, la franchise et l'abolition de la discrimination des races. Nous ne réclamons qu'un supplément de salaire à l'industrie la plus riche du monde. Cette industrie serait réduite à l'impuissance sans notre travail. Cessons de travailler et cette industrie mourra. Et je dis qu'il vaut mieux cesser de travailler pour de pareils salaires. »

Les policiers indigènes sont sur le qui-vive, à leur poste comme des soldats. Qui sait ce qu'ils pensent de ce discours, qui sait s'ils en pensent quelque chose ? La réunion se passe dans l'ordre et le silence. Tant qu'il en va ainsi, ils n'ont pas à intervenir. Mais, au premier signe de désordre, on s'emparera de John Koumalo, on le fera monter dans le panier à salade et on l'emmènera. Et que va devenir la menuiserie qui rapporte huit, dix, douze livres par semaine ? Que deviendront les discussions dans la menuiserie où des hommes viennent de toutes les régions du pays pour l'écouter ?

Il est des êtres qui aspirent au martyre, il y en a qui savent que la prison ajoutera à leur grandeur, et il y en a qui sont prêts à se faire arrêter sans se soucier que cela ajoute ou non à leur grandeur. Mais John Koumalo ne ressemble à aucun de ceux-là. On n'est pas applaudi en prison.

Qui peut dire pourquoi un homme possède un don et l'enfouit dans un trou sous la terre ? Qui peut dire pourquoi un homme possède un don et en a peur ?

Peut-être cela tient-il à l'époque ou au pays où il est né ? Peut-être est-ce l'esprit qui est trop pusillanime pour le don ?

Dubula pourrait-il répondre à cela, ou Tomlinson ? Dubula dont la voix n'est que d'argent et qui connaît l'art de persuader, pourrait-il répondre à cela ? Et Tomlinson qui est le cerveau de tous ces hommes mais dont la voix est si sourde que la plupart des gens ne l'ont jamais entendue, pourrait-il répondre à cela ? Peut-être qu'ils écoutent la grande voix en grommelant intérieurement, peut-être qu'en l'écoutant ils suivent une vision qui ne se réalisera jamais.

« Je ne vous retiendrai pas plus longtemps, dit John Koumalo. Il se fait tard et il y a encore un orateur inscrit, et beaucoup d'entre vous aurez des difficultés avec la police si vous ne rentrez pas chez vous. Cela n'a aucune importance pour moi, mais cela en a pour ceux d'entre vous qui sont tenus d'avoir un laissez-passer. Et nous ne voulons pas déranger la police. Je vous le dis : Nous avons un travail à vendre et c'est la liberté de l'homme de vendre son travail le prix qu'il vaut. C'est pour cette liberté qu'une guerre vient d'être livrée. C'est pour cette liberté que beaucoup de nos soldats africains ont combattu. »

La voix s'est remise à gronder. Quelque chose se prépare.

« Non seulement ici, dit-il, mais dans toute l'Afrique, dans tout ce grand continent où nous autres Africains vivons. »

Le peuple gronde aussi. L'une des significations de ceci est anodine, mais l'autre est dangereuse. Et John Koumalo prononce les mots dans un sens et les pense dans un autre.

« Par conséquent, vendons notre travail le prix qu'il vaut, dit-il. Et si une industrie ne peut pas acheter notre travail, périsse cette industrie. Mais ne cédons pas notre travail à bas prix pour prolonger l'existence de n'importe quelle industrie. »

John Koumalo s'assoit et les gens l'applaudissent dans une grande vague de clameurs et de battements de mains. Ce sont des simples, ils ne savent pas qu'ils viennent d'entendre un homme qui serait un des plus grands orateurs du pays s'il ne lui manquait une seule chose. Ils n'ont entendu que la grande voix de taureau, ils en ont été exaltés, puis ils sont retombés. Mais cet homme pourrait les exalter de nouveau après les avoir laissés retomber.

– Maintenant, vous l'avez entendu, dit Msimangu. Stephen Koumalo hocha la tête.

– Je n'ai jamais rien entendu de pareil, dit-il. Même moi – son frère – il a fait de moi ce qu'il a voulu.

– C'est une puissance, dit Msimangu, une puissance. Pourquoi Dieu donne une telle puissance à un homme, ce n'est pas à nous à le comprendre. Si cet homme était un prédicateur, mais le monde entier le suivrait !

– Je n'ai jamais rien entendu de pareil, répète Koumalo.

– Peut-être devrions-nous remercier Dieu qu'il soit corrompu, dit Msimangu gravement. Car, s'il ne l'était pas, il pourrait plonger ce pays dans un bain de sang. Il est corrompu par sa richesse, et il craint de la perdre, et de perdre le pouvoir dont il dispose. Nous ne comprendrons jamais cela. Voulez-vous rentrer ou désirez-vous écouter cet homme, Tomlinson ?

– Je veux bien l'écouter.

– Alors, rapprochons-nous. Il est difficile à suivre.

*

– Vous voulez vous en aller, monsieur Jarvis ?

– Oui, John, allons-nous-en.

– Qu'est-ce que vous en pensez ?

– Je n'aime pas ce genre de choses, répondit Jarvis brièvement.

– Ce n'est pas ce que je voulais dire. Je voulais dire que c'est un événement dont nous sommes témoins, ne croyez-vous pas ?

Jarvis grommela.

– Ça ne me plaît pas, John. Allons à votre club.

Il est trop vieux pour accepter cela, pensa John Harrison. Je ne peux pas lui en vouloir. Pas plus qu'à mon père.

Il monta en voiture et mit le moteur en marche.

Mais nous, nous devons l'accepter, se dit-il.

*

Le capitaine salua son supérieur.

– Le rapport, mon colonel.

– Comment est-ce que ça s'est passé, capitaine ?

– Pas de troubles, mon colonel. Mais ce Koumalo est dangereux. Il amène son auditoire à un certain point, puis il recule. On imagine ce qui se passerait, si nous n'étions pas là.

– Eh bien, il faut que nous soyons là, voilà tout. C'est curieux, le rapport dit toujours la même chose : il va jusqu'à un certain point, mais pas plus loin. Pourquoi dites-vous qu'il est dangereux ?

– C'est sa voix, mon colonel. Je n'ai jamais rien entendu de pareil. C'est comme un orgue. On voit toute la foule vibrer. Je l'ai éprouvé moi-même. On dirait presque qu'il s'aperçoit alors de ce qui se passe et qu'il se retient.

– Il a les foies, dit le colonel simplement. J'ai

242

entendu parler de cette voix. Il faudra que j'aille l'écouter, un de ces jours.

– Est-ce qu'il va y avoir une grève, mon colonel ?

– Je voudrais bien le savoir. Cela pourrait faire du vilain. Comme si nous n'avions pas assez de travail sans ça ! Vous pouvez rentrer chez vous, il est tard.

– Bonsoir, mon colonel.

– Bonsoir, Harry. Harry !

– Mon colonel ?

– J'ai appris que vous alliez avoir de l'avancement.

– Merci, mon colonel.

– Cela vous rapproche de mon poste. C'est vous qui me succéderez un jour. Belle solde, grade élevé, prestige. Et tous les soucis du monde. On a l'impression d'être assis sur un volcan. Je me demande si ça vaut vraiment tout le mal qu'on se donne. Bonsoir, Harry.

– Bonsoir, mon colonel.

Le colonel soupira et attira à lui les papiers. Il fronça le front d'un air préoccupé.

– Belle solde, grade élevé, prestige ; dit-il. Et il se mit à travailler.

*

Si une grève éclatait, ce serait sérieux. Car il y a trois cent mille mineurs noirs ici sur le Witwaterstrand. Ils viennent de Transkei, du pays des Basutos, des Zoulous, du Buchuanaland et du Skukmiland et d'autres pays même hors de l'Afrique du Sud. Ce sont des gens simples, illettrés, des gens habitués à vivre en tribus, instruments faciles pour les meneurs. Une fois en grève, ils deviennent fous ; ils emprisonnent les employés des mines dans leurs bureaux, y lancent des bouteilles et des pierres, y mettent le feu. Il est vrai que, dans une centaine de mines, ils habitent des camps et que cela rend leur surveillance plus facile. Mais ils peuvent causer de grands dégâts, menacer des vies humaines et immobiliser la plus grande industrie d'Afrique du Sud, l'industrie sur laquelle l'Afrique du Sud s'est bâtie et dont dépend son existence.

Des bruits inquiétants circulent selon lesquels la grève ne serait pas limitée aux mines, mais s'étendrait à toutes les branches de l'industrie, aux chemins de fer et aux bateaux. On dit même que tout homme noir, toute femme noire serait prêt à cesser le travail ; que toutes les écoles, les églises, fermeraient. Ils resteront sans rien faire, mécontents, à traîner par les rues, dans toutes les villes, et dans tous les villages, sur toutes les routes, dans toutes les fermes, huit millions de noirs. Mais c'est une chose insensée. Ils ne sont pas organisés pour ça, ils souffriraient terriblement, ils mourraient de faim. Toutefois, la seule pensée de cette chose insensée est terrifiante et les blancs se rendent compte à quel point leur existence dépend du travail des noirs.

Les temps sont lourds, il n'en faut pas douter. Des événements étranges se passent dans le monde, et le monde n'a jamais laissé l'Afrique du Sud tranquille.

*

La grève a eu lieu et s'est terminée. Elle n'a jamais dépassé les mines. C'est à Driefontein qu'elle a pris le plus d'acuité ; on a eu recours à la police pour faire rentrer de force les mineurs noirs dans la mine. Il y a eu des bagarres et trois mineurs noirs ont été tués. Mais à présent, dit le rapport, le calme règne.

On ne peut pas demander au synode annuel du diocèse de Johannesbourg d'en savoir beaucoup sur la question des mines. Toutefois, les temps sont passés, à ce qu'il semble, où les synodes se confinaient dans la religion, et l'un des pasteurs a fait un discours sur ce sujet profane. Il a dit qu'il était temps de reconnaître le Syndicat des Ouvriers des Mines d'Afrique et a prédit des effusions de sang si on ne le faisait. Il a voulu dire sans doute qu'il faudrait traiter le Syndicat comme un corps responsable, agréé à négocier avec les employeurs au sujet des conditions de travail et des salaires. Mais quelqu'un a fait remarquer que les mineurs africains étaient des êtres simples, guère qualifiés pour négocier et proie facile entre les mains d'agitateurs sans scrupules. Et en tout cas, chacun sait que l'élévation des frais menacerait l'existence même de l'Afrique du Sud.

Il y a différents aspects à ce difficile problème. Et les gens s'entêtent à discuter l'érosion du sol, le déclin de la tribu, le manque d'écoles et la criminalité, comme si tout cela relevait de la même question. Encore un peu, et l'on va y faire entrer les républiques, le bilinguisme, l'immigration, la Palestine et Dieu sait quoi. Aussi, peut-on dire en quelque sorte que moins on y réfléchira mieux ça vaudra.

En attendant, la grève est terminée, avec un nombre remarquablement peu élevé de pertes de vies humaines. Le calme règne, rapporte-t-on, le calme règne.

*

Dans le port désert, l'eau continue à lécher les quais. Dans la forêt sombre et silencieuse, une feuille tombe. Derrière les panneaux vernis, les termites mangent les poutres. Le calme ne règne jamais, sauf pour les fous.

XXVII

Mme Lithébé et Gertrude entrèrent dans la maison et Mme Lithébé referma la porte derrière elles.

— J'ai fait de mon mieux pour vous comprendre, ma fille. Mais je n'y arrive pas.

— Je n'ai rien fait de mal.

— Je n'ai pas dit que vous ayez fait du mal. Mais vous ne comprenez pas cette maison, vous ne comprenez pas les gens qui y habitent.

Gertrude était debout, l'air boudeur.

— Je les comprends, dit-elle.

— Alors, pourquoi parlez-vous avec des gens pareils, ma fille ?

— Je ne savais pas que ce n'étaient pas des gens comme il faut.

— Vous n'avez pas entendu leur façon de parler, leur façon de rire ? Vous ne les avez pas entendus rire inutilement et légèrement ?

— Je ne savais pas que c'était mal.

— Je n'ai pas dit que c'était mal. Ils parlent et rient inutilement et légèrement. Est-ce que vous n'essayez pas d'être une honnête femme ?

— J'essaie.

— Ce ne sont pas ces gens-là qui vous y aideront.

— Je vous entends.

— Je ne veux pas vous faire de reproches. Mais

votre frère, l'umfundisi, a sûrement assez souffert comme ça.

– Il a souffert.

– Eh bien, ne le faites pas souffrir davantage, ma fille.

– Je serai contente de partir d'ici, dit Gertrude et les larmes lui vinrent aux yeux. Je ne sais pas quoi faire ici.

– Ce n'est pas ici seulement, dit Mme Lithéhé. Même à Ndotshéni, vous trouverez des gens prêts à parler et rire légèrement.

– Si, c'est ici, dit Gertrude. Je n'ai eu que des ennuis à Johannesbourg. Je serai contente de rentrer.

– Ce ne sera plus très long maintenant, puisque le procès se termine demain. Mais j'ai peur pour vous et aussi pour l'umfundisi.

– Il n'y a pas de quoi avoir peur.

– Je suis heureuse de vous l'entendre dire, ma fille. Je ne m'inquiète pas pour la petite, elle a bonne volonté et elle est obéissante. Elle désire plaire à l'umfundisi. Et c'est la moindre des choses, car elle reçoit de lui ce que son propre père lui a refusé.

– Elle aussi peut parler légèrement.

– Je ne suis pas sourde, ma fille. Mais elle apprend à changer, et elle apprend vite. N'en parlons plus. J'entends quelqu'un.

On cogna à la porte et une grande, grosse femme entra, essoufflée par la marche.

– Il y a de mauvaises nouvelles dans le journal, dit-elle. Je vous l'ai apporté. Elle posa le journal sur la table et montra la manchette aux deux femmes : NOUVEAU CRIME A JOHANNESBOURG. UN COMMERÇANT EUROPÉEN ABATTU CHEZ LUI PAR UN CAMBRIOLEUR INDIGÈNE.

Elles restaient interdites. C'étaient ces manchettes-là qu'on redoutait. Les Européens les redoutaient et leurs femmes aussi. Tous ceux qui travaillaient pour la cause sud-africaine les redoutaient. Et tous les noirs respectueux des lois les redoutaient également. Il y avait des gens qui insistaient auprès des journaux pour que ceux-ci supprimassent le mot indigène de leurs manchettes, d'autres ne voyaient guère à quoi servirait de masquer la pénible réalité.

— C'est malheureux que ce soit arrivé juste maintenant, dit la grosse femme, juste pour le dernier jour du procès.

Car elle était au courant de l'affaire, et avait accompagné Mme Lithébé aux audiences.

— C'est vrai ce que vous dites là, fit Mme Lithébé.

Elle entendit le bruit de la barrière et jeta le journal sous un fauteuil. C'était Koumalo et la jeune femme. Celle-ci lui donnait le bras, car il était devenu très frêle. Elle l'accompagna jusqu'à sa chambre et ils y étaient à peine entrés que la barrière s'ouvrit de nouveau et Msimangu parut. Ses yeux tombèrent aussitôt sur le journal qu'il ramassa sous le fauteuil.

— L'a-t-il vu ? demanda-t-il.

— Non, umfundisi, dit la grosse femme. Est-ce que ce n'est pas un malheur que ce soit arrivé juste en ce moment ?

— Le Juge est un grand juge, dit Msimangu. Mais c'est un malheur, vous dites vrai. Il aime bien lire son journal. Qu'est-ce qu'on va faire ?

— Il n'y en a pas d'autre ici que celui-ci qu'elle vient d'apporter, dit Mme Lithébé. Mais quand il ira ce soir dîner à la Mission, il le verra.

— C'est pourquoi je suis venu, dit Msimangu. Mère, est-ce que nous ne pourrions pas manger ici ce soir ?

— C'est bien facile. Il y a de quoi manger, mais c'est une nourriture très simple.

— Vraiment, mère, vous nous venez toujours en aide.

– C'est pour ça qu'on est là, dit-elle.

– Et, tout de suite après le dîner, nous irons à la réunion, dit Msimangu. Demain, ce sera facile, il n'a pas le temps de lire le journal les jours où nous allons au procès. Et après, ça n'aura plus d'importance.

On cacha donc le journal et ils restèrent tous à dîner chez Mme Lithébé. Après quoi, tout le monde se rendit à l'église pour entendre une femme noire parler de la vocation qui l'avait fait renoncer au monde et devenir nonne. Elle raconta comment Dieu lui avait retiré le désir qui est dans la nature des femmes.

Après la réunion, quand Msimangu fut parti et Koumalo retiré dans sa chambre, tandis que la jeune femme faisait son lit dans la pièce, où l'on mangeait et où l'on se tenait dans la journée, Gertrude suivit Mme Lithébé dans la chambre de celle-ci.

– Puis-je vous parler, mère ?

– Vous n'avez pas à le demander, mon enfant.

Elle ferma la porte et attendit que Gertrude parlât.

– J'ai écouté la sœur noire, mère, et je me suis dit que je devrais peut-être me faire nonne.

Mme Lithébé frappa des mains joyeusement, puis, devenant grave :

– J'ai frappé des mains, non parce que je crois que vous devriez le faire, dit-elle, mais parce que vous y avez pensé. Car il y a votre petit garçon.

Les yeux de Gertrude s'emplirent de larmes.

– Peut-être que la femme de mon frère s'en occuperait mieux que moi, dit-elle. Je suis une femme faible, vous le savez. Je ris et je parle légèrement. Peut-être que ça m'aiderait de devenir nonne.

– Vous voulez parler du désir ?

Gertrude baissa la tête.

– C'est de ça que je veux parler.

Mme Lithébé prit la main de Gertrude dans les siennes.

– Ce serait une grande chose, dit-elle. Mais on dit qu'il ne faut pas décider ça trop vite. Est-ce qu'elle ne l'a pas dit aussi ?

– Elle l'a dit, mère.

– N'en parlons plus, gardons ça entre nous. Je vais prier pour vous et vous prierez aussi. Et, dans quelque temps, nous en reparlerons. Vous ne croyez pas que c'est le plus sage ?

– C'est le plus sage, mère.

– Alors, dormez bien, ma fille. Je ne sais pas si cela arrivera. Mais si cela doit arriver, cela consolera le vieil umfundisi.

– Dormez bien, mère.

Gertrude referma la porte de la chambre de Mme Lithébé et, comme elle allait regagner la sienne, mue par une impulsion soudaine, tomba à genoux près du lit de la jeune femme.

– J'ai envie de devenir nonne, dit-elle.

La jeune femme s'assit sur ses couvertures.

– Oh ! dit-elle, mais c'est très dur.

– C'est très dur, dit Gertrude. Je ne suis pas encore décidée. Mais, si je le fais, est-ce que tu t'occuperas de mon petit garçon ?

– Sûrement, répondit la jeune femme, et son visage était ardent et grave. Sûrement, je m'occuperai de lui.

– Comme si c'était le tien ?

– Sûrement. Comme si c'était le mien.

– Et tu ne parleras pas légèrement devant lui ?

La jeune femme avait une expression très grave :

– Je ne parle plus jamais légèrement, dit-elle.

– Moi non plus je ne parlerai plus jamais légèrement, dit Gertrude. Mais rappelle-toi que ça n'est pas encore décidé.

250

– Je me le rappellerai.

– Et il ne faut pas en parler. Mon frère aurait du chagrin si l'on en parlait et puis que je me décide autrement.

– Je comprends.

– Bonne nuit, petite.

– Bonne nuit.

XXVIII

LE public se lève lorsque le grand Juge entre dans la salle du tribunal ; il se lève plus solennellement aujourd'hui, car c'est le jour du jugement. Le Juge s'assoit, puis ses deux assesseurs, puis le public ; et l'on amène les trois accusés.

« J'ai longuement réfléchi et médité sur cette affaire, dit le Juge, et mes assesseurs de même. Nous avons écouté attentivement tous les témoignages qu'on nous a présentés. Nous en avons examiné et discuté tous les éléments. »

L'interprète traduit au fur et à mesure en zoulou les paroles du Juge :

« L'accusé Absalon Koumalo n'a pas cherché à nier son crime. La défense a choisi de placer l'accusé à la barre des témoins où il a fait sincèrement et simplement le récit de la façon dont il a tiré sur Arthur Jarvis dans sa maison de Parkwold. Il a soutenu en outre qu'il n'avait pas été dans ses intentions de tuer ni même de tirer, que l'arme avait été apportée pour intimider le domestique Richard Mpiring et qu'il supposait la victime absente de chez elle. Nous examinerons plus tard cette déposition, mais elle présente des points extrêmement importants quand il s'agira de déterminer la culpabilité du second et du troisième accusé. Le premier accusé déclare que le plan d'action a été élaboré par le troisième accusé, Johannes Pafuri, et que c'est Pafuri qui a porté le coup à la suite duquel le domestique, Mpiring, est demeuré sans connaissance. Ses dires sont confirmés sur ce point par Mpiring lui-même qui dit avoir reconnu Pafuri à un tic des yeux au-dessus du masque qu'il portait. Il est vrai, en outre, qu'il a désigné Pafuri parmi dix autres hommes pareillement masqués et dont plusieurs étaient affectés d'un tic analogue à celui de Pafuri. Mais la défense allègue que leurs tics étaient analogues mais non identiques, qu'il était déjà difficile de rassembler plusieurs hommes de même stature seulement, sans parler de même tic, et que Pafuri était bien connu de Mpiring. La défense prétend que l'identification n'aurait été valable que si les dix hommes avaient été de même stature et affectés d'un tic absolument semblable. Nous ne pouvons admettre entièrement cet argument, car il tendrait à conclure qu'une identification n'est valable que lorsque tous les sujets sont identiques. Toutefois, la valeur partielle de l'argument est évidente : une caractéristique marquée comme un tic peut conduire à une fausse identification, surtout lorsque le reste du visage est masqué. En fait, elle comporte un certain risque, car il serait possible de dissimuler les traits dissemblables et de ne découvrir que les traits semblables. Deux individus portant des cicatrices similaires, par exemple, seront plus facilement confondus lorsque la région de la cicatrice est découverte et le reste caché. Il semble, par conséquent, que l'identification de l'assaillant de Mpiring par celui-ci ne soit pas une preuve suffisante quant au fait que Pafuri serait cet assaillant.

« Il convient en outre de noter que, si le premier accusé, Absalon Koumalo, a déclaré que Pafuri était présent et avait attaqué Mpiring, il n'a fait cette déclaration qu'après que la Police l'eut interrogé sur le domicile de Pafuri. Est-ce à ce moment qu'il lui est venu à l'idée d'impliquer Pafuri ? Ou bien y a-t-il eu effectivement complicité entre Pafuri et le meurtrier ? L'avocat du premier accusé a soutenu qu'Absalon Koumalo avait vécu dans un état de terreur constante pendant plusieurs jours et qu'il était prêt à confesser tout ce qui pesait si lourd sur sa conscience, que c'est, par conséquent, cet état d'esprit qui a provoqué sa confession et non la mention du nom de Pafuri. Certes, son propre compte rendu de l'état d'esprit où il se trouvait prête quelque vraisemblance à cette supposition. Mais on ne peut écarter la possibilité qu'il se soit accroché au nom de Pafuri et ait dit que Pafuri avait fait partie de l'expédition, afin de ne pas être seul à porter le poids d'une telle accusation. Pourquoi, cependant, n'aurait-il pas donné les noms de ses véritables complices, car il ne semble pas qu'il y ait aucune raison de mettre en doute le témoignage de Mpiring selon lequel trois hommes seraient entrés dans la cuisine ? Le premier accusé a donné une version véridique de ses propres actions. Pourquoi, dans ces conditions, dénoncerait-il deux innocents pour cacher le nom de deux coupables ?

« Ce cas si complexe présente encore une autre obscurité. Aucun des deux autres accusés, non plus que la femme Baby Mkizé, ne nie que tous les quatre aient été présents 79, 23ᵉ Avenue, à Alexandra, la nuit qui suivit le crime. Fut-ce là encore le hasard d'une rencontre qui incita le premier accusé à dénoncer comme ses complices le second et le troisième accusé ? Ou bien nous a-t-il fait un récit véridique de la réunion ? A-t-on parlé du crime ? La femme Baby Mkizé est un témoin extrêmement douteux, mais, tout en démontrant cela très clairement, ni le procureur ni l'avocat du premier accusé n'ont pu administrer la preuve formelle que l'on avait parlé du crime devant elle. Cette femme a commencé par mentir à la Police en affirmant qu'elle n'avait pas vu le premier accusé depuis un an. Elle s'est montrée embarrassée, contradictoire et effrayée, mais cette frayeur, et la confusion qui s'en est suivie, étaient-elles dues à sa comparution devant un tribunal, ou au fait qu'elle se rappelait parfaitement que l'on avait parlé du crime devant elle ? Cela ne nous paraît pas avoir été clairement établi.

« Le réquisitoire établit que les trois accusés étaient liés depuis longtemps et insiste tant sur le fait, qu'un supplément d'enquête a été ordonné quant à la nature de cette association. Mais le fait qu'une association et même une association criminelle ait existé de longue date entre les accusés ne prouverait encore pas qu'elle ait conduit à une complicité dans le crime très grave dont ces trois hommes sont accusés aujourd'hui.

« Après un examen long et attentif de la question, mes assesseurs et moi estimons que la culpabilité du deuxième et du troisième accusé n'est pas établie et concluons dans leur cas au non-lieu. Mais je ne doute pas que leur association antérieure et criminelle ne fasse l'objet d'une enquête très serrée. »

La salle pousse un soupir. Un acte du drame est terminé. L'accusé Absalon Koumalo ne bouge pas. Ses yeux ne se dirigent même pas vers les deux garçons qui viennent d'être acquittés. Mais Pafuri regarde autour de lui comme pour dire : Ceci est bien, ceci est juste, voilà qui est juger.

« Reste le cas du premier accusé. Sa déposition a été examinée de très près et tous les points qu'on en a pu contrôler se sont révélés exacts. Il n'y a aucune raison de supposer qu'un innocent se déclarerait l'auteur d'un crime qu'il n'aurait pas commis. Son honorable avocat plaide qu'il ne mérite pas la peine capitale, nous le présente bouleversé de remords de l'acte qu'il a commis, et le loue de ses aveux véridiques et sincères ; il insiste sur sa jeunesse et allègue l'influence désastreuse d'une grande ville corrompue sur le caractère d'un garçon simple sortant de sa tribu. Il a parlé avec profondeur des événements qui ont dévasté notre société indigène fondée sur la tribu et a présenté avec compétence la thèse de notre responsabilité dans ce désastre. Mais, même en admettant qu'il soit vrai que nous ayons, par peur, égoïsme ou légèreté, causé une destruction que nous n'avons rien fait, ou bien peu, pour réparer ; en admettant que nous devrions en avoir honte et assumer une attitude plus courageuse, plus sincère et plus constructive que celle que nous avons prise jusqu'ici, il n'en existe pas moins une loi et c'est là un des accomplissements les plus méritoires de notre société imparfaite : le fait qu'elle ait créé des lois, chargé des juges de l'administrer et libéré ces juges de toute autre obligation que d'administrer la loi. Un Juge n'a pas à détourner la loi sous prétexte que la société est défectueuse. Si la loi est la loi d'une société que certains tiennent pour injuste, c'est la loi et la société qu'il faut changer. En attendant, il existe une loi en vigueur qui doit être appliquée et c'est le devoir sacré du Juge de la faire respecter. Et le fait qu'il soit laissé libre dans son jugement doit être compté pour équitable dans une société qui, à d'autres points de vue, peut être considérée comme peu équitable. Je ne veux pas dire, certes, que l'honorable avocat de la défense ait un seul instant envisagé que la loi ne soit pas appliquée. Je tiens seulement à dire qu'un Juge ne peut et ne doit pas se laisser troubler par les fautes de la société existante, au point de faire autre chose qu'appliquer la loi.

« Selon la loi, un homme est tenu responsable de ses actes, sauf en de certaines circonstances que personne n'a allégué trouver ici. En dehors de ces circonstances, il n'appartient pas à un Juge de décider à quel point les êtres humains sont véritablement responsables. Pas plus qu'il n'appartient à un Juge de se montrer pitoyable. Seule, une plus haute autorité, dans le cas présent le gouverneur général, dispose du droit de faire grâce. Récapitulons les faits : ce jeune homme s'introduit dans une maison avec l'intention de voler. Il y emporte un revolver chargé. Il soutient que c'était un instrument d'intimidation. Pourquoi, dans ce cas, devait-il être chargé ? Il soutient qu'il n'avait pas l'intention de tuer. Pourtant l'un de ses complices a grièvement blessé le domestique indigène, et l'on doit supposer que ce domestique aurait aussi bien pu mourir de ce coup. Il déclare lui-même que l'arme en question était une barre de fer, une arme des plus dangereuses. Il était au courant du projet qui impliquait l'emploi de cette arme et, quand le tribunal l'a interrogé à ce sujet, il a reconnu n'avoir pas protesté contre l'emploi de cette arme meurtrière. Il est vrai que la victime était un noir et il existe certaines façons de penser qui tendraient à considérer un tel crime comme moins grave quand la victime est noire. Mais aucun tribunal ne pourrait en aucun cas souscrire à une telle opinion.

« Le point le plus important à considérer ici est l'affirmation répétée de l'accusé qu'il n'avait pas l'intention de donner la mort, que l'arrivée de l'homme blanc était inattendue et qu'il a tiré dans l'affolement et sous l'empire de la peur. Si le tribunal pouvait accepter cette déclaration comme véridique, il devrait conclure que l'accusé n'a pas commis de crime.

« Encore une fois, quels sont les faits ? Peut-on considérer ces trois jeunes gens autrement que comme de dangereux malfaiteurs ? Il est vrai qu'ils n'étaient pas entrés dans cette maison avec l'intention expresse de tuer un homme. Mais il est vrai également qu'ils s'étaient munis d'armes dont l'emploi pouvait facilement entraîner la mort de tout homme qui se serait opposé à l'accomplissement de leurs coupables desseins.

« La loi a été formulée à cet égard par un grand juriste sud-africain. « L'intention de tuer, dit-il, est « un élément essentiel du meurtre ; mais son exis- « tence peut être impliquée par les circonstances. Et « la question est de savoir si, étant donné les faits « prouvés ici, une implication de cette nature est « légitime. Une telle intention, en effet, ne se limite « pas aux cas où il y a décision bien arrêtée de tuer ; « elle est présente également dans les cas où l'objet « est d'infliger des blessures graves capables d'entraî- « ner la mort sans souci de savoir si elles l'entraîne- « ront ou non. »

« Pouvons-nous supposer que, dans la petite pièce où, au cours d'un espace de temps si bref et si tragique, un homme noir innocent est cruellement assommé et un homme blanc innocent tué à bout portant, il n'y a pas eu intention d'infliger des blessures graves de cette nature si besoin en était pour l'accomplissement d'un coupable dessein ? Je ne puis pas quant à moi admettre une telle hypothèse. »

La salle est silencieuse. Et le Juge aussi se tait. On n'entend pas un son. Personne ne tousse, ne se retourne, ne soupire. Le Juge reprend :

« Ce Tribunal vous déclare, Absalon Koumalo, coupable du meurtre d'Arthur Trevelyan Jarvis, en son domicile de Parkwold l'après-midi du 8 octobre 1946. Et ce Tribunal déclare Mathieu Koumalo et Johannes Pafuri non coupables, et les acquitte. »

Sur quoi les deux derniers nommés descendent l'escalier du souterrain et laissent l'autre seul. Il les suit des yeux. Peut-être pense-t-il : maintenant, je suis seul.

Le Juge reprend :

« Sur quels attendus ce Tribunal pourrait-il s'appuyer pour recommander la pitié ? J'ai consacré à cela de longues et graves réflexions et je né puis trouver ici de circonstances atténuantes. L'accusé est jeune, mais il a atteint l'âge d'homme. Il pénètre dans une maison avec deux complices, munis d'armes qui toutes deux peuvent causer la mort d'un homme. Ils font usage de ces deux armes, de l'une avec un résultat grave, de l'autre avec un résultat fatal. Ce Tribunal a le devoir solennel de protéger la société contre les attaques meurtrières d'individus dangereux, quel que soit leur âge et de montrer clairement qu'il punira de tels crimes comme ils le méritent. C'est pourquoi je ne peux faire ici aucune recommandation tendant à la pitié. »

Le Juge s'adresse au garçon.

— Avez-vous quelque chose à dire avant que je prononce la sentence ?

— Je n'ai que ceci à dire, que j'ai tué cet homme, mais que je n'avais pas l'intention de le tuer. Seulement j'ai eu peur.

La salle se tait. Malgré cela, un homme blanc réclame à haute voix le silence. Koumalo cache son visage dans ses mains, il a compris ce que cela veut dire. Jarvis est assis très droit et la mine sévère. Le jeune homme blanc de la Maison de Redressement regarde devant lui et fronce les sourcils. La jeune femme qui vivait avec Absalon est assise comme une enfant qu'elle est, les yeux fixés sur le Juge et non sur son amant.

– Je vous condamne, Absalon Koumalo, à retourner en prison et à être pendu par le cou jusqu'à ce que mort s'ensuive. Que le Seigneur ait pitié de votre âme.

Le Juge se lève et le public l'imite. Mais tous ne gardent pas le silence. Le coupable tombe par terre en criant et sanglotant. Et il y a une femme qui pleure et un vieillard qui crie *Tixo, Tixo*. Personne ne réclame le silence, bien que le Juge n'ait pas encore quitté la salle. Car peut-on interdire au cœur de se briser ?

*

Ils sortent de la salle, les blancs d'un côté, les noirs de l'autre, selon l'usage. Mais le jeune homme blanc rompt l'usage et lui et Msimangu soutiennent le vieil homme accablé. Il n'est pas fréquent de voir un tel usage rompu. Le front du jeune homme blanc est plissé, il regarde furieusement devant lui. Cela, en partie parce que c'est une dure épreuve et, en partie, à cause de l'usage qu'il rompt. Car une chose pareille ne se fait pas facilement.

XXIX

Ils franchirent de nouveau la lourde grille dans la haute muraille sombre, le Père Vincent et Koumalo, Gertrude et la jeune femme et Msimangu. On leur amena le garçon et, pendant un instant, un grand espoir brilla dans ses yeux, tandis qu'il s'arrêtait tout tremblant devant eux. Mais Koumalo lui dit doucement :

– Nous sommes venus pour le mariage, et l'espoir s'éteignit.

– Mon fils, voici ta future femme.

Le garçon et la jeune femme se saluèrent comme des étrangers, échangèrent une poignée de main sans vie, après laquelle leurs bras retombèrent mollement. Ils ne s'embrassèrent pas à la mode européenne mais restèrent à se regarder sans paroles, retenus par une grande gêne. Enfin, elle demanda :

– Es-tu en bonne santé ? Et il répondit : – Oui, tout à fait. Et il demanda : Es-tu en bonne santé ? Et elle répondit : – Oui, moi aussi, tout à fait. Ils ne s'en dirent pas davantage.

Le Père Vincent sortit et les autres restèrent là debout en proie au même embarras. Msimangu vit que Gertrude était sur le point de pleurer et, la prenant à part, lui dit sévèrement :

– Des choses très graves se sont passées, mais ceci

261

est un mariage et si vous devez pleurer et gémir mieux vaut vous en aller. Comme elle ne répondait pas, il ajouta froidement : Vous m'avez compris ? Et elle, avec rancœur :

– Je vous ai compris.

Il la laissa et s'approcha d'une fenêtre percée dans la haute muraille sombre, tandis qu'elle s'enfermait dans un silence boudeur, mais il savait qu'elle ne faisait pas ce qu'elle aurait voulu faire.

Et Koumalo, désespéré, demande à son fils :

– Es-tu en bonne santé ? Et le garçon répondit :

– Oui, tout à fait. Êtes-vous en bonne santé, mon père ? Et Koumalo répondit :

– Oui, tout à fait. Il aspirait à d'autres paroles, mais n'en trouvait point. Et ce fut un véritable soulagement pour tous lorsqu'un homme blanc vint les chercher pour les conduire à la chapelle.

Le Père Vincent les y attendait dans ses habits sacerdotaux et il leur donna lecture de ce qui était écrit dans son livre. Puis il demanda au garçon s'il prenait cette femme pour épouse, et il demanda à la jeune femme si elle prenait cet homme pour époux. Et quand ils eurent répondu selon la formule écrite dans le livre, pour le meilleur et pour le pire, dans la richesse et dans la pauvreté, dans la maladie et dans la santé, jusqu'à ce que la mort nous sépare, il les maria. Puis il leur fit un petit sermon, leur recommandant de demeurer fidèles l'un à l'autre et d'élever les enfants qu'ils pourraient avoir dans la crainte de Dieu. Après quoi, ils furent mariés et ils signèrent leurs noms dans le livre.

Quand ce fut fait, les deux prêtres et l'épouse laissèrent ensemble le père et le fils, et Koumalo dit à celui-ci :

– Je suis content que tu sois marié.

– Je suis content aussi, mon père.

– Je m'occuperai de ton enfant, mon fils, comme si c'était le mien.

Mais quand il se rendit compte de ce qu'il venait de dire, sa bouche frémit et il aurait fait ce qu'il avait résolu de ne pas faire, si le garçon n'avait surmonté sa propre souffrance pour dire :

– Quand est-ce que mon père retourne à Ndotshéni ?

– Demain, mon fils.

– Demain ?

– Oui, demain.

– Et vous direz à ma mère que je me souviens d'elle.

Oui, certes, je le lui dirai. Oui, certes, je lui transmettrai ce message. Oh ! oui, certes. Mais il ne dit pas ces mots tout haut et se contenta de hocher la tête.

– Et, mon père...

– Oui, mon fils ?

– J'ai de l'argent dans un carnet de la Poste. Il y a près de quatre livres. C'est pour l'enfant. Ils le remettront à mon père au bureau. Je leur ai demandé de le faire.

– Oui, certes, je le prendrai. Oui, certes, comme tu l'as demandé. Oh ! oui, certes.

– Et, mon père...

– Oui, mon fils.

– Si l'enfant est un garçon, je voudrais qu'il s'appelle Pierre.

Et Koumalo répéta d'une voix étranglée :

– Pierre.

– Oui, je voudrais qu'il s'appelle Pierre.

– Et si c'est une fille ?

– Non, si c'est une fille, je n'ai pas pensé à un nom. Et, mon père...

– Oui, mon fils.

– J'ai un paquet à Gerniston dans la maison de Joseph Bhengu, au n° 12, Maseru Street. Je serais content qu'on puisse le vendre pour mon fils.

– Oui, je t'entends.

– Il y a d'autres choses chez Pafuri. Mais je pense qu'il niera qu'elles sont à moi.

– Pafuri ? Ce Pafuri-là ?

– Oui, mon père.

– Il vaut mieux les oublier.

– C'est comme mon père décidera.

– Et ces choses qui sont à Gerniston, mon fils, je ne sais comment je pourrai les prendre, car nous partons demain.

– Tant pis. Ça m'est égal.

Mais Koumalo vit que cela ne lui était pas égal et dit :

– J'en parlerai au Révérend Msimangu.

– Ça vaudra mieux.

– Et ce Pafuri, dit Koumalo amèrement. Et ton cousin. J'ai du mal à leur pardonner.

Le garçon haussa les épaules dans un geste d'impuissance.

– Ils ont menti, mon père. Il y étaient comme je l'ai dit.

– Certes, ils y étaient. Mais ils ne sont pas ici maintenant.

– Ils sont ici, mon père. Il y a une autre accusation contre eux.

– Je ne voulais pas dire cela, mon fils. Je voulais dire qu'ils ne sont pas... qu'ils ne sont pas...

Mais il ne pouvait dire sa pensée.

– Ils sont ici, répéta le garçon sans comprendre. Ici dans ce bâtiment. C'est moi, mon père, qui vais m'en aller.

– T'en aller ?

– Oui. Je dois aller à... à...

Koumalo chuchota :

– A Prétoria ?

A ces mots redoutés, le garçon tomba par terre, prosterné à la façon de certains Hindous en prière et il se mit à sangloter avec de grands cris qui le convulsaient. Car un garçon a peur de la mort. Son père, mû par la profonde compassion qui était en lui, s'agenouilla près de son fils et lui caressa la tête. Et cette compassion ne fit qu'augmenter les terribles sanglots.

– Sois courageux, mon fils.

– J'ai peur, cria-t-il. J'ai peur.

– Sois courageux, mon fils.

Le garçon s'accroupit. Il ne dissimulait pas son désespoir, son visage était déformé par ses cris.

– Oh ! Oh ! J'ai peur. On va me pendre ! sanglotait-il. J'ai peur. On va me pendre !

Toujours à genoux, le père prit les mains de son fils et elles n'étaient plus sans vie mais s'accrochaient à la sienne, cherchant une consolation, une assurance. Et le vieil homme les serra plus fort et répéta :

– Sois courageux, mon fils.

Le geôlier blanc, entendant ces cris, entra et dit, mais non sans bonté :

– Vieillard, il faut vous en aller, maintenant.

– Je vais m'en aller, monsieur. Je vais m'en aller, mais laissez-nous encore un petit moment.

Le geôlier répondit :

– Bon, encore un petit moment, et se retira.

– Mon fils, sèche tes larmes.

Le garçon prit le mouchoir tendu vers lui et essuya ses larmes. Il s'agenouilla par terre et, bien que ses sanglots fussent calmés, ses yeux fixaient au loin un regard trouble.

– Mon fils, il faut que je m'en aille maintenant. Reste bien, mon fils. Je veillerai sur ta femme et ton enfant.

– C'est bien, dit-il.

Oui, il dit cela mais ses pensées n'étaient plus avec aucune femme ni aucun enfant. Là où étaient ses pensées, il n'y avait ni femme ni enfant, là où regardaient ses yeux il n'y avait point de mariage.

– Mon fils, il faut que je m'en aille maintenant.

Il se leva, mais le garçon lui embrassa les genoux en criant :

– Ne me laisse pas, ne me laisse pas. Il éclata de nouveau en terribles sanglots et cria : Non, non, ne t'en va pas.

Le geôlier blanc reparut et dit sévèrement :

– Vieillard, il faut vous en aller maintenant. Et Koumalo voulait partir, mais le garçon le tenait par les genoux en criant et en sanglotant. Le geôlier essaya de lui ouvrir les bras mais n'y parvint pas et appela un autre homme pour l'aider. A eux deux, ils entraînèrent le garçon, et Koumalo lui dit désespérément :

– Reste bien, mon fils, mais le garçon ne l'entendit pas.

C'est ainsi qu'ils se séparèrent.

Accablé de chagrin, Koumalo quitta son fils et sortit par la grille devant laquelle les autres l'attendaient. Et la jeune femme s'approcha de lui et lui dit timidement mais avec un sourire :

– Umfundisi.

– Oui, mon enfant.

– Je suis votre fille à présent.

Il se força à lui sourire.

– C'est vrai, dit-il. Et elle aurait eu envie de continuer sur ce sujet, mais lorsqu'elle le regarda, elle vit bien que ses pensées étaient ailleurs. Et elle n'en dit pas davantage.

*

APRÈS son retour de la prison, Koumalo monta la côte qui menait à la rue où son frère avait sa menuiserie. Par extraordinaire, il n'y avait personne dans la boutique que le gros homme à cou de taureau qui le salua avec un peu de gêne.

– Je suis venu te dire adieu, mon frère.

– Eh bien, eh bien, tu retournes à Ndotshéni. Tu as été longtemps absent, mon frère, et ta femme va être contente de te revoir. Quand pars-tu ?

– Nous partons demain par le train de neuf heures.

– Ainsi, Gertrude rentre avec toi. Et son enfant. Tu fais une bonne action, mon frère. Johannesbourg n'est pas un endroit pour une femme seule. Mais nous allons prendre le thé.

Il se leva pour aller appeler la femme dans l'arrière-boutique, mais Koumalo dit :

– Je n'ai pas envie de thé, mon frère.

– Comme tu voudras, mon frère, dit John Koumalo. C'est mon habitude d'offrir du thé à mes visiteurs.

Il s'assit et se mit en devoir d'allumer une grosse pipe de taureau, cherchant des allumettes parmi des journaux, sans regarder son frère.

– C'est une bonne action que tu fais là, mon frère, reprit-il, la pipe entre ses dents. Johannesbourg n'est pas un endroit pour une femme seule. Et l'enfant sera mieux à la campagne.

– J'emmène encore une autre enfant, dit Koumalo. La femme de mon fils. Et elle attend un enfant.

– Oui oui, j'ai entendu parler de cela, fit John Koumalo en donnant tout son regard à l'allumette qu'il tenait au-dessus de sa pipe. Encore une bonne action que tu fais là.

Sa pipe était enfin allumée, et il y pressait du pouce le tabac avec une grande attention. Mais, à la fin, il n'eut plus rien à faire, et il regarda son frère à travers la fumée.

– Beaucoup de personnes sont venues me dire : ce sont de bonnes actions que votre frère fait là. Eh bien, eh bien, il faudra me rappeler au souvenir de ta femme et de nos autres amis. Tu seras à Pietermaritzbourg après-demain matin de très bonne heure et tu prendras le train pour Donnybrook. Et tu arriveras le soir à Ndotshéni. Oui, oui, c'est un long voyage.

– Mon frère, il y a une chose dont il faut que nous parlions entre nous.

– Comme tu voudras, mon frère.

– J'y ai réfléchi très profondément. Je ne suis pas venu ici pour te faire des reproches.

Et John Koumalo riposta vivement, comme s'il n'attendait que ce mot :

– Des reproches ? Pourquoi me ferais-tu des reproches ? Il y a eu un procès et un juge. Cela ne dépend ni de toi, ni de moi, ni de personne.

Les veines se gonflaient sur le cou de taureau, mais Koumalo reprit vivement la parole :

– Je ne dis pas que je pourrais te faire des reproches, répondit-il. Comme tu le dis, il y a eu un procès et un juge. Et il y a aussi un grand Juge, mais de Lui, nous ne parlerons pas, toi et moi. Non, il y a autre chose dont il faut que nous parlions.

– Eh bien, eh bien, j'entends. De quelle chose s'agit-il ?

– L'une est que je voulais te saluer avant de m'en

aller. Mais je ne pouvais pas te saluer et ne rien dire. Tu as vu ce qui s'est passé avec mon fils. Il a quitté la maison et il a été dévoré. C'est pourquoi j'ai pensé qu'il fallait t'en parler et te dire : Et ton fils ? Lui aussi a quitté la maison.

— J'y pense aussi, dit John Koumalo. Quand tous ces ennuis seront terminés, je le ramènerai ici.

— Tu y es décidé ?

— J'y suis décidé, je t'en fais la promesse. Il rit de son rire de taureau. Je ne peux pas te laisser toutes les bonnes actions, mon frère. On tuera le veau gras ici.

— C'est une histoire qu'il faut se rappeler.

— Oui, oui, c'est une histoire qu'il faut se rappeler. Je ne rejette pas les bons exemples, sous prétexte que... enfin... tu me comprends.

— Et il y a encore une chose, dit Koumalo.

— Tu es mon frère aîné. Dis ce que tu veux.

— Ta politique, mon frère. Où est-ce qu'elle te mène ?

Les veines de taureau se gonflèrent de nouveau sur le cou de taureau.

— Ma politique, mon frère, ne regarde que moi. Je ne te parle pas de ta religion.

— Tu m'as dit : dis ce que tu veux.

— Oui, oui, j'ai dit ça. Eh bien, oui, j'écoute.

— Où est-ce que ça te mène ?

— Je sais pourquoi je combats. Tu m'excuseras – il rit de son grand rire – le Révérend Msimangu n'est pas là, aussi tu m'excuseras si je parle anglais.

— Comme tu voudras.

— Tu as étudié l'histoire, mon frère. Tu sais que l'histoire enseigne que les hommes qui font le travail ne peuvent pas être indéfiniment opprimés. S'ils s'unissent, qui peut leur résister ? Ceux de notre race comprennent cela de plus en plus. S'ils en décident ainsi, il n'y aura plus aucun travail accompli en Afrique du Sud.

– Tu veux dire, s'ils se mettent en grève ?

– Oui, je veux dire cela.

– Mais la dernière grève n'a pas réussi.

John Koumalo se leva tout droit et sa voix gronda dans sa gorge.

– Regarde ce qu'on nous a fait, dit-il. On nous a fait rentrer de force dans les mines comme des esclaves. N'est-ce pas notre droit de refuser notre travail ?

– Est-ce que tu hais les blancs, mon frère ?

John Koumalo le regarda d'un air soupçonneux.

– Je ne hais personne, dit-il. Je ne hais que l'injustice.

– Mais j'ai entendu certaines des choses que tu dis.

– Quelles choses ?

– J'ai entendu dire que certaines de ces choses étaient dangereuses. J'ai entendu dire qu'on te surveille et qu'on t'arrêtera quand le moment sera venu. C'est une chose qu'il faut que je te répète, car tu es mon frère.

N'en doute pas, c'est de la peur qu'il y a dans ses yeux. Le gros homme ressemble à un enfant grondé.

– Je ne sais pas de quelles choses on a pu te parler, dit-il.

– On m'a dit qu'il s'agissait de choses qui se disent dans cette boutique, répondit Koumalo.

– Dans cette boutique ? Mais qui peut savoir ce qui se dit dans cette boutique ?

En dépit de tant de prières implorant la force de pardonner, Koumalo souhaita faire du mal à son frère.

– Connais-tu tous les gens qui viennent dans cette boutique ? demanda-t-il. N'a-t-on pas pu y envoyer quelqu'un pour te trahir ?

Le gros homme taureau épongea la sueur de son front. Koumalo savait qu'il était en train de se demander si une pareille chose était possible. Et, malgré toutes ses prières, le désir de faire mal fut le plus fort, si fort qu'il fut tenté de mentir, céda à la tentation, mentit.

– J'ai entendu dire, reprit-il, qu'un homme avait pu être envoyé dans cette boutique pour te surveiller, en se présentant comme un ami.

– Tu as entendu dire ça ?

Et Koumalo, honteux, fut obligé de répondre :

– Je l'ai entendu dire.

– Quel ami, dit le gros homme, quel ami !

Et Koumalo s'écria du fond de sa souffrance :

– Mon fils avait deux amis de ce genre !

Le gros homme le regarda.

– Ton fils ? dit-il.

Alors il comprit la signification de tout cela et la colère l'envahit.

– Sors de chez moi, hurla-t-il, sors de chez moi.

Il renversa la table devant lui et marcha sur Koumalo qui dut gagner la porte et sortit dans la rue, et la porte claqua derrière lui et il entendit la clef tournée et le verrou poussé par la main furieuse de son frère.

Le vieillard se retrouva dans la rue, humilié, honteux. Humilié parce que les passants le regardaient avec étonnement, honteux, car ce n'était pas pour cela qu'il était venu. Il était venu dire à son frère que le pouvoir corrompt, qu'un homme qui combat pour la justice doit être lui-même intègre et pur, que l'amour est plus grand que la force. Et il n'avait rien dit de tout cela.

– Dieu, aie pitié de moi, dit-il. Christ, aie pitié de moi. Il se retourna vers la porte mais elle était fermée à clef et verrouillée. Le frère avait chassé le frère, tous deux sortis du même ventre.

Les gens le regardaient. Il s'éloigna en détresse.

*

– Je ne sais comment vous remercier, dit Jarvis.

– Nous aurions fait davantage si nous l'avions pu, Jarvis.

John Harrison amena l'auto, et Jarvis s'attarda à faire ses adieux à Harrison avant d'y monter.

– Nos amitiés à Margaret, à Mary et aux enfants, Jarvis. Nous viendrons vous voir un jour.

– Vous serez les bienvenus, Harrison, les très bienvenus.

– Il y a une chose que je voulais vous dire, Jarvis, dit Harrison en baissant la voix. A propos du jugement. On ne rend pas la vie aux morts, mais le jugement a été extrêmement juste. Il ne pouvait pas être différent à mon avis. S'il avait été différent, j'aurais eu l'impression qu'il n'y a pas de justice en ce monde. Je regrette seulement que les deux autres s'en soient tirés. Le Procureur a tout embrouillé. Il aurait fallu faire parler cette femme Mkisé.

– Oui, c'est aussi mon avis. Enfin, au revoir et encore merci.

A la gare, Jarvis remit une enveloppe à John Harrison.

– Ouvrez-la quand je serai parti, dit-il.

Le train s'éloigna et le jeune Harrison ouvrit l'enveloppe. Pour votre club, disait le billet qu'elle contenait. Faites tout ce qu'Arthur et vous désiriez faire. Si vous voulez l'appeler « Club Arthur Jarvis » cela me fera plaisir. Mais ce n'est pas indispensable.

Le jeune Harrison retourna le billet pour regarder le chèque qui y était attaché. Il leva les yeux dans la direction du train comme s'il avait envie de courir après.

– Mille livres, dit-il. Grand Dieu, mille livres !

*

Il y avait une soirée chez Mme Lithébé et Msimangu présidait. Ce n'était pas une soirée joyeuse, il fallait s'y attendre. Mais la nourriture était abondante, et une espèce de plaisir triste y rénait. Msimangu présidait à la mode européenne et porta un toast aux vertus de son frère prêtre et aux soins maternels que Mme Lithébé prodiguait à chacun sous son toit. Koumalo prit également la parole, mais il bégayait et hésitait, car son mensonge et sa querelle préoccupaient son esprit. Toutefois, il remercia Msimangu et Mme Lithébé de leurs bontés. Mme Lithébé refusa de parler et balbutia comme une jeune fille en disant que l'on était au monde pour s'entraider. Mais son amie, la grosse femme, parla à sa place et prononça un long discours qui semblait ne devoir jamais finir sur la bonté des deux prêtres et la bonté de Mme Lithébé ; et elle parla franchement du devoir qui incombait à Gertrude et à la jeune femme de mener une vie exemplaire en échange de toutes les bontés qu'on leur prodiguait. Et cela la conduisit à parler de Johannesbourg et des périls de le grande ville, et des péchés des gens de Sophiatown, Claremont, Alexandra et Pimville. A la fin, Msimangu dut se lever et lui dire :

– Mère, si nous n'étions pas obligés de nous réveiller de bonne heure demain matin, nous ne demanderions pas mieux que de vous écouter toute la nuit. Et elle s'assit, heureuse et souriante. Puis Msimangu leur dit qu'il avait une nouvelle à leur annoncer, une nouvelle demeurée secrète jusqu'alors et qu'ils seraient les premiers à connaître. Il allait se retirer dans une communauté et renoncer au monde et à tous ses biens, et c'était la première fois qu'un noir prenait une telle décision en Afrique du Sud. Il y eut des applaudissements et chacun remercia Dieu de cet événement. Gertrude écoutait, ravie, les discours qui terminaient ce grand dîner, son petit garçon endormi contre sa poitrine. Et la jeune femme écoutait aussi avec un visage ardent et souriant, car elle n'avait de sa vie jamais rien vu ni entendu de pareil.

Puis Msimangu dit :

– Nous devons tous nous lever de bonne heure pour le train, mes amis, et il est temps d'aller nous coucher, car le taxi sera ici demain à sept heures.

Ils terminèrent donc la soirée par une hymne et des prières, et la grosse femme s'en alla en remerciant une fois de plus Mme Lithébé pour les bontés qu'elle témoignait à tous. Koumalo accompagna son ami jusqu'à la barrière et Msimangu lui dit :

– Je renonce au monde et à tous ses biens, mais j'avais mis de côté un peu d'argent. Je n'ai ni père ni mère à nourrir, et j'ai obtenu la permission de l'Église de vous le donner à vous, mon ami, pour compenser toutes les dépenses que vous avez eues à Johannesbourg et vous aider dans vos nouvelles charges. Ce livret est à votre nom.

Il mit le livret dans la main de Koumalo, et Koumalo sentit que c'était un livret de compte postal. Et Koumalo posa la main qui tenait le livret sur la barrière et il posa sa tête sur sa main et il pleura. Et Msimangu lui dit :

– Ne me gâtez pas mon plaisir, car je n'ai jamais eu un plaisir pareil. Mais ces paroles firent passer le vieillard des pleurs aux sanglots, et Msimangu dut lui dire :

– Voici un homme qui vient, taisez-vous, mon frère.

Ils se turent tandis que l'homme passait, puis Koumalo dit :

– De toute ma vie je n'ai jamais connu personne comme vous.

Et Msimangu répondit vivement :

– Je suis un homme faible et un pécheur, mais Dieu étend ses mains sur moi, voilà tout. Et quant au garçon, ajouta-t-il, c'est au gouverneur général qu'il appartient de le gracier. Dès que le Père Vincent connaîtra la décision, il vous la fera savoir.

– Et si la grâce n'est pas accordée ?

– Si la grâce n'est pas accordée, dit Msimangu gravement, l'un de nous ira à Prétoria ce jour-là et vous fera savoir... quand tout sera terminé. Et maintenant, il faut que je rentre, mon ami. Nous devons nous lever de bonne heure demain matin. Mais à vous aussi, j'ai une faveur à demander.

– Demandez-moi tout ce que j'ai, mon ami.

– Je demande que vous priiez pour moi en cette nouvelle chose que j'entreprends.

– Je prierai pour vous matin et soir tous les jours qui me restent.

– Bonne nuit, frère.

– Bonne nuit, Msimangu, ami des amis. Et que Dieu veille sur vous toujours.

– Sur vous aussi.

Koumalo le regarda descendre la rue et entrer à la Mission. Puis il se retira dans sa chambre, alluma sa bougie et ouvrit le livret. Il portait inscrits trente-trois livres quatre shillings et cinq pence. Le vieil homme tomba à genoux, gémit et se repentit de son mensonge et de sa querelle. Il aurait voulu aller sur-le-champ trouver son frère, mais l'heure était trop tardive. Il décida de lui écrire. Il remercia

Dieu pour la bonté des hommes et se sentit réconforté. Puis il pria pour son fils. Dans quelques heures, ils repartiraient tous pour leur pays, tous sauf son fils. Lui resterait à l'endroit où on l'emmènerait, dans la grande prison de Prétoria, dans la cellule solitaire aux barreaux de fer ; et si la grâce était refusée, il y resterait jusqu'à ce qu'on le pendît. Hélas ! la main qui avait tué avait un jour pressé le sein maternel dans une petite bouche affamée, et s'était glissée dans la main paternelle quand ils s'étaient trouvés dehors à la nuit. Hélas ! l'assassin effrayé par la mort avait été un jour un enfant effrayé par la nuit.

Il faisait encore sombre lorsqu'il se leva. Il alluma sa bougie et, se rappelant soudain sa promesse, s'agenouilla et pria pour Msimangu. Il ouvrit la porte sans bruit et secoua doucement la jeune femme.

– Il est temps de nous lever, dit-il. Elle sortit vivement des couvertures.

– Je vais me dépêcher, dit-elle. Il sourit de sa hâte.

– Ndotshéni, dit-il, demain, nous serons à Ndotshéni. Il ouvrit la porte de Gertrude et leva sa bougie. Mais Gertrude était partie. Le petit garçon était là, la robe rouge et le turban blanc étaient là. Mais Gertrude était partie.

LIVRE TROISIÈME

XXX

La locomotive fume et siffle dans le veld du Transvaal. Les monticules blancs et aplatis des mines s'éloignent, et la plaine s'étend à perte de vue. Ils sont tous les trois ensemble, Koumalo, le petit garçon sur ses genoux, et la jeune femme portant tout ce qu'elle possède dans un de ces sacs en papier comme on vous en donne dans les magasins. Le petit garçon a réclamé sa mère, mais Koumalo lui a dit qu'elle était partie et il ne la réclame plus.

A Volksrust, la locomotive à vapeur les quitte et celle qu'on attache à leur train est surmontée d'une cage qui reçoit l'énergie de câbles de fer tendus au-dessus d'elle. Puis ils descendent les pentes escarpées du Natal, et Koumalo dit à la jeune femme qu'ils sont dans la province de Natal. Et elle est curieuse et excitée, car elle n'était jamais venue si loin.

Le soir tombe et ils roulent à travers la nuit sur les champs de bataille d'autrefois. Ils passent sans les voir les collines de Mooi, de Rosetta, de Balgowan, plus charmantes qu'on ne peut dire ou chanter. Au lever du soleil, ils redescendent la plus haute colline vers la jolie ville de Pietermaritzbourg.

Là, ils montent dans un nouveau train, qui longe la vallée de l'Umsindusi, passe devant des taudis noirs, traverse Edendale, traverse Elandskop et descend la grande vallée de l'Umkomaas où vivent les tribus et où le sol est malade et presque incurable. Et les gens disent à Koumalo que la pluie ne veut pas tomber ; ils ne peuvent ni labourer ni planter et l'on aura faim dans cette vallée.

A Donnybrook, ils montent encore dans un autre train, le petit train joujou qui roule vers Ixopo à travers les collines vertes et vallonnées d'Eastwolds et de Lufafa. Et, à Ixopo, ils descendent, et les gens le saluent et disent : Ah ! mais comme vous êtes resté longtemps parti !

Là ils montent dans le dernier train, celui dont la voie longe la jolie route qui traverse les collines. Beaucoup de gens le reconnaissent et il redoute leurs questions. Ils parlent comme des enfants, et cela leur paraîtrait tout naturel de demander : Qui est cette personne, qui est cette jeune femme, qui est cet enfant, d'où viennent-ils ? Ils vous demanderaient très bien : Comment va votre sœur, comment va votre fils ? Aussi prend-il son livre saint et se met-il à lire, et eux se tournent vers quelqu'un d'autre plus disposé à la conversation.

Le soleil se couche sur la grande vallée de l'Umzikulu derrière les montagnes d'East Griqualand. Sa femme est là avec un ami pour aider l'umfundisi à porter son sac. Il s'approche vivement de sa femme et l'embrasse à la mode européenne. Il est content d'être rentré.

Elle le regarde interrogativement et il lui dit :

– Notre fils doit mourir, peut-être sera-t-il gracié, mais n'en parlons pas pour l'instant.

– Je te comprends, dit-elle.

– Et Gertrude, tout était prêt pour qu'elle vienne aussi. Nous habitions tous ensemble là-bas. Mais quand j'ai été la réveiller, elle était partie. N'en parlons pas pour l'instant.

Elle courbe la tête.

– Et voici le petit garçon, dit-il, et voici notre nouvelle fille.

La femme de Koumalo soulève le petit garçon et l'embrasse à la mode européenne.

– Tu es mon enfant, dit-elle. Elle le repose par terre et s'approche de la jeune femme qui attend humblement, son sac de papier à la main. Elle la prend dans ses bras à la mode européenne et lui dit :

– Tu es ma fille. Et la jeune femme fond en larmes, si bien que sa belle-mère doit lui dire : « Chut ! chut ! ne pleure pas. Elle lui dit encore : « Notre maison est simple et tranquille, il n'y a pas de grandes choses dedans. La jeune femme la regarde à travers ses larmes et dit :

– Mère, c'est tout ce que je désire.

Quelque chose de profond s'émeut en elle, quelque chose de bon et de profond et, bien que cela s'accompagne de pleurs, c'est comme une consolation au milieu de tant de tristesses.

Koumalo serre la main de son ami et ils s'engagent tous dans l'étroit sentier qui mène vers le couchant dans la vallée de Ndotshéni. Mais voici qu'un homme appelle :

– Umfundisi ! Vous êtes de retour. Cela fait du bien de vous revoir. Et voici qu'une femme dit à une autre :

– Regarde, l'umfundisi est rentré. Une femme habillée à l'européenne jette son tablier sur sa tête et court à sa hutte, riant et pleurant, plus comme une enfant que comme une femme :

– C'est l'umfundisi qui est rentré ! Elle amène ses enfants à la porte et ils regardent derrière ses jupes l'umfundisi qui est rentré.

Une petite fille vient se planter dans le sentier devant Koumalo, l'obligeant à s'arrêter.

– Nous sommes contents que l'umfundisi soit ici, dit-elle.

– Mais vous aviez un umfundisi, ici, dit Koumalo, parlant du jeune homme envoyé par l'évêque pour le remplacer.

– Nous ne le comprenions pas, dit-elle. Il n'y a que notre umfundisi à nous que nous comprenons. Nous sommes contents qu'il soit rentré.

Le sentier descend maintenant des vertes collines où le brouillard nourrit l'herbe et les fougères. Il dévale entre les pierres et il faut y avancer avec précaution, car il est abrupt. Une femme enceinte doit être prudente, aussi la femme de Koumalo marche-t-elle devant la jeune femme et lui dit :

– Il y a une pierre, fais attention de ne pas glisser. La nuit tombe et les collines d'East Griqualand sont bleu foncé contre le ciel.

Le sentier descend dans le pays rouge de Ndotshéni. C'est un pays désert, une région de vieillards, de femmes et d'enfants, mais c'est leur pays. Le maïs y atteint à peine la taille d'un homme, mais c'est leur pays.

– C'est la sécheresse ici, umfundisi. Nous réclamons de la pluie.

– Je l'ai entendu dire, mon ami.

– Nos réserves sont presque épuisées, umfundisi. *Tixo* seul sait ce que nous allons manger.

Le sentier se fait moins abrupt, il suit le petit ruisseau qui longe l'église. Koumalo s'arrête pour l'écouter mais il n'y a rien à entendre.

– Le ruisseau ne coule pas, mon ami.

– Il y a un mois qu'il est à sec, umfundisi.

– Où trouvez-vous de l'eau alors ?

– Les femmes sont obligées d'aller jusqu'à la rivière de chez Jarvis, umfundisi.

Au nom de Jarvis, Koumalo sent la peur et le chagrin remonter en lui, mais il se force à dire :

– Comment va Jarvis ?

– Il est rentré hier, umfundisi. Je ne sais pas comment il va. Mais l'inkosikazi est rentrée il y a quelques semaines, et il paraît qu'elle est maigre et malade. Je travaille là-bas en ce moment.

Koumalo se tait, incapable de parler. Mais son ami lui dit :

– Ça se sait ici.

– Ah ! ça se sait.

– Ça se sait, umfundisi.

Ils ne parlent plus et le sentier, plat à présent, passe devant les huttes et les champs roux et nus. On entend des appels dans l'obscurité, une voix crie quelque chose à quelqu'un qui répond au loin. Si vous êtes Zoulou, vous comprendrez ce qu'ils se crient, mais si vous ne l'êtes pas, même en sachant la langue, vous aurez du mal à l'entendre. Certains blancs appellent cela de la magie, mais ce n'est pas de la magie, c'est simplement un art amené à son point de perfection. C'est l'Afrique, le pays bien-aimé.

– Ils crient que vous êtes de retour umfundisi.

– Je l'entends, mon ami.

– Ils sont contents, umfundisi.

Oui, ils sont contents. Ils sortent des huttes le long de la route, ils descendent des collines en courant dans la nuit. Les garçons s'appellent et lancent l'étrange cri tremblant qui est connu dans cette région.

– Umfundisi, vous êtes de retour.

– Umfundisi, nous vous remercions d'être rentré.

– Umfundisi, vous êtes resté trop longtemps parti.

Une enfant lui crie :

– Il y a une nouvelle maîtresse d'école. Une autre l'interrompt : – Idiote, il y a longtemps qu'elle est là. Un petit garçon lui fait le salut qu'on lui a appris à l'école en criant : – Umfundisi ! Il n'attend pas de réponse mais s'éloigne en lançant l'étrange cri tremblant qu'il n'adresse à personne qu'aux cieux. Il s'éloigne en faisant un pas de danse pour personne que pour lui-même.

Il y a une lampe devant l'église, la lampe qu'on allume pour les offices. Il y a des femmes de l'église assises sur la terre rouge sous la lampe ; elles sont vêtues de robes blanches et chacune porte un mouchoir vert autour du cou. Elles se lèvent à l'approche du groupe et l'une d'entre elles entonne une hymne sur une note aiguë impossible à soutenir ; mais les autres la suivent dans un ton plus bas et l'accompagnent et des hommes se mêlent aussi au chœur avec les notes graves qu'il faut. Koumalo ôte son chapeau et lui, sa femme et son ami chantent aussi, tandis que la jeune femme écoute et regarde, émerveillée. C'est un chant d'actions de grâces, et l'homme s'y souvient de Dieu et se prosterne devant Lui et Le remercie de son infinie miséricorde. Et il se répercute dans les collines rousses et nues et sur les champs roux et nus de la tribu dispersée. Et il est chanté avec amour, humilité et gratitude, et ces simples, ces humbles y mettent toute leur vie.

Koumalo sent le besoin de prier. Il prie : *Tixo*, nous Te remercions de Ton infinie miséricorde. Nous Te remercions pour ce retour sain et sauf. Nous Te remercions pour l'amour de nos amis et de nos familles. Nous Te remercions pour Ta miséricorde.

Tixo, donne-nous de la pluie, nous t'en conjurons.

Et là-dessus, tous disent *amen* et ils sont si nombreux qu'il doit attendre qu'ils aient fini.

Tixo, donne-nous de la pluie, nous T'en conjurons, afin que nous puissions labourer et semer notre grain. Et, s'il n'y a pas de pluie, protège-nous de la faim et de la mort, nous T'en prions.

Et là tous disent encore *amen* et il doit attendre qu'ils aient fini. Son cœur est réchauffé par leur accueil, d'une telle chaleur qu'elle en chasse la peur et qu'il prie du plus profond de lui-même.

Tixo, fais que ce petit garçon soit le bienvenu à Ndotshéni, laisse-le grandir ici. Et, pour sa mère...

Sa voix s'arrête comme s'il ne pouvait continuer, mais il se force à l'humilité et, plus bas :

Et pour sa mère... pardonne-lui ses fautes.

Une femme gémit et Koumalo la reconnaît, c'est une des pires commères de l'endroit. Aussi se hâte-t-il d'ajouter :

Pardonne-nous à tous, car nous avons tous commis des fautes. Et, *Tixo*, fais que cette jeune femme soit la bienvenue à Ndotshéni et que son enfant naisse ici et que tout se passe bien.

Il se tait puis ajoute avec douceur :

Qu'elle trouve ce qu'elle cherche et obtienne ce qu'elle désire.

Et voici le plus dur de la prière, mais il s'oblige à l'humilité :

Et, *Tixo*, mon fils...

Personne ne gémit. Tous se taisent. Même la commère se tait tandis qu'il reprend dans un murmure :

Pardonne-lui ses fautes.

C'est fait, elle est sortie, la parole tant redoutée. Il sait que ce n'est pas lui, ce sont ces gens qui ont accompli cela.

— Agenouillez-vous, dit-il, et ils s'agenouillent sur la terre rouge et nue, et il lève les mains et il élève aussi la voix, et une force monte dans cet homme vieux et brisé, car n'est-il pas un prêtre ?

Le Seigneur vous bénisse et vous protège et

fasse resplendir Son visage sur vous, et vous donne la paix maintenant et pour toujours. Et que la grâce de Notre-Seigneur Jésus-Christ et l'amour de Dieu et la compagnie du Saint-Esprit soient avec vous et restent avec vous et avec tous ceux qui vous sont chers, maintenant et pour l'éternité. *Amen*.

Ils se lèvent et la nouvelle maîtresse d'école dit :

– Ne pourrions-nous pas chanter : *Nkosi Sikelel'i Afrika*. Dieu protège l'Afrique ? Et l'ancienne maîtresse d'école dit :

– Ils ne le savent pas, ce n'est pas encore connu ici. La nouvelle maîtresse d'école dit :

– Nous le chantions à Pietermaritzbourg, c'est connu là-bas. Pourquoi est-ce qu'on ne l'apprendrait pas ici ? L'ancienne maîtresse d'école dit :

– Ici ce n'est pas Pietermaritzbourg, nous avons beaucoup d'autres choses à faire dans notre école. Car elle est en froid avec la nouvelle maîtresse d'école et aussi elle a honte parce qu'elle ne sait pas *Nkosi Sikelel'i Afrika*. Dieu protège l'Afrique.

*

OUI, Dieu protège l'Afrique, Dieu protège le pays bien-aimé. Dieu nous progège de la profondeur de nos péchés. Dieu nous protège de la peur qui détourne de la justice. Dieu nous protège de la peur qui détourne des hommes. Dieu nous sauve tous.

Appelle, ô petit garçon, pousse ce long cri tremblant qui se répercute dans les collines. Danse, ô petit garçon, ce lent pas de danse qui n'est que pour toi. Appelle et danse, Innocence, appelle et danse de toutes tes forces. Car ceci est un prélude, ceci n'est qu'un commencement. D'étranges choses vont s'y mêler, apportées par des hommes dont tu n'as jamais entendu parler, dans des endroits que tu n'as jamais vus. C'est dans la vie que tu vas entrer, tu n'as pas peur parce que tu ne sais pas. Appelle et danse, appelle et danse. Maintenant, de toutes tes forces.

*

LES gens sont tous partis et Koumalo se tourne vers son ami.

– Il y a des choses qu'il faut que je vous dise. Un jour je vous en dirai d'autres, mais il y en a qu'il faut que je vous dise tout de suite. Ma sœur Gertrude devait venir avec nous. Nous étions tous ensemble, tout prêts dans la maison. Mais quand j'ai été la réveiller, elle était partie.

– Oh ! umfundisi.

– Et mon fils, il est condamné à être pendu. Il sera peut-être gracié. On me le fera savoir dès que ce sera décidé.

– Oh ! umfundisi.

– Vous pouvez le dire à vos amis. Et ils le diront à leurs amis. Ce n'est pas une chose qu'on peut cacher. Donc, autant le dire.

– Je leur dirai, umfundisi.

– Je ne sais pas si je dois rester ici, mon ami.

– Pourquoi, umfundisi ?

– Eh quoi ? dit Koumalo amèrement. Avec une sœur qui a abandonné son enfant et un fils qui a tué un homme ? Qui suis-je pour rester ici ?

– Umfundisi, ce sera comme vous déciderez. Mais je vous dis qu'il n'y a pas un homme ou une femme qui le souhaite. Il n'y a pas un homme ou une femme qui n'ait eu du chagrin pour vous, qui ne soit content de votre retour Comment ne l'avez-vous pas vu ? Comment cela peut-il ne pas vous avoir touché ?

– Je l'ai vu et cela m'a touché. C'est quelque chose, après tant de souffrances. Mon ami, je ne désire pas m'en aller. Je suis chez moi ici. J'y ai vécu longtemps, je ne pourrais pas désirer m'en aller.

– C'est bien, umfundisi. Et, pour ma part, je n'ai aucun désir de vivre sans vous. Car j'étais dans l'obscurité...

– Vous me touchez, mon ami.

– Umfundisi, avez-vous su ce qu'était devenue la fille de Sibéko ? Vous vous rappelez ?

– Oui, je me rappelle. Eh bien, elle aussi est partie. Où, personne ne le sait. On m'a dit qu'on ne savait pas.

De l'amertume remonta soudain en lui et il ajouta :

– On m'a dit aussi qu'on s'en moquait.

– Oh ! umfundisi.

– Je suis désolé, mon ami.

– Ce monde est plein de soucis, umfundisi.

– Qui le saurait mieux ?

– Et pourtant, vous croyez ?

Koumalo le regarda sous la lumière de la lampe.

– Je crois, dit-il, mais j'ai appris que c'est un mystère. La douleur et la souffrance sont un mystère. La bonté et l'amour sont un mystère. Mais j'ai appris que la bonté et l'amour peuvent payer de la douleur et de la souffrance. Il y a ma femme et vous, mon ami, et ces gens qui m'ont accueilli, et la petite qui est si heureuse d'être avec nous ici à Ndotshéni, afin que, dans ma souffrance, je puisse croire.

– Je n'ai jamais pensé qu'un chrétien doive être libéré de la souffrance, umfundisi. Car Notre-Seigneur a souffert. Et j'en viens à croire qu'il a souffert non pour nous sauver de la souffrance mais pour nous enseigner à supporter la souffrance. Car il savait qu'il n'y a pas de vie sans souffrance.

Koumalo regarda son ami avec joie.

– Vous êtes un prédicateur, dit-il.

Son ami tendit ses mains rudes et calleuses.

– Est-ce que j'ai l'air d'un prédicateur ? dit-il.

Koumalo rit.

– Je regarde votre cœur, non vos mains, dit-il.
Merci pour votre aide, mon ami.

– Elle est à vous chaque fois que vous la
demanderez. Restez bien.

– Allez bien, mon ami. Mais quel chemin prenez-
vous ?

L'homme soupira.

– Je vais passer chez Sibéko, dit-il. Je lui ai promis
d'y aller dès que je saurais.

Koumalo prit le chemin de sa petite maison. Puis
il se retourna tout à coup et rappela son ami.

– Il faut que je vous explique, dit-il. C'est la fille
de Smith qui a dit qu'elle ne savait pas et qu'elle
s'en moquait. Elle l'a dit en anglais. Et quand Jarvis
me l'a répété en zoulou, il a dit : elle ne sait pas.
Mais Jarvis ne m'a pas dit qu'elle avait dit qu'elle
s'en moquait. Il l'a gardé pour lui.

– Je vous comprends, umfundisi.

– Allez bien, mon ami.

– Restez bien, umfundisi.

Koumalo se retourna encore et entra dans la
maison. Sa femme et la jeune femme étaient en train
de manger.

– Où est le petit garçon ? demanda-t-il.

– Il dort, Stephen. Tu es resté longtemps à parler.

– Oui, il y avait beaucoup de choses à dire.

– Est-ce que tu as éteint la lampe ?

– Laisse-la brûler encore un peu.

– L'Église a donc tant d'argent ?

Il lui sourit.

– C'est une nuit spéciale, dit-il.

Il vit son front se contracter de douleur, il savait ce qu'elle pensait.

– Je vais l'éteindre, dit-il.

– Laisse-la brûler encore un peu. Tu l'éteindras quand tu auras mangé.

– C'est cela, répondit-il. Laissons-la brûler pour ce qui s'est passé ici, éteignons-la pour ce qui s'est passé ailleurs.

Il posa la main sur la tête de la jeune femme.

– As-tu assez mangé, mon enfant ?

Elle le regarda en souriant.

– Oui, j'ai assez mangé.

– Alors au lit, mon enfant.

– Oui, père.

Elle se leva de sa .chaise.

– Dormez bien, père, dit-elle. Dormez bien, mère.

– Je vais te conduire à ta chambre, mon enfant.

Quand sa femme revint, Koumalo était en train de regarder le livret du compte postal. Il le lui tendit en disant :

– Il y a de l'argent là-dedans, plus que toi et moi n'en avons jamais eu.

Elle l'ouvrit et poussa des exclamations en voyant combien il y avait.

– C'est à nous ? demanda-t-elle.

– C'est à nous, dit-il. C'est un cadeau du meilleur homme que j'ai connu de ma vie.

– Tu vas acheter des vêtements neufs, dit-elle. De nouveaux habits noirs et des cols et un chapeau.

– Et toi aussi, tu vas t'acheter des vêtements, dit-il. Et un fourneau. Assieds-toi et je vais te parler de Msimangu, dit-il, et d'autres choses.

Elle s'assit en tremblant.

– J'écoute, dit-elle.

XXXI

Koumalo entreprit de prier régulièrement dans son église pour la renaissance de Ndotshéni. Mais il savait que ce n'était pas assez de s'adresser au Ciel. Ici-bas sur la terre, les hommes devaient s'unir, trouver quelque chose, faire quelque chose. En regardant autour de lui les collines de son pays, il ne vit que deux hommes capables de l'aider : le chef, et le directeur de l'école. Le chef était un grand et gros gaillard en culotte de cheval, coiffé d'un bonnet de fourrure comme on en porte dans les pays froids et qui parcourait le pays à cheval avec ses conseillers, mais personne ne savait au juste ce que ceux-ci lui conseillaient. Le directeur de l'école était un petit homme souriant, à grandes lunettes rondes, et son bureau était rempli de notices en bleu, en vert et en rouge. Pour des raisons de diplomatie, Koumalo décida d'aller d'abord voir le chef.

La matinée était déjà cruellement chaude et les cieux sans nuage ni signe de pluie. On n'avait jamais vu telle sécheresse dans le pays. Les hommes les plus vieux de la tribu ne se rappelaient rien de semblable à ce qui se passait aujourd'hui où les feuilles tombaient des arbres, bientôt dénudés comme en plein hiver, et où les petits garçons aux pieds pourtant endurcis couraient d'ombre en ombre pour échapper à la brûlure du sol. Quand on marchait dans l'herbe, elle craquait sous les pas comme après un incendie et il n'y avait pas dans toute la vallée un seul ruisseau qui coulât. Même sur les sommets, l'herbe était jaune et ni en haut ni en bas l'on ne labourait. Le soleil se déversait des hauteurs d'un ciel impitoyable et le bétail errait, maigre et hagard, dans le veld au bord des ruisseaux à sec.

Koumalo gravit la colline jusqu'à l'habitation du chef. On lui dit d'attendre. Cela n'avait rien d'étonnant, car, s'il lui plaît, un chef peut faire attendre un homme uniquement parce qu'il est un chef. S'il lui plaît, il peut le faire attendre pendant qu'il joue avec un cure-dent ou bien rêvasse en regardant la vallée. Mais Koumalo appréciait cette occasion de repos. Il ôta sa veste et s'assit à l'ombre d'une hutte en méditant sur les coutumes des chefs. Mais qui eût choisi d'être le chef d'une telle désolation ? C'était là l'œuvre des blancs : abattre ces chefs puis les restaurer pour maintenir les morceaux d'une communauté, ou ce qui en restait une fois que les blancs avaient enlevé le meilleur. Et l'on voyait des chefs arrogants aux yeux injectés de sang régner sur de pitoyables royaumes qui n'avaient plus aucun sens. Ils n'étaient pas tous ainsi ; certains avaient essayé d'aider leur peuple et envoyé leurs fils au collège. Et le gouvernement, de son côté, avait essayé de les aider. Mais c'était là nourrir de lait un vieillard, en prétendant qu'un jour il deviendrait un jeune homme.

Koumalo s'avisa soudain, avec une espèce de sursaut, du chemin qu'il avait parcouru depuis son voyage à Johannesbourg. La grande ville lui avait ouvert les yeux et il avait compris que quelque chose avait commencé qu'il fallait à présent poursuivre. Car, là-bas, à Johannesbourg, des événements avaient lieu, qui ne dépendaient d'aucun chef. Mais il se leva, car on lui annonçait qu'il allait être reçu par le souverain de sa tribu.

Il fit ses salutations et y mit tout le respect qu'il put. Il savait que les chefs sont susceptibles en ces matières.

– Et qu'est-ce que vous désirez, umfundisi ?

– Inkosi [1], j'ai été à Johannesbourg.

– Oui, j'ai appris cela.

– Il y a beaucoup des nôtres là-bas, inkosi.

– Oui.

– Et j'ai pensé, inkosi, qu'il faudrait essayer d'en garder davantage dans cette vallée.

– Oh ! Et comment nous y prendrons-nous ?

– En soignant notre sol avant qu'il soit trop tard. En enseignant à l'école comment soigner le sol. Comme cela, il y en aurait tout de même quelques-uns qui resteraient à Ndotshéni.

Le chef se tut, isolé dans ses pensées, et ce n'est pas l'usage d'interrompre un chef ainsi absorbé. Mais Koumalo s'apercevait bien qu'il ne savait pas quoi dire. Il commença plusieurs mots, mais – se retenait-il, ne voyait-il pas le bout de la phrase qu'il était sur le point d'entamer ? – toujours est-il qu'il en resta là. En fait, c'était l'attitude naturelle d'un homme auquel un autre soumet un problème grave, sur lequel il a souvent médité lui-même sans y trouver de solution.

Aussi, lorsque enfin il parla, ce fut pour dire :

– J'ai souvent pensé à ces graves questions.

– Oui, inkosi.

– Et j'ai refléchi à ce qu'il faudrait faire.

– Oui, inkosi.

– Aussi, je suis content de savoir que vous aussi y avez pensé.

1. Inkosi : mot zoulou. Chef ou maître.

Il y eut un nouveau silence et Koumalo voyait bien que le chef cherchait ses mots.

– Vous savez, umfundisi, que nous enseignons ces choses depuis longtemps dans les écoles. L'inspecteur blanc et moi-même en avons souvent parlé.

– Je le sais, inkosi.

– L'inspecteur va bientôt revenir et nous reprendrons ce sujet.

Le chef finit ces mots sur un ton d'espoir et d'encouragement, comme s'ils avaient trouvé au problème une solution satisfaisante. Koumalo savait que l'entretien serait bientôt terminé et, bien que ce ne fût pas tout à fait protocolaire, il rassembla son courage et dit d'un ton qui signifiait qu'il avait autre chose à dire :

– Inkosi ?

– Quoi donc ?

– Il est vrai, inkosi, qu'on enseigne ces choses depuis plusieurs années. Mais il est triste de regarder l'endroit où on les enseigne. Il n'y a là ni herbe ni eau. Et, même lorsqu'il pleut, le maïs n'atteint pas la taille d'un homme. Le bétail meurt sur place et nous n'avons pas de lait. L'enfant de Malusi est mort, l'enfant de Kuluse est mourant. Et combien d'autres mourront encore, *Tixo* seul le sait.

Et Koumalo se rendait compte qu'il venait de prononcer des paroles dures et amères, qui détruisaient l'espoir et l'optimisme et l'illusion d'avoir trouvé une solution au problème. Le chef aurait vraiment pu se mettre en colère, non que ces choses fussent inexactes, mais parce que Koumalo l'empêchait de mettre fin à cet entretien.

– C'est la sécheresse, umfundisi. Il ne faut pas oublier que c'est la sécheresse.

– Je ne l'oublie pas, dit Koumalo respectueusement. Mais, sécheresse ou non, il y a des années que c'est comme ça.

Le chef s'enveloppa de nouveau de silence, car il n'avait rien à dire. Il songeait sans doute qu'il aurait pu briser là avec un mouvement de colère, mais ce n'était pas facile devant un prêtre.

Enfin il parla à contrecœur.

– Je verrai le magistrat, dit-il.

Puis il ajouta avec souci :

– Car moi aussi, j'ai vu tout cela.

Il resta quelque temps perdu dans ses pensées puis il dit à contrecœur, car ce n'est pas une chose facile à dire :

– J'en ai déjà parlé au magistrat.

Il fronçait le sourcil, perplexe. Koumalo savait que plus rien ne sortirait de cet entretien et il fit de petits mouvements afin de donner à entendre au chef qu'il était prêt à se voir congédié. En attendant, il regarda les conseillers debout derrière le chef et il vit qu'eux aussi, perplexes, fronçaient le front et qu'en cette matière, ils n'avaient pas de conseils à donner. Car les conseillers d'une tribu détruite ont des conseils à donner sur toutes sortes de sujets mais pas en ce qui concerne la tribu détruite.

Le chef se leva lourdement et tendit la main au prêtre.

– J'irai voir le magistrat, dit-il. Allez bien, umfundisi.

– Restez bien, inkosi.

Koumalo redescendit la colline et ne s'arrêta qu'une fois arrivé à l'église. Là, il pria pour le chef et pour la renaissance de Ndotshéni. Le bâtiment de planches et de tôle était chaud comme un four et son esprit était las, son espoir retombait dans la chaleur étouffante. Aussi, pria-t-il brièvement. Entre Tes mains, ôDieu, je recommande Ndotshéni. Puis il ressortit dans la chaleur pour aller trouver le directeur de l'école.

Mais là non plus il n'eut guère de succès. Le directeur de l'école se montra poli et souriant derrière ses grandes lunettes. Il lui fit voir des papiers qu'il appelait plans de travaux, et des dessins de fleurs et de graines et des échantillons de terre dans des tubes. Le directeur de l'école lui expliqua que l'école essayait de relier la vie de l'enfant à la vie de la communauté et lui montra des circulaires de l'Administration à Pietermaritzbourg, toutes sur ce sujet. Il emmena Koumalo sous le soleil flamboyant et lui montra les jardins de l'école, mais il s'agissait là d'une démonstration purement scolaire, car il n'y avait pas d'eau et tout était mort. Pas si scolaire pourtant peut-être puisque tout dans la vallée était mort et que même les enfants mouraient.

Koumalo demanda au directeur de l'école comment faire pour garder un certain nombre de ces enfants à Ndotshéni. Et le directeur secoua la tête et parla de causes économiques et dit que l'école n'avait pas grand pouvoir. Alors Koumalo retourna à son église et s'y assit, découragé. Où était la grande vision qui lui était apparue à Ezenzéléni, la vision née de tant de souffrance ? Il avait cru alors qu'un prêtre pourrait faire de sa paroisse un lieu de vie véritable pour ses fidèles, et de formation pour leurs enfants. Était-il donc vieux et fini ? Ou bien sa vision n'avait-elle été qu'un mirage et ces choses étaient-elles sans remède ? Aucune puissance, sauf la puissance de Dieu, ne pourrait produire un tel miracle et il redit sa brève prière : Entre Tes mains, ô Dieu, je recommande Ndotshéni.

Il entra dans la maison et là, dans une chaleur étouffante, commença à se débattre avec les comptes de l'église jusqu'au moment où il entendit le pas d'un cheval qui s'arrêta devant l'église. Il se leva de sa chaise et sortit pour voir qui pouvait bien se promener à cheval sous ce soleil féroce. Et, pendant une seconde, il retint son souffle, stupéfait, car il vit un petit garçon blanc sur un cheval roux, un petit garçon blanc tout semblable à celui qui chevauchait ici autrefois.

Le petit garçon sourit à Koumalo, souleva sa casquette et dit :

– Bonjour. Et Koumalo éprouva une étrange fierté qu'il en pût être ainsi et une étrange humilité qu'il en dût être ainsi, et de l'étonnement que le petit garçon ne connût pas la coutume.

– Bonjour, inkosana [1], dit-il. Il fait chaud pour se promener.

– Je ne trouve pas qu'il fasse trop chaud. C'est votre église ?

– Oui, c'est mon église.

– L'école où je vais appartient à une église aussi. Saint-Marc, on l'appelle. C'est la meilleure école de Johannesbourg. Nous avons une chapelle.

– Saint-Marc, dit Koumalo intéressé. Cette église-ci aussi est dédiée à saint Marc. Mais votre chapelle est bien plus belle sans doute ?

– Mon Dieu, oui, elle est plus belle, dit le petit garçon en souriant. Mais c'est en ville, il faut dire. Et ici, c'est votre maison ?

– Oui, c'est ma maison.

– Est-ce que je pourrais voir l'intérieur ? Je n'ai jamais été dans la maison d'un pasteur, je veux dire d'un pasteur indigène.

– Vous pouvez entrer, inkosana.

Le petit garçon se laissa glisser en bas de son

1. Inkosana : mot zoulou. Se prononce à peu près comme il s'écrit. Petit chef ou petit maître.

cheval et l'attacha à l'un des poteaux qu'on avait plantés là pour les chevaux de ceux qui venaient à l'église. Il s'essuya les pieds au paillasson usé devant la porte de Koumalo et, sa casquette à la main, entra dans la maison.

– C'est une jolie maison, dit-il. Je ne m'attendais pas à quelque chose d'aussi joli.

– Toutes nos maisons ne sont pas ainsi, dit doucement Koumalo. Mais un prêtre doit avoir une maison bien tenue. Vous avez vu d'autres maisons indigènes ?

– Oh ! oui, beaucoup. Autour de la ferme de mon grand-père. Elles ne sont pas aussi jolies que celle-ci. C'est votre travail ça ?

– Oui, inkosana.

– On dirait de l'arithmétique.

– C'est de l'arithmétique. Ce sont les comptes de l'église.

– Je ne savais pas que les églises avaient des comptes. Je croyais qu'il n'y avait que les magasins.

Et Koumalo se mit à rire. Et, ayant ri, il recommença, si bien que le petit garçon lui demanda :

– Pourquoi est-ce que vous riez ? Mais le petit garçon riait aussi, il n'était pas vexé.

– Je ris, voilà tout, inkosana.

– Inkosana ? Ça veut dire petit inkosi, n'est-ce pas ?

– Ça veut dire petit inkosi. Petit maître, c'est-à-dire.

– Oui, je sais. Et comment est-ce qu'on vous appelle ? Comment est-ce que je dois vous appeler ?

– Umfundisi.

– Ah ? Imfundisi.

– Non. Umfundisi.

– Umfundisi. Qu'est-ce que ça veut dire ?

– Ça veut dire pasteur.

– Est-ce que je peux m'asseoir, umfundisi ? Le petit garçon prononça le mot avec soin. C'est bien ? demanda-t-il.

Koumalo réprima son rire.

– C'est très bien, dit-il. Voulez-vous un verre d'eau ? Vous avez chaud.

– Je voudrais un verre de lait, dit l'enfant. Bien glacé, sortant du frigidaire.

– Inkosana, il n'y a pas de frigidaire à Ndotshéni.

– Alors du lait pas glacé, umfundisi.

– Inkosana, il n'y a pas de lait à Ndotshéni.

Le petit garçon rougit.

– Je veux bien de l'eau umfundisi, dit-il.

Koumalo lui apporta de l'eau et, tandis qu'il buvait, lui demanda :

– Pour combien de temps êtes-vous ici, inkosana ?

– Plus pour très longtemps, umfundisi.

Il continua à boire son eau, puis dit :

– Ce ne sont pas nos vraies vacances, en ce moment. Nous sommes ici pour des raisons spéciales.

Et Koumalo le regarda et dit en son cœur : O, enfant en deuil, je connais tes raisons.

– L'eau s'appelle amanzi, umfundisi.

Et comme Koumalo ne lui répondait pas, il reprit :

– Umfundisi. Et il répéta :

– Umfundisi.

– Mon enfant.

– L'eau s'appelle amanzi, umfundisi.

Koumalo secoua sa rêverie. Il sourit au petit visage sérieux et dit :

– C'est vrai, inkosana.

– Et cheval se dit ihashi.

– C'est vrai.

– Et maison, ikaya.

– Très bien.

– Et argent, imali.

– Très bien.

– Et garçon, umfana.

– Mais oui.

– Et vache, inkomo.

Koumalo éclata de rire.

– Pas si vite, pas si vite, dit-il, vous m'essoufflez. Et il fit semblant de haleter et s'assit sur sa chaise en s'essuyant le front.

– Vous parlerez bientôt zoulou, dit-il.

– C'est facile le zoulou. Quelle heure est-il, umfundisi ?

– Midi, inkosana.

– Oh ! là là, il faut que je m'en aille. Merci pour l'eau, umfundisi.

Le petit garçon retourna à son cheval.

– Aidez-moi à me mettre en selle, appela-t-il. Koumalo l'aida et le petit garçon dit :

– Je reviendrai vous voir, umfundisi. Nous parlerons encore zoulou.

Koumalo rit.

– Vous serez le bienvenu, dit-il.

– Umfundisi ?

– Inkosana ?

– Pourquoi n'y a-t-il pas de lait à Ndotshéni ? Est-ce que c'est parce que les gens sont pauvres ?

– Oui, inkosana.

– Et que font les enfants ?

Koumalo le regarda.

– Ils meurent, mon enfant, dit-il. Il y en a qui meurent en ce moment.

– Qui est-ce qui meurt en ce moment ?

– Le petit enfant de Kuluse.

– Le docteur n'est pas venu ?

– Si, il est venu.

– Et qu'est-ce qu'il a dit ?

– Il a dit qu'il fallait donner du lait à l'enfant.

– Et qu'est-ce que les parents ont dit ?

– Ils ont dit : Docteur, nous avons entendu ce que vous avez dit.

Et le petit garçon dit d'une petite voix :

– Je comprends. Il souleva sa casquette et dit gravement :

– Au revoir, umfundisi. Il partit d'abord au pas, mais il y avait des gens qui le regardaient au bord de la route et il se mit bientôt à galoper dans un nuage de poussière chaude.

*

La nuit apporta un peu de fraîcheur et de repos. Tandis que Koumalo, sa femme, la jeune femme et le petit garçon prenaient leur repas, ils entendirent le bruit d'une carriole. On frappa à la porte et l'ami qui avait aidé Koumalo à porter son sac entra.

– Umfundisi. Mère.

– Mon ami ? Voulez-vous manger ?

– Non, vraiment. Je rentre chez moi. J'ai une commission à vous faire.

– A moi ?

– Oui, de Jarvis. Est-ce que le petit garçon blanc est venu ici aujourd'hui ?

Koumalo eut un obscur sentiment de frayeur en se rendant compte de ce qu'impliquait cette rencontre.

– Il est venu ici, dit-il.

– Nous travaillions dans les arbres, reprit l'homme, quand le petit garçon est rentré à cheval. Je ne comprends pas l'anglais, umfundisi, mais ils ont parlé de l'enfant de Kuluse. Et venez voir ce que je vous apporte là.

Devant la porte, il y avait une carriole et, dans la carriole, luisaient de grands bidons de lait.

– Ce lait est pour les petits enfants seulement, pour ceux qui ne vont pas encore en classe, dit l'homme d'un air important. Et il doit être distribué par vous-même. Et ces sacs sont pour couvrir les bidons, et il faut que les petits garçons apportent de l'eau pour la verser sur les sacs. Et tous les matins je passerai reprendre les bidons. Et cela sera ainsi jusqu'à ce que l'herbe repousse et que nous ayons de nouveau du lait.

L'homme sortit les bidons de la carriole et dit :

– Où vais-je les mettre, umfundisi ? Mais Koumalo restait muet et stupide et sa femme dit :

– On va les mettre dans l'église, dans la pièce de l'umfundisi. Et Koumalo bégayait et balbutiait, et enfin il désigna du doigt le ciel. Et l'homme dit :

– *Tixo* le bénira, et Koumalo acquiesça.

L'homme dit :

– Je ne travaille là-bas que depuis une semaine, mais le jour où il me dira : meurs, je mourrai.

Il remonta dans la carriole et prit les rênes. Il était excité et communicatif.

– Quand elle va me voir rentrer là-dedans, dit-il, ma femme croira qu'on m'a nommé magistrat ! Tout le monde rit et Koumalo recouvra la parole et rit aussi, d'abord à l'idée que cet humble pût être devenu magistrat et ensuite à l'idée qu'un magistrat se promenât dans un tel équipage. Et il rit encore de ce qu'un homme adulte pût plaisanter de cette façon, et il rit aussi à la pensée que l'enfant de Kuluse vivrait et il rit en pensant à l'homme sévère et silencieux du Haut-Val. Il rentra dans la maison, tout perclus de rire et sa femme le regarda avec de grands yeux.

XXXII

Un enfant apporta les quatre lettres du magasin à l'école et le directeur les fit porter à la maison de l'umfundisi. Elles venaient toutes de Johannesbourg. L'une était du garçon Absalon à sa femme, une autre à ses parents ; elles portaient toutes deux l'en-tête du « Service de Sa Majesté » et l'adresse de la grande prison de Prétoria. La troisième était de Msimangu lui-même, et la quatrième de M. Carmichael. Koumalo ouvrit celle-ci avec appréhension, car elle était de l'avocat qui s'était chargé de l'affaire pour Dieu et elle devait parler de la grâce. Et, en effet, l'avocat lui écrivait avec des mots pleins de douceur et de compassion que la grâce n'avait pas été accordée et que son fils serait pendu le 15 de ce mois. Il ne lut pas plus avant et resta assis sans bouger, une heure, deux heures peut-être. Il ne vit rien et n'entendit rien jusqu'au moment où sa femme lui dit :

– Alors, c'est ça, Stephen ?

Et comme il acquiesçait, elle dit :

– Donne-la-moi, Stephen. Avec des mains qui tremblaient, il lui tendit la lettre et elle la lut elle aussi et demeura assise à regarder devant elle avec des yeux perdus et terribles, car il s'agissait de l'enfant de son ventre et de ses seins. Mais elle ne resta pas immobile aussi longtemps que lui ; elle se leva et dit :

– Ce n'est pas bon de rester assis à ne rien faire.

Finis tes lettres et va voir l'enfant de Kuluse et la petite Élisabeth qui est malade. Et moi, j'ai mon ménage à faire.

– Il y a une autre lettre, dit-il.

– De lui ? dit-elle.

– De lui.

Il la lui donna et elle s'assit, l'ouvrit soigneusement et la lut. La douleur était dans ses yeux et son visage et ses mains, mais il ne la voyait pas, car il penchait la tête vers le sol, seulement ses yeux ne regardaient pas le sol, ils ne regardaient rien, et son visage était enfoncé dans ce même masque de souffrance auquel il avait échappé depuis son retour dans cette vallée.

– Stephen, dit-elle sèchement.

Il la regarda.

– Lis-ça, finis-en, dit-elle. Et puis faisons notre travail.

Il prit la lettre et la lut. Elle était courte et simple, écrite en zoulou à l'exception de la première ligne comme c'est souvent l'usage :

« Mes chers père et mère,

« J'espère que vous êtes tous en bonne santé comme moi. On m'a dit ce matin, qu'il n'y aurait pas de grâce pour ce que j'ai fait. Donc je ne vous reverrai pas ni Ndotshéni.

« On est bien ici. Je suis enfermé et personne ne peut venir me parler. Mais je peux fumer, lire et écrire des lettres, et les hommes blancs ne me parlent pas mal.

« Il y a un prêtre qui vient me voir, un prêtre noir de Prétoria. Il me prépare et il me parle bien.

« Il n'y a pas d'autres nouvelles ici, aussi je finis ma lettre. Je pense à vous tous à Ndotshéni, et si j'y étais retourné je n'en partirais plus.

« Votre fils,

ABSALON. »

« Est-ce que l'enfant est né ? Si c'est un garçon, je voudrais qu'il s'appelle Pierre. Avez-vous des nouvelles de l'affaire de Mathieu et de Johannes ? J'ai été au tribunal pour témoigner à leur procès, mais on ne m'y a pas laissé jusqu'au bout. Mon père, est-ce que vous avez eu l'argent de mon livret de compte postal ? »

— Stephen, allons travailler.

— Oui, dit-il, ça vaudra mieux. Mais je n'ai pas lu la lettre de Msimangu. Et en voici une pour notre fille.

— Je la lui donnerai. Lis d'abord ta lettre. Et, dis-moi, est-ce que tu iras chez Kuluse ?

— J'irai.

— Et est-ce que ça te fatiguerait trop d'aller au magasin ?

Il regarda par la fenêtre.

— Regarde, dit-il, regarde les nuages.

Elle s'approcha pour regarder avec lui et vit les gros nuages lourds qui se rassemblaient de l'autre côté de la vallée de l'Umzikulu.

— Il va pleuvoir, dit-il. Pourquoi voudrais-tu que j'aille au magasin ? Est-ce quelque chose dont tu as grand besoin ?

— Je n'ai besoin de rien, Stephen. Mais je me dis que tu devrais aller au magasin et demander à l'homme blanc que quand ces lettres viennent du Service de Sa Majesté et de la Prison Centrale il les garde pour lui jusqu'à ce que nous passions. Car notre honte suffit comme cela.

— Oui, oui, dit-il. Je le ferai certainement.

— Et maintenant, lis ta lettre.

Il ouvrit la lettre de Msimangu et lut toutes les nouvelles de Johannesbourg et fut étonné d'éprouver une espèce de nostalgie pour cette grande ville ahurissante. Quand il eut terminé, il sortit pour

regarder les nuages, car c'était exaltant de les aperce-
voir après des semaines d'impitoyable soleil. Un ou
deux d'entre eux flottaient déjà au-dessus de la vallée
et y projetaient de larges ombres, ils voguaient lentement jusqu'aux sommets, puis passaient par-dessus
avec une soudaine vivacité et disparaissaient. Il faisait lourd et chaud, et, bientôt, le tonnerre gronderait
sur l'autre rive de l'Umzikulu, car, ce jour-là la
sécheresse cesserait, cela ne faisait aucun doute.

Tandis qu'il s'attardait ainsi devant sa porte, il vit
une auto qui descendait de Carisbrooke dans la
vallée. C'était un spectacle assez rare, et la voiture
descendait lentement, car la route n'était pas une
route pour autos, mais pour carrioles et pour bœufs.
Puis il aperçut, à quelque distance de l'église, un
homme blanc immobile sur un cheval qui semblait
attendre l'auto. Avec une espèce de choc, Koumalo
reconnut Jarvis. Un homme blanc descendit de
l'auto, et il vit avec encore plus d'étonnement que
c'était le magistrat, et les plaisanteries de la veille
au soir lui revinrent à l'esprit. Jarvis descendit de
cheval et échangea une poignée de main avec le
magistrat et avec d'autres hommes blancs qui
descendaient de la voiture en portant des bâtons et
des drapeaux. Puis, voici que, de l'autre direction,
accourait à cheval le gros chef en bonnet de
fourrure entouré de ses conseillers. Le chef salua le
magistrat et le magistrat le chef et il y eut encore
d'autres saluts. Puis ils se mirent tous à parler
ensemble et il était clair qu'ils s'étaient donné rendez-
vous là, pour quelque chose. Ils désignaient du doigt
des endroits lointains et des endroits proches. Puis,
l'un des conseillers se mit à scier un petit arbre aux
branches droites. Il coupa ces branches en baguettes
égales dont il aiguisa les bouts et Koumalo était de
plus en plus intrigué. Les hommes blancs sortirent

de nouveaux bâtons et de nouveaux drapeaux de la voiture et l'un d'eux dressa une boîte sur un trépied comme pour prendre des photographies. Jarvis ramassa une poignée de bâtons et de drapeaux et le magistrat fit de même après avoir ôté sa veste à cause de la chaleur. Ils montraient du doigt les nuages, et Koumalo entendit Jarvis dire :

— Oui, enfin.

Le chef ne voulait pas être surpassé par les blancs, aussi descendit-il de cheval et prit-il également quelques bâtons, mais Koumalo voyait bien qu'il ne comprenait pas tout à fait de quoi il s'agissait. Jarvis qui paraissait avoir la direction des opérations planta l'un des bâtons dans le sol et le chef en passa un à l'un de ses conseillers en lui disant quelque chose. Alors le conseiller planta lui aussi son bâton dans le sol, mais l'homme à la boîte sur trois pieds cria :

— Pas là, pas là, enlevez-le. Sur quoi le chef, embarrassé et sachant de moins en moins que faire, remonta sur son cheval et y resta, laissant les hommes blancs planter leurs bâtons.

Une heure s'écoula au bout de laquelle tout un déploiement de bâtons et de drapeaux se dressait, et Koumalo regardait toujours, de plus en plus stupéfait. Jarvis et le magistrat parlaient ensemble et continuaient à se désigner tour à tour les collines et la vallée. Puis ils s'adressèrent au chef, tandis que les conseillers écoutaient gravement et attentivement leur conversation. Koumalo entendit Jarvis dire au magistrat :

— C'est trop long. Le magistrat haussa les épaules en disant :

— C'est comme ça que ça se passe. Alors, Jarvis dit :

— J'irai à Prétoria, ça ne vous contrarie pas ? Le magistrat répondit :

– Ça ne me contrarie pas du tout ; cela pourrait bien être le meilleur moyen de l'obtenir. Alors Jarvis dit :

– Je ne m'ennuie pas avec vous, mais si vous ne voulez pas être trempés, vous feriez mieux de rentrer chez vous. Ça ne va pas être un orage ordinaire.

Mais Jarvis, lui, ne rentrait pas. Il dit au revoir au magistrat et se mit à marcher à travers les champs nus en comptant ses pas. Koumalo entendit le magistrat dire à l'un des hommes blancs :

– On dit qu'il a perdu la boule ; d'après ce que je sais, il n'aura bientôt plus d'argent.

Puis le magistrat dit au chef :

– Vous veillerez à ce qu'on ne touche ni ne déplace aucun de ces bâtons. Il salua le chef et il remonta avec les autres hommes blancs dans la voiture qui reprit le chemin des collines. Le chef dit à ses conseillers :

– Vous donnerez les ordres pour qu'on ne touche ni ne déplace aucun de ces bâtons. Puis les conseillers s'éloignèrent sur leurs chevaux, chacun dans une autre direction, et le chef passa devant l'église en rendant à Koumalo son salut, mais sans s'arrêter pour lui expliquer cette affaire de bâtons.

Jarvis avait dit vrai : ce ne fut pas un orage ordinaire. Le ciel était noir et menaçant sur la vallée. Il n'y avait plus d'ombre glissant sur les champs, car tout à présent était ombre. De l'autre côté de l'Umzikulu, le tonnerre grondait continuellement et, par intervalles, des éclairs éclataient sur les lointaines collines. Mais c'était ce que tous attendaient, la pluie enfin. Les femmes se hâtaient sur les chemins et, dans un soudain tumulte de voix, les enfants se déversèrent de l'école, pressés par le directeur et les maîtresses qui leur disaient :

– Dépêchez-vous, dépêchez-vous, ne flânez pas en chemin.

C'était un spectacle qu'un orage pareil. Un grand banc de lourds nuages noirs avançait au-dessus de l'Umzikulu, et Koumalo resta longtemps à le regarder. Le tonnerre y grondait et des éclairs en sortaient qui illuminaient la terre. Le vent s'éleva dans la vallée de Ndotshéni et la poussière tourbillonnait au-dessus des champs et au long des routes. Il faisait très sombre et bientôt les collines de l'autre côté de l'Umzikulu disparurent derrière un rideau de pluie. Il vit Jarvis se hâter vers son cheval qui s'agitait devant la barrière où il était attaché. En quelques mouvements rapides et adroits, il le débarrassa de la selle et de la bride, puis lui dit un mot et le détacha. Ensuite, il se dirigea rapidement vers Koumalo en lui criant de loin :

– Umfundisi !

– Umnumzana.

– Puis-je laisser ces choses sous votre porche, umfundisi, et me mettre à l'abri dans votre église ?

– Assurément. Je vous y accompagne, umnumzana.

Ils entrèrent donc dans l'église, et il était grand temps, car le tonnerre retentit au-dessus d'eux et ils entendirent la pluie qui se précipitait à travers champs. Un instant plus tard, elle tambourinait sur le toit de tôle avec un bruit assourdissant qui rendait toute conversation impossible. Koumalo alluma une lampe dans l'église et Jarvis s'assit sur un des bancs et y demeura sans bouger.

Mais il ne fallut pas longtemps à la pluie pour trouver les trous dans le vieux toit rouillé et Jarvis fut bien obligé de se déplacer pour l'éviter.

Koumalo, qui éprouvait le besoin de s'excuser, lui cria :

– Le toit fuit, et Jarvis lui répondit en criant aussi :

– Je m'en suis aperçu.

Mais la pluie se mit à tomber du toit sur la nouvelle place où Jarvis était assis et il dut de nouveau se lever. Il s'avança dans la demi-obscurité en tâtant les bancs avec sa main, mais il était difficile de trouver un endroit où s'asseoir, car là où le banc présentait une place sèche, la pluie tombait sur le sol, et quand le sol était sec il pleuvait sur le banc.

– Le toit fuit en plusieurs endroits, cria Koumalo, et Jarvis cria en réponse :

– Je m'en suis aperçu aussi.

Enfin, Jarvis découvrit un endroit où la pluie ne tombait pas trop fort et Koumalo se trouva lui aussi une place et ils restèrent assis tous les deux en silence. Mais autour d'eux il n'y avait pas de silence, car le tonnerre grondait et l'averse assourdissante martelait le toit.

Ils restèrent ainsi longtemps, et ce ne fut que lorsqu'ils entendirent se réveiller les ruisseaux desséchés, qu'ils comprirent que l'orage s'apaisait. En effet, le tonnerre s'éloignait, une lumière diffuse pénétrait dans l'église et la pluie faisait moins de bruit sur le toit.

L'averse avait à peu près cessé lorsque Jarvis se leva et s'approcha de Koumalo debout dans la nef. Il dit, sans regarder le vieillard :

– La grâce a-t-elle été accordée ?

Koumalo sortit la lettre de son portefeuille avec des mains qui tremblaient, en partie à cause de son chagrin, et en partie parce qu'il était toujours ainsi auprès de cet homme. Jarvis prit la lettre et la tint de façon qu'une pâle clarté y tombât. Puis il la remit dans l'enveloppe et la rendit à Koumalo.

– Je ne suis pas bien au courant de ces choses, dit-il, mais je comprends.

– Je vous entends, umnumzana.

Jarvis se tut un instant en regardant l'autel et la croix au-dessus de l'autel.

– Le 15 de ce mois, je me souviendrai. Restez bien, umfundisi.

Mais Koumalo ne répondit pas : Allez bien. Il n'offrit pas de porter la selle et la bride et ne pensa pas à remercier Jarvis pour le lait. Et il pensa encore moins à demander des explications à propos des bâtons. Et, quand enfin il se leva et sortit de l'église, Jarvis était parti. Il pleuvait encore, mais légèrement et la vallée était remplie du bruit des ruisseaux et les rives toutes rouges du sang de la terre.

Ce soir-là, ils sortirent tous dans la lumière rose du couchant et ils examinèrent les bâtons mais personne ne comprenait leur objet. Les petits garçons faisaient semblant de les arracher, ils les saisissaient près de la terre et levaient au ciel des yeux blancs en simulant un gros effort. Les petites filles les regardaient avec un mélange d'amusement et d'appréhension. Ce jeu se poursuivit sans dommage jusqu'au moment où le plus jeune fils de Dazuma arracha un bâton par mégarde et s'arrêta consterné par ce qu'il venait de faire. Il y eut un grand silence et les petits garçons regardèrent craintivement leurs aînés, et les petites filles coururent vers leurs mères, les unes pleurant, les autres avec de petits cris apeurés et d'autres en disant :

– Nous vous l'avions dit, nous vous l'avions dit ! Le jeune délinquant fut enlevé par sa mère qui le secoua en criant :

– Tu me fais honte, tu me fais honte. Et les quelques hommes qui habitaient encore cette vallée examinèrent le sol alentour et l'un d'eux dit :

– Voilà le trou. Et ils replacèrent soigneusement le bâton, et l'on aurait dit qu'il n'en avait jamais été retiré. Mais quelqu'un dit :

– Remuez un peu la terre, car elle est mouillée et l'on voit que vous l'avez piétinée. Et ils firent ce qu'il leur disait et ils rassemblèrent des cailloux, et vraiment il était impossible de voir une différence entre le sol au pied de ce bâton-là et au pied des autres.

Puis la carriole de lait arriva et les mères des petits enfants ou quelque messager envoyé par elles vinrent à l'église chercher leur part.

– Qu'est-ce que c'est que tous ces bâtons ? demanda Koumalo à son ami.

– Umfundisi, je n'en sais rien. Mais demain, j'essaierai de me renseigner.

XXXIII

Les bâtons demeurèrent plantés pendant plusieurs jours aux endroits où les hommes les avaient mis, mais aucun de ces hommes ne revint dans la vallée. Le bruit courait qu'on allait construire là un barrage, et personne ne savait comment il se remplirait, car le petit ruisseau qui longeait l'église était parfois à sec et, en aucune saison, n'était une grande rivière. L'ami de Koumalo lui dit que Jarvis était parti pour Prétoria et que c'était sûrement pour l'affaire des bâtons, c'est-à-dire l'affaire du barrage.

Ainsi passaient les jours. Koumalo priait régulièrement pour la renaissance de Ndotshéni et le soleil se levait et se couchait régulièrement sur la terre.

L'enfant de Kuluse était guéri et Koumalo accomplissait ses devoirs de pasteur. L'école poursuivait son enseignement et les enfants y étudiaient les graines et les plantes, et quelle est la meilleure variété d'herbe pour les pâturages, et quels sont les meilleurs engrais, et quel est le meilleur aliment pour le bétail. Il se surprenait à attendre de plus en plus impatiemment le retour de Jarvis afin d'apprendre quels plans avaient été arrêtés ; et il inclinait de plus en plus à penser que ce serait par Jarvis et par Jarvis seul que le grand miracle s'accomplirait.

La jeune femme était heureuse dans son nouveau foyer, car elle avait un caractère dévoué et affectueux. Le petit garçon jouait avec les autres petits garçons et n'avait pas réclamé sa mère plus d'une ou deux fois ; un peu de temps encore, et il l'oublierait. Personne ne demandait de nouvelles d'Absalon, et si les gens en parlaient dans leurs huttes cela ne changeait rien à leur respect pour le vieil umfundisi.

Un jour, le petit garçon blanc vint au galop de son cheval, et, comme Koumalo sortait pour le saluer, il souleva sa casquette ainsi que la première fois, et Koumalo se sentit tout animé de plaisir à revoir son petit visiteur.

– Je suis venu pour parler zoulou, dit le petit garçon. Il glissa en bas de son cheval et passa les rênes autour du piquet. Il se dirigea vers la maison avec l'assurance d'un homme, s'essuya les pieds et ôta sa casquette avant d'entrer. Il s'assit à la table et regarda autour de lui avec un plaisir rayonnant qui donnait à Koumalo l'impression qu'un être brillant était dans sa maison.

– Est-ce que les comptes sont finis, umfundisi ?

– Oui, ils sont finis, inkosana.

– Est-ce qu'ils étaient justes ?

Koumalo se mit à rire, il ne pouvait s'en empêcher.

– Oui, ils étaient justes, dit-il. Mais pas très bons.

– Pas très bons, ah ? Vous êtes prêt pour le zoulou ?

Koumalo rit encore, s'assit dans son fauteuil de l'autre côté de la table et dit :

– Oui, je suis prêt pour le zoulou. Quand est-ce que votre grand-père doit rentrer ?

– Je ne sais pas, dit le petit garçon. Je voudrais qu'il rentre. Je l'aime beaucoup.

Koumalo eut encore envie de rire mais se dit que

ce n'était sans doute pas là une chose risible. Ce fut le petit garçon qui lui-même se mit à rire et Koumalo l'imita. C'était facile de rire avec un petit garçon qui semblait tout rempli de rires.

– Quand repartez-vous pour Johannesbourg, inkosana ?

– Quand mon grand-père sera de retour.

Koumalo lui dit en zoulou :

– Quand vous partirez, quelque chose de brillant disparaîtra de Ndotshéni.

– Qu'est-ce que vous dites, umfundisi ?

Mais comme Koumalo allait traduire sa phrase, le petit garçon lui cria :

– Non, ne me le dites pas. Répétez-le en zoulou !

Koumalo répéta ce qu'il venait de dire.

– Ça veut dire, fit le petit garçon, ça veut dire : quand vous serez parti, répétez le reste.

– Quelque chose de brillant disparaîtra de Ndotshéni, répéta Koumalo en zoulou.

– Quelque chose à propos de Ndotshéni, mais c'est trop difficile pour moi. Dites-le en anglais, umfundisi.

– Quelque chose de brillant disparaîtra de Ndotshéni, dit Koumalo en anglais.

– Oui, je comprends. Quand je m'en irai quelque chose de brillant disparaîtra de Ndotshéni.

Le petit garçon rit de plaisir.

– Je vous entends, dit-il en zoulou.

Et Koumalo frappa des mains, de surprise, et dit :

– Oh ! oh ! mais vous parlez zoulou ! ce qui fit rire le petit garçon avec plus de plaisir encore, et Koumalo frappa de nouveau dans ses mains en poussant de nombreuses exclamations. La porte s'ouvrit et sa femme entra et il dit au petit garçon :

– Voici ma femme, et il dit à sa femme en zoulou :

– C'est le fils de cet homme. Le petit garçon se

leva et s'inclina devant la femme de Koumalo qui le regardait avec crainte et chagrin. Mais il lui dit :

– Vous avez une jolie maison, et il rit. Elle dit à son mari en zoulou :

– Je suis stupéfaite, je ne sais pas quoi dire. Et le petit garçon dit en zoulou :

– Je vous entends, ce qui la fit reculer d'un pas avec effroi. Mais Koumalo lui dit vivement :

– Il ne te comprend pas, il répète ces mots qu'il a entendus voilà tout, puis, s'adressant au petit garçon, il s'écria en frappant des mains avec étonnement :

– Oh ! oh ! mais vous parlez zoulou ! Et la femme regagna la porte, l'ouvrit et la referma derrière elle. Ils étaient de nouveau seuls.

– Êtes-vous prêt pour le zoulou, umfundisi ?

– Oui, je suis prêt.

– Arbre se dit mnuti, umfundisi.

– C'est vrai, inkosana.

– Mais médicament aussi se dit mnuti, umfundisi. Le petit garçon dit cela avec un air de triomphe et de surprise enjouée qui les fit rire tous les deux.

– Voyez-vous, inkosana, reprit Koumalo avec sérieux, presque tous nos médicaments viennent des arbres. C'est pourquoi on emploie le même mot.

– Je comprends, dit le petit garçon satisfait de l'explication. Et boîte, c'est ibokisi.

– C'est vrai, inkosana. Voyez-vous, nous n'avions pas de boîtes, c'est pourquoi nous avons adopté votre mot à vous.

– Je comprends. Et motocyclette se dit isitututu.

– Parfaitement. C'est le bruit que fait la moto-cyclette : isi-tu-tu-tu. Maintenant, inkosana, construisons une phrase. Parce que vous me dites tous les mots que vous savez et vous n'apprendrez

rien de nouveau ainsi. Allons, comment dites-vous :
Je vois un cheval ?

La leçon continua de la sorte jusqu'au moment
où Koumalo dit à son élève :

– Il est bientôt midi, il faut peut-être que vous
vous en alliez.

– Oui, il faut que je m'en aille, mais je reviendrai
parler zoulou.

– Revenez, bien sûr, inkosana. Vous parlerez
bientôt mieux que beaucoup de Zoulous. Et si vous
parlez dans l'obscurité, personne ne devinera que
vous n'êtes pas un Zoulou.

Le petit garçon était content et, quand ils furent
dehors, il dit :

– Aidez-moi à me mettre en selle, umfundisi.
Koumalo l'aida et le petit garçon souleva sa
casquette et partit au galop vers la route. Une auto
la montait, et le petit garçon retint son cheval et
cria :

– Mon grand-père est rentré ! Puis il frappa son
cheval et s'élança à la poursuite de la voiture.

Un jeune homme se tenait debout devant l'église,
un jeune homme de vingt-cinq ans environ, au
visage plaisant. Il avait posé ses valises par terre à
côté de lui. Il ôta son chapeau et dit en anglais :

– Vous êtes l'umfundisi ?

– Oui.

– Moi, je suis le nouvel ingénieur agronome.
Voulez-vous voir mes papiers, umfundisi ?

– Entrez chez moi, dit Koumalo très excité.

Ils entrèrent dans la maison, et le jeune homme
sortit ses papiers et les montra à Koumalo. Ces
papiers étaient des lettres de pasteurs, d'inspecteurs
scolaires et autres qui disaient que le porteur,
Napoléon Letsitsi, était un jeune homme d'habitudes sobres et de bonne conduite, et un autre papier

certifiait qu'il était sorti d'une école de Transkei avec le rang d'ingénieur agronome.

– Je vois, dit Koumalo. Mais il faut me dire pourquoi vous êtes venu ici. Qui vous adresse à moi ?

– Mais l'homme blanc qui m'a amené.

– Jarvis, c'est là son nom ?

– Je ne sais pas son nom, umfundisi, mais c'est l'homme blanc qui vient juste de partir.

– Oui, c'est bien Jarvis. Maintenant racontez-moi tout.

– Je suis venu ici pour enseigner à cultiver, umfundisi.

– Nous enseigner à nous, à Ndotshéni ?

– Oui, umfundisi.

Le visage de Koumalo s'éclaira et il regarda son interlocuteur, les yeux brillants.

– Vous êtes un ange de Dieu, dit-il. Il se leva et se mit à arpenter la pièce en tapant des mains tandis que le jeune homme le suivait des yeux avec étonnement. Koumalo le vit, rit et répéta :

– Vous êtes un ange de Dieu. Puis il se rassit et dit au jeune ingénieur :

– Où est-ce que l'homme blanc vous a trouvé ?

– Il est venu chez moi à Krugersdorp. J'enseignais là, dans une école. Il m'a demandé si je voulais faire un grand travail et m'a parlé de cet endroit, Ndotshéni. Et j'ai eu envie de venir.

– Et votre travail à l'école ?

– Je ne suis pas un vrai professeur aussi on ne me payait pas bien. Et l'homme blanc m'a dit qu'ici j'aurai dix livres par mois, alors je suis venu. Mais ce n'est pas seulement à cause de l'argent. Il n'y avait pas grand-chose à faire là-bas dans cette école.

Koumalo sentit une petite morsure d'envie, car

il n'avait jamais gagné dix livres par mois, de toutes ses soixante années d'existence. Mais il écarta ce sentiment.

– L'homme blanc m'a demandé si je parlais zoulou et j'ai dit que non, mais que je savais le xosa comme ma propre langue, car ma mère était Xosa. Et il a dit que ça irait, car le xosa et le zoulou se ressemblent beaucoup.

La femme de Koumalo ouvrit la porte et dit :

– C'est l'heure de manger. Koumalo dit en zoulou :

– Ma femme, voici M. Letsitsi qui est venu enseigner à nos gens à cultiver. Et il dit à Letsitsi :

– Vous mangerez avec nous.

Puis Letsitsi fut présenté à la jeune femme et au petit garçon. Quand Koumalo eut prononcé les grâces, tout le monde s'assit et Koumalo demanda en zoulou :

– Quand êtes-vous arrivé à Pietermaritzbourg ?

– Ce matin, umfundisi. Et, de là, nous sommes montés en auto jusqu'ici.

– Et que pensez-vous de l'homme blanc ?

– Il est très silencieux, umfundisi. Il ne m'a pas beaucoup parlé.

– Il est comme ça.

– Nous nous sommes arrêtés en chemin pour regarder une vallée. Et il a dit :

– Qu'est-ce que vous feriez dans une vallée pareille ? C'étaient les premières paroles qu'il m'adressait de tout le voyage.

– Et lui avez-vous dit ce que vous feriez ?

– Je le lui ai dit.

– Et qu'a-t-il répondu ?

– Il n'a rien répondu, umfundisi. Il a fait un bruit avec sa gorge et c'est tout.

– Et ensuite ?

– Il n'a plus rien dit jusqu'à ce que nous arrivions ici. Alors il m'a dit :

– Allez chez l'umfundisi et demandez-lui de vous trouver un logement. Dites-lui que je regrette de ne pas m'arrêter, mais que je suis impatient de rentrer chez moi.

Koumalo et sa femme échangèrent un regard.

– Nos chambres sont petites et c'est ici la maison d'un pasteur, dit Koumalo, mais vous pouvez y rester si vous le souhaitez.

– Ma famille aussi est d'Église, umfundisi. Je serais heureux d'habiter ici.

– Et que ferez-vous dans cette vallée ?

Le jeune ingénieur rit.

– Il faut d'abord que je la regarde, dit-il.

– Mais qu'auriez-vous fait dans cette autre vallée ?

Le jeune homme leur dit tout ce qu'il aurait fait dans l'autre vallée. Il leur dit qu'il fallait cesser de brûler le fumier pour se chauffer mais le remettre dans la terre, qu'il fallait récolter les mauvaises herbes et les traiter et ne plus les laisser se faner au soleil, qu'il fallait cesser de labourer en suivant le flanc des collines, qu'il fallait planter des arbres pou faire du feu, des arbres qui poussent vite comme les acacias, dans les endroits où ils ne pouvaient pas labourer, sur la rive escarpée des ruisseaux afin que l'eau ne s'échappe pas en torrents. Mais c'étaient là des choses difficiles à faire, parce qu'il fallait d'abord apprendre aux gens qu'il n'est pas bon que chacun cherche à tirer sa subsistance de son petit bout de terre. Il fallait que certains abandonnent leur terre pour qu'on y plante des arbres, et d'autres pour qu'on en fasse des pâturages. Et le plus difficile serait d'abolir la coutume du *lobola* selon laquelle un homme paie tant de têtes de bétail pour sa femme, car cela incitait les gens à entretenir trop de bétail et à compter leur fortune par têtes de bétail si bien que l'herbe ne repoussait plus.

– Et est-ce qu'on va faire un barrage ? demanda Koumalo.

– Oui, on va faire un barrage, répondit le jeune homme, afin que le bétail ait toujours de l'eau à boire. Et l'eau du barrage pourra s'écouler par une grille pour irriguer les champs et les pâturages.

– Mais d'où viendra l'eau ?

– On l'amènera d'une rivière dans un tuyau, dit le jeune ingénieur. C'est ce que l'homme blanc m'a dit.

– Ce doit être sa rivière, dit Koumalo. Mais toutes ces choses que vous venez de dire, est-ce qu'elles pourront se faire à Ndotshéni ?

– Attendez que j'aie vu la vallée, dit l'ingénieur en riant.

– Mais vous l'avez traversée en venant, dit Koumalo impatient.

– Oui, je l'ai vue, bien sûr. Mais il faut que je la regarde en détail. Oui, je crois que tout cela pourra se faire ici.

Ils s'étaient tous assis autour de la table, le visage animé, car ce jeune homme savait vous faire voir les choses. Et Koumalo regarda sa famille et dit :

– J'ai dit à ce jeune homme qu'il était un ange de Dieu. Trop excité pour rester assis, il se mit à marcher autour de la table.

– Vous êtes impatient de commencer ? demanda-t-il.

Le jeune homme rit, un peu gêné.

– Je suis impatient, dit-il.

– Par quoi allez-vous commencer ?

– Il faut d'abord que j'aille voir le chef, umfundisi.

– Oui, c'est vrai, c'est la première chose à faire.

A ce moment, il entendit le galop d'un cheval et sortit voir si c'était le petit garçon qui revenait déjà.

C'était lui, en effet, mais il ne descendit pas de son cheval et il s'adressa à Koumalo du haut de sa selle. Il parlait vite et d'un air très sérieux comme s'il s'agissait d'une affaire d'importance.

– C'était moins cinq, dit-il.

– Cinq, répéta Koumalo. Moins cinq ?

– C'est de l'argot, dit le petit garçon. Mais il ne riait pas, il était trop sérieux. Ça veut dire qu'on a eu tout juste le temps, dit-il. Voyez-vous, si mon grand-père n'était pas rentré si tôt, je n'aurais pas pu revenir vous dire au revoir.

– Alors vous partez, inkosana ?

Mais le petit garçon ne répondit pas directement à sa question. Il vit que Koumalo était intrigué et il voulait s'expliquer.

– Voyez-vous, si mon grand-père était rentré plus tard, peut-être que je n'aurais pas eu le temps de revenir ici. Mais il est rentré assez tôt, heureusement.

– Cela signifie que vous partez demain, inkosana ?

– Oui, demain. Par le train à voie étroite, vous savez, le petit train.

– Oh ! inkosana.

– Mais je reviendrai pour les vacances, et nous parlerons encore zoulou.

– Ce sera un plaisir, dit Koumalo simplement.

– Alors, au revoir, umfundisi.

– Au revoir, inkosana.

Puis il dit en zoulou :

– Allez bien, inkosana. Le petit garçon réfléchit un moment et fronça les sourcils. Puis il dit en zoulou :

– Restez bien, umfundisi. Et Koumalo se récria de surprise, et le petit garçon rit en soulevant sa casquette puis s'éloigna dans un grand nuage de poussière. Il galopa jusqu'à la route, mais là s'arrêta, se retourna et salua encore une fois avant de poursuivre son chemin.

Comme Koumalo restait debout sur le seuil à le suivre des yeux, le jeune ingénieur vint le rejoindre.

– Et celui-là, dit Koumalo avec un grand sérieux à l'ingénieur, celui-là, c'est un petit ange de Dieu.

Ils se retournèrent pour rentrer dans la maison et Koumalo demanda :

– Alors, vous croyez qu'on peut faire beaucoup de choses ici ?

– On peut faire beaucoup de choses, umfundisi.

– Vraiment ?

– Umfundisi, dit le jeune homme, et son visage était plein d'ardeur, il n'y a aucune raison pour que cette vallée ne redevienne pas ce qu'elle était autrefois. Mais cela ne se fera pas vite. Pas en un jour.

– Si Dieu le veut, avant ma mort, dit humblement Koumalo. Car j'ai passé toute ma vie dans la destruction.

XXXIV

Tout était prêt pour la confirmation. Les femmes de l'Église étaient là dans leurs robes blanches avec leurs mouchoirs verts autour du cou. Les hommes qui n'étaient pas partis et qui appartenaient à cette Église étaient là en habits du dimanche, c'est-à-dire dans leurs habits de travail, raccommodés, nettoyés et brossés. Les enfants, héros de la cérémonie, étaient là, les filles en robes et bonnets blancs, les garçons dans les vêtements qu'ils mettaient pour aller à l'école mais raccommodés, nettoyés et brossés. Les femmes s'affairaient dans la maison à aider la femme de l'umfundisi, car, après la confirmation, un repas devait avoir lieu composé de thé bouilli jusqu'à ce qu'il ne restât plus une parcelle de thé dans les feuilles, et de lourds gâteaux de farine de maïs. C'était un repas simple mais qu'on mangerait de compagnie.

Au-dessus de la grande vallée, les nuées d'orage se rassemblaient de nouveau dans la chaleur oppressante, et l'on ne savait pas s'il fallait s'en réjouir ou le déplorer. Les grandes ombres mouvantes se projetaient sur la terre rouge, sur les collines nues. Les gens regardaient le ciel, puis la route par laquelle devait venir l'évêque et ne savaient pas s'ils devaient se réjouir ou se désoler. Car il était certain qu'avant le coucher du soleil les éclairs fouetteraient les collines et que le tonnerre y gronderait.

Koumalo regarda anxieusement le ciel puis la route par laquelle devait venir l'évêque, et il fut surpris d'y voir paraître son ami conduisant la carriole de lait. Car le lait n'arrivait jamais si tôt.

– Vous êtes en avance, mon ami.

– Je suis en avance, umfundisi, répondit gravement l'ami. Nous ne travaillons pas aujourd'hui. L'inkosikazi est morte.

– Oh! oh! dit Koumalo. Ce n'est pas possible.

– Mais si, umfundisi. Le soleil était là – et il désignait du doigt le ciel juste au-dessus de sa tête – quand elle est morte.

– Oh! oh! c'est bien triste.

– C'est bien triste, umfundisi.

– Et l'umnumzana?

– Il ne dit rien. Vous savez comme il est. Mais on sent qu'il est lourd. Umfundisi, je vais rentrer chez moi pour me laver et, après ça, je pourrai venir à la confirmation.

– Alors, partez, mon ami.

Koumalo rentra dans sa maison et dit à sa femme:

– L'inkosikazi est morte. Et elle dit:

– Oh! oh! Et les femmes dirent comme elle. Quelques-unes pleurèrent et elles parlèrent de la bonté de la femme qui était morte. Koumalo alla à sa table et s'assit pour réfléchir à ce qu'il devait faire. La confirmation terminée, il monterait à la maison du Haut-Val et exprimerait à Jarvis le chagrin de la vallée. Mais il se représenta la maison en deuil et toutes les autos des blancs qui seraient là, et les femmes vêtues de noir par petits groupes parlant gravement à voix basse, car il avait déjà vu cela. Et il se dit qu'il ne pourrait y aller, car cela n'était pas conforme à l'usage. Il resterait isolé dans son coin et, à moins que Jarvis lui-même ne vînt à lui, personne ne lui demanderait pourquoi il était là, personne ne saurait qu'il était porteur d'un message. Il soupira et sortit du papier de son tiroir. Il décida qu'il fallait écrire en anglais, car, bien que la plupart des blancs de cette contrée parlassent zoulou, il y en avait peu qui fussent capables de le lire ou l'écrire. Il commença donc une lettre. Il écrivit beaucoup de choses qu'il déchira et jeta, mais il finit par venir à bout de sa tâche.

« Umnumzana,
« Nous sommes attristés ici dans cette Église d'apprendre que la mère est décédée et nous le comprenons et en souffrons avec des larmes. Nous sommes sûrs aussi qu'elle savait ce que vous faisiez pour nous et qu'elle y avait sa part. Nous prierons dans cette Église pour le repos de son âme et pour vous aussi dans votre douleur.
« Votre fidèle serviteur,
« Rév. S. Koumalo. »

La lettre terminée, il resta assis à se demander s'il l'enverrait. Car cette femme était peut-être morte, le cœur brisé par la mort de son fils. Alors, était-ce à lui, le père de celui qui l'avait tué, d'envoyer une telle lettre ? N'avait-il pas entendu dire qu'elle était maigre et malade ? Il grommela en se débattant au milieu de ces pensées compliquées, mais, tandis qu'il hésitait, il pensa aux dons de lait, et au jeune ingénieur qui était venu enseigner la culture, et, surtout, il se rappela la voix de Jarvis disant, comme s'il parlait en ce moment dans cette pièce :
– La grâce a-t-elle été accordée ? Et il comprit alors que c'était un homme qui, lorsqu'il mettait le pied sur une route, ne s'en laissait écarter par rien

ni personne. Aussi cacheta-t-il sa lettre, sortit, appela un petit garçon et lui dit :

– Mon enfant, veux-tu porter une lettre pour moi ? Et le petit garçon dit : – Je le ferai, umfundisi.

– Va chez Kuluse, dit Koumalo, et demande-lui son cheval et porte cette lettre à la maison de Jarvis. Ne dérange pas l'umnumzana, mais remets cette lettre à la première personne que tu verras là-bas. Et, mon enfant, sois silencieux et respectueux, et n'appelle pas à grands cris, et ne ris pas et ne parle pas, car l'inkosikazi est morte. Comprends-tu ?

– Je comprends complètement, umfundisi.

– Va donc, mon enfant. Je regrette que tu ne puisses pas rester ici pour voir la confirmation.

– Ça ne fait rien, umfundisi.

Koumalo alla ensuite annoncer aux gens que l'inkosikazi était morte. Et tous se turent, et s'il y en avait qui criaient, riaient ou parlaient légèrement, ils s'arrêtèrent. Ils continuèrent à parler tranquillement à voix basse jusqu'à l'arrivée de l'évêque.

Il faisait sombre dans l'église et il fallut allumer les lampes pour la confirmation. Les grands nuages lourds passaient au-dessus de la vallée et les éclairs illuminaient les collines rousses et désolées d'où la terre s'était arrachée comme une chair. Le tonnerre grondait dans les vallées de vieillards, de femmes et d'enfants. Les hommes étaient partis, les jeunes hommes, et les jeunes femmes aussi, car le sol ne pouvait plus les nourrir. Et ces enfants qui sont aujourd'hui dans cette église, eux aussi s'en iront bientôt, car le sol ne peut plus les nourrir.

Il faisait sombre dans l'église et la pluie se mit à tomber par les trous du toit. Des flaques d'eau se formaient sur le sol et les gens se déplaçaient de çà de là pour éviter la pluie. Il y avait des robes blanches mouillées, et une fillette se mit à claquer des dents, car, consciente de la solennité de la cérémonie, elle n'osait bouger pour éviter de se faire tremper. Et la voix de l'évêque disait :

– Protège, ô Seigneur, Ton enfant que voici avec Ta grâce céleste afin qu'il demeure Tien à jamais et progresse chaque jour dans Ton Saint-Esprit jusqu'à ce qu'il pénètre dans Ton royaume éternel. Et il dit cela à chaque enfant qui passait devant lui pour recevoir la confirmation.

La cérémonie terminée, ils se pressèrent dans la maison autour des simples mets. Koumalo dut inviter ceux que l'on ne confirmait pas ce jour-là ou qui n'étaient point parents de ceux qu'on confirmait ce jour-là à rester dans l'église, car il continuait à pleuvoir à verse bien que les éclairs et le tonnerre se fussent éloignés. La maison était pleine à craquer ; il y avait des gens dans la cuisine et dans la pièce où Koumalo faisait ses comptes et dans la pièce où ils mangeaient et dans la pièce où ils couchaient et il y en avait même dans la chambre du jeune ingénieur.

Enfin, la pluie cessa, et l'évêque et Koumalo se trouvèrent seuls dans la pièce où Koumalo faisait ses comptes. L'évêque alluma sa pipe et dit à Koumalo :

– Monsieur Koumalo, je voudrais vous parler. Et Koumalo s'assit, le cœur étreint, redoutant ce qu'il allait dire.

– J'ai appris tous vos malheurs avec beaucoup de chagrin, mon ami.

– Ils ont été lourds, Monseigneur.

– Je n'ai pas voulu ajouter à vos soucis, monsieur Koumalo, après tout ce que vous avez souffert. C'est pourquoi j'ai attendu cette confirmation.

– Oui, Monseigneur.

– Je vous parle avec beaucoup de sympathie, mon ami. Soyez-en sûr.

– Oui, Monseigneur.

– Mais je pense, monsieur Koumalo, que vous devriez quitter Ndotshéni.

Oui, c'est cela qu'il avait à dire, et maintenant c'était dit. Oui, c'est cela que je redoutais. Emmenez-moi d'ici et je mourrai. Je suis trop vieux pour recommencer ailleurs. Je suis vieux, je suis fragile. Mais j'ai essayé d'être un père pour ces gens. Pourquoi n'étiez-vous pas là, ô évêque, le jour où je suis rentré à Ndotshéni ? Vous auriez vu alors que ces gens m'aiment malgré mon âge. Vous auriez entendu ce qu'a dit cette enfant : On est content que l'umfundisi soit rentré, l'autre, on ne le comprenait pas. Allez-vous m'enlever d'ici au moment où de nouvelles choses commencent à se passer, quand il y a du lait pour les enfants, quand le jeune ingénieur vient d'arriver, et que les bâtons pour le barrage sont plantés dans le sol ? Les larmes remplissent les yeux et les yeux se ferment, et les larmes forcent les paupières et elles tombent sur l'habit noir tout neuf acheté pour cette confirmation avec l'argent du bien-aimé Msimangu. La vieille tête est courbée et le vieil homme reste assis comme un enfant sans un mot à dire.

– Monsieur Koumalo, dit doucement l'évêque, puis il répète plus haut : monsieur Koumalo.

– Monsieur. Monseigneur.

– Je suis fâché de vous faire de la peine. Je suis fâché de vous faire de la peine. Mais ne croyez-vous pas vous-même qu'il vaut mieux vous en aller ?

– Il en sera comme vous déciderez, Monseigneur.

L'évêque se pencha en avant dans son fauteuil, les coudes sur ses genoux.

– Monsieur Koumalo, dit-il, n'est-il pas vrai que

le père de la victime est votre voisin ici à Ndotshéni,
M. Jarvis ?

– C'est vrai, Monseigneur.

– Eh bien, rien que pour cette raison, je pense que
vous devriez vous en aller.

Rien que pour cette raison ? Mais est-ce qu'il ne
descend pas ici pour me voir, et est-ce que le petit
garçon ne vient pas dans ma maison ? N'a-t-il pas
envoyé du lait pour les enfants, et n'a-t-il pas été
chercher ce jeune ingénieur pour enseigner la
culture aux gens ? Et est-ce que mon cœur ne saigne
pas pour lui maintenant que l'inkosikazi est morte ?
Mais comment dire ces choses à un évêque, à un
grand personnage du pays. Il y a des choses qu'on
ne peut pas dire.

– Vous me comprenez, monsieur Koumalo ?

– Je vous comprends, Monseigneur.

– Je vous enverrai à Pietermaritzbourg auprès de
votre vieil ami Ntombela. Vous pourrez l'aider et
cela le soulagera beaucoup. Il pourra s'occuper des
constructions, des écoles et des affaires matérielles,
et vous pourrez vous consacrer entièrement à la
religion. C'est le plan que j'ai arrêté.

– Je vous comprends, Monseigneur.

– Si vous restez ici, monsieur Koumalo, le
fardeau deviendra trop lourd pour vos épaules. Il
n'y a pas seulement le fait que M. Jarvis est votre
voisin, mais il va falloir un jour ou l'autre rebâtir
votre église et cela représentera beaucoup de
dépenses et de soucis. Vous avez vu vous-même
aujourd'hui dans quel état elle est.

– Oui, Monseigneur.

– Et j'ai appris que vous aviez ramené la femme
de votre fils pour vivre avec vous, et qu'elle attend
un enfant. Dans leur intérêt même, monsieur Koumalo, convient-il qu'ils restent ici ? Ne vaudrait-

il pas mieux vous installer tous quelque part où les gens ne soient pas au courant de ce qui s'est passé ?

– Je vous comprends, Monseigneur.

On frappa à la porte et le petit garçon entra, le petit garçon qui avait emporté la lettre au Haut-Val. Il tenait une autre lettre à la main et la tendit à Koumalo, car elle était adressée au Révérend S. Koumalo, Ndotshéni. Il remercia l'enfant et ferma la porte, puis revint s'asseoir dans son fauteuil prêt à écouter les paroles de l'évêque.

– Lisez votre lettre, monsieur Koumalo, lui dit celui-ci.

Alors Koumalo ouvrit la lettre et la lut.

« Umfundisi,

« Je vous remercie pour votre message de sympathie et pour la promesse des prières de votre Église. Vous avez raison, ma femme était au courant de ce qui se fait en ce moment et y avait la plus grande part. Ce sont des choses que nous faisons en souvenir de notre fils bien-aimé. Un des derniers vœux qu'elle a exprimés était de faire bâtir une nouvelle église à Ndotshéni et je viendrai en parler avec vous.

« Sincèrement à vous,

« James Jarvis. »

« Il faut que vous sachiez que ma femme était souffrante avant notre voyage à Johannesbourg. »

Koumalo se leva et dit d'une voix qui étonna l'évêque :

– Ceci vient de Dieu. C'était une voix qui exprimait un grand soulagement, la fin d'une angoisse et qui contenait du rire et des pleurs. Il répéta en regardant autour de lui les murs de la pièce :

– Ceci vient de Dieu.

– Puis-je voir votre lettre de Dieu ? demanda sèchement l'évêque.

Koumalo s'empressa de la lui tendre et attendit impatiemment qu'il l'eût lue. Et l'évêque, après l'avoir lue, dit gravement :

– J'avais tort de plaisanter. C'est vraiment une lettre de Dieu.

Il la relut puis se moucha, la lettre sur ses genoux.

– Quelles sont ces choses qui se font ?

Koumalo lui parla du lait et du nouveau barrage qu'on allait construire et du jeune ingénieur. Et l'évêque se moucha à plusieurs reprises, et dit à Koumalo :

– C'est là une chose extraordinaire. C'est une des choses les plus extraordinaires que j'aie jamais entendues.

Et Koumalo lui expliqua le *post-scriptum* : Il faut que vous sachiez que ma femme était déjà souffrante avant notre voyage à Johannesbourg. Il lui expliqua ce que ces mots contenaient de compréhension et de pitié. Et il rapporta à l'évêque la question : La grâce a-t-elle été accordée ? et il lui parla du petit garçon qui venait le voir, du petit garçon tout pétri de rires.

L'évêque dit :

– Allons à l'église et prions, s'il y a un endroit sec où prier dans votre église. Après cela, il faudra que je m'en aille, car j'ai encore une longue route à faire. Je veux d'abord dire au revoir à votre femme et à votre belle-fille. Mais parlons de cette autre question : votre belle-fille et l'enfant qu'elle attend ?

– Nous avons prié ouvertement devant tous, Monseigneur. Que pouvait-on faire de plus ?

– C'est ainsi que l'on faisait jadis, dit l'évêque. Au temps où les hommes avaient la foi. Mais je ne devrais plus dire ça après ce que j'ai appris aujourd'hui.

L'évêque prit congé des gens de la maison, et Koumalo et lui allèrent à l'église. Devant la porte de l'église, l'évêque s'arrêta et dit gravement à Koumalo :

– Je vois que c'est la volonté de Dieu que vous restiez à Ndotshéni.

Après le départ de l'évêque, Koumalo resta debout devant l'église dans le crépuscule. La pluie avait cessé, mais le ciel était lourd de promesses. Il faisait frais et la brise soufflait doucement du grand fleuve et l'âme de l'homme était allégée. Et, tandis qu'il s'attardait là à contempler la vaste vallée, une voix cria du haut des cieux : Console-toi, console-toi, mon peuple, ces choses je les ferai pour toi et ne t'abandonnerai point.

Mais ce miracle ne se produisit pas comme on dit qu'ont lieu les miracles. Celui-ci prit la forme que les hommes appellent illusion, ou imagination d'un esprit surmené ou encore divine intuition.

Lorsqu'il rentra chez lui, il y trouva sa femme et la jeune femme et quelques autres femmes de l'Église, et l'ami qui avait porté son sac, occupés à tresser une couronne. Ils avaient une branche de cyprès, car un cyprès solitaire poussait devant la hutte de son ami, le seul de toute la vallée de Ndotshéni, et personne ne se rappelait comment il s'était mis à pousser là. Ils avaient lié cette branche en cercle et assez solidement pour que le cercle ne s'ouvrît pas ; et ils l'avaient rempli des fleurs du veld, celles qui poussaient malgré la désolation de la vallée.

– Ça ne me plaît pas, umfundisi. Qu'est-ce qui ne va pas ? Ça n'a pas l'air d'une couronne de personne blanche.

– Elles emploient des fleurs blanches, dit la nouvelle maîtresse d'école. J'ai souvent remarqué qu'elles employaient des fleurs blanches, à Pietermaritzbourg.

– Umfundisi, dit l'ami très excité, je sais où trouver des fleurs blanches, des arums et des lis.

– Des arums et des lis, c'est cela qu'on emploie, confirma la nouvelle maîtresse d'école, très excitée elle aussi.

– Mais c'est loin. Ils poussent près de la ligne de chemin de fer, du côté de Carisbrooke, le long d'un petit ruisseau que je connais.

– C'est loin, dit Koumalo.

– J'y vais, dit l'homme. Ce n'est pas trop loin pour une chose pareille. Pouvez-vous me prêter une lanterne, umfundisi ?

– Sûrement, mon ami.

– Et il y faut un ruban blanc, dit la maîtresse d'école.

– J'en ai un chez moi, dit une des femmes. Je vais aller le chercher.

– Et toi, Stephen, veux-tu écrire une carte ? Est-ce que tu as une carte comme il faut ?

– Il faut que les bords soient noirs, dit la maîtresse d'école.

– Oui, je trouverai une carte, dit Koumalo, et je noircirai les bords avec de l'encre.

Il alla dans la pièce où il faisait ses comptes et trouva une carte dans le tiroir.

Il y écrivit très soigneusement :

Avec les condoléances
des paroissiens de l'église Saint-Marc.
Ndotshéni.

Il était occupé à noircir les bords en s'appliquant pour ne pas faire de pâtés sur la carte, lorsque sa femme l'appela pour dîner.

XXXV

On laboure à Ndotshéni et dans toutes les fermes alentour. Mais le labour est lent, car le jeune ingénieur et, derrière lui, le chef enseignent aux gens qu'ils ne doivent plus suivre la pente des collines. Ils bâtissent des petits murs de terre et labourent en spirale autour des collines, et les champs n'ont plus du tout le même aspect qu'autrefois. Les femmes et les enfants ramassent la bouse mais, une fois étalée dans les champs, on s'aperçoit qu'il y en a si peu que le chef a ordonné qu'on construise un enclos où le bétail sera rassemblé et où il sera plus facile de récolter la bouse ; mais ce n'est pas commode, car il n'y aura rien à manger dans l'enclos. Le jeune ingénieur hoche la tête mais il dit que cela ira mieux l'année prochaine. On fait bouillir les graines d'acacia et personne n'a jamais rien vu de semblable dans cette vallée, mais ceux qui ont travaillé pour les fermiers blancs disent que c'est bien et ils les font bouillir. Pour planter ces graines, on a choisi un ou deux emplacements désolés, mais le jeune ingénieur hoche encore la tête, car il y a bien peu de nourriture dans ce sol. Et l'ingénieur dit aux gens qu'ils peuvent jeter le maïs qu'ils avaient gardé pour le planter, car il est de qualité inférieure et il en a de meilleur qui vient de chez Jarvis. Mais ils ne le jettent pas, ils gardent pour le manger.

Tout cela ne s'est pas fait par magie. Il y a eu des réunions et beaucoup de silence et pas mal de bouderies. Seule la peur du chef a empêché ces réunions de dégénérer en disputes. Les plus mécontents étaient ceux qui devaient abandonner leurs champs. Le frère de Kuluse n'a pas parlé pendant plusieurs jours parce que le barrage devait empiéter sur sa terre et il n'était pas satisfait du pauvre lopin qu'on lui avait donné en échange. Il a fallu que l'umfundisi le persuadât, et il est difficile de refuser quelque chose à l'umfundisi, car c'est par lui qu'est venu le lait qui a sauvé l'enfant de son frère.

Le chef a fait allusion à des choses plus dures encore qu'il demanderait ; et le jeune ingénieur n'était pas content, d'ailleurs, qu'on ne les eût pas demandées tout de suite. Mais il aurait été difficile de faire consentir ces gens à tout d'un seul coup. Malgré cela, il espérait que, dès cette année les gens verraient de leurs yeux quelques résultats, mais, tout en disant cela, le jeune ingénieur hochait tristement la tête devant la misère du sol.

On racontait que le gouvernement ferait cadeau d'un taureau au chef, et le jeune ingénieur expliqua à Koumalo qu'ils se débarrasseraient des vaches les moins productrices, mais il ne dit pas cela à la réunion, car c'était là une mesure très dure pour des gens qui comptent leur fortune en têtes de bétail, même quand il s'agit d'un bétail aussi lamentable.

Mais le plus merveilleux, c'est la grande machine qui a combattu pendant la guerre, dit-on, et qui pousse la terre du frère de Kuluse par-dessus la ligne de bâtons et l'y amoncelle de plus en plus haut. Et le frère de Kuluse lui-même qui regardait cela d'un œil maussade ne peut pas s'empêcher d'éclater de rire, puis il se rappelle et se remet à bouder. Mais il trouve une certaine consolation dans la pensée que, l'année prochaine, quand le barrage sera plein, Zuma et son frère devront tous les deux abandonner leurs terres qui se trouvent au-dessous, car on a décidé d'y planter de l'herbe d'hommes blancs qui sera arrosée par le barrage, fauchée et jetée dans l'enclos où l'on gardera le bétail. Zuma et son frère s'étaient tous deux moqués de lui qui boudait à cause du barrage, alors c'est une espèce de revanche.

Oui, il y a quelque chose de nouveau dans cette vallée, un esprit, une vie, et beaucoup de sujets de conversations dans les huttes. Bien que rien n'ait encore été produit, quelque chose a déjà commencé d'exister.

*

– Il y a eu un autre Napoléon qui a fait beaucoup de choses, dit Koumalo. Tant de choses qu'on a écrit bien des livres sur lui. Le jeune ingénieur se mit à rire, mais il baissa les yeux vers la terre et frotta ses bottes l'une contre l'autre.

– Vous pouvez être fier, dit Koumalo. Car il y a une vie nouvelle dans cette vallée. J'ai passé bien des années ici, mais je n'ai jamais vu labourer avec tant d'ardeur.

« Il se passe quelque chose de nouveau ici, continua-t-il. Ce ne sont pas seulement les pluies, bien qu'elles aussi vous rafraîchissent l'esprit. Il y a un espoir ici comme je n'en ai jamais vu.

– Il ne faut pas se faire trop d'illusions, dit le jeune homme avec inquiétude. Moi, je n'attends pas grand-chose cette année. Le maïs sera un peu plus haut et la récolte un peu plus abondante, voilà tout, car le sol est vraiment pauvre.

– Mais l'année prochaine, il y aura l'enclos.

– Oui, dit le jeune homme vivement. Nous

économiserons beaucoup d'engrais grâce à l'enclos. Ils m'ont promis, umfundisi, que, même s'il faisait froid cet hiver, ils ne brûleraient pas le fumier.

– Combien de temps faudra-t-il aux arbres pour pousser ?

– Plusieurs années, dit l'ingénieur d'un ton morne. Dites-moi, umfundisi, croyez-vous qu'ils supporteront le froid pendant six ou sept hivers ?

– Ayez courage, jeune homme, le chef et moi nous travaillons tous les deux pour vous.

– J'attends le barrage avec impatience, dit l'ingénieur. Quand le barrage sera terminé, il y aura de l'eau pour les pâturages. Je vous le dis, umfundisi, ajouta-t-il fièrement, il y aura du lait dans cette vallée. On n'aura plus besoin du lait de l'homme blanc.

Koumalo le regarda.

– Où serions-nous sans le lait de l'homme blanc ? demanda-t-il. Où serions-nous sans tout ce que cet homme blanc a fait pour nous ? Et où seriez-vous, vous-même ? Travailleriez-vous pour lui en ce moment ?

– C'est vrai que c'est lui qui me paie, dit le jeune homme avec un peu d'humeur. Je ne suis pas un ingrat.

– Alors vous ne devriez pas parler comme ça, dit Koumalo froidement.

Il y eut une petite gêne entre eux jusqu'au moment où le jeune ingénieur dit doucement :

– Umfundisi, je travaille ici de tout mon cœur, n'est-ce pas ?

– Certes.

– Je travaille ainsi pour mon pays et mon peuple. Vous devez bien vous en rendre compte, umfundisi. Je ne pourrais pas travailler ainsi pour aucun patron.

– Si vous n'aviez pas de patron, vous ne seriez pas ici.

– Je vous comprends, dit le jeune homme. Cet homme est bon et je l'estime. Mais ce n'est pas ainsi que cela devrait se passer, voilà tout.

– Et comment est-ce que cela devrait se passer ?

– Pas comme ça, dit le jeune homme têtu.

– Comment alors ?

– Umfundisi, ce sont les blancs qui nous ont laissé si peu de terres, ce sont les blancs qui nous ont enlevé de nos terres pour nous faire travailler pour eux. Et puis nous étions ignorants. C'est à cause de tout cela que cette vallée est désolée. Par conséquent, ce que fait le bon blanc n'est qu'une réparation.

– Je n'aime pas ces paroles.

– Je vous comprends, umfundisi. Je vous comprends complètement. Mais laissez-moi vous demander quelque chose.

– Demandez.

– Si cette vallée était restaurée comme vous le demandez continuellement dans vos prières, pensez-vous qu'elle pourrait contenir tous les gens de cette tribu, au cas où ils y reviendraient ?

– Je ne sais vraiment pas.

– Moi je le sais, umfundisi. Nous pouvons restaurer cette vallée pour ceux qui sont ici, mais, quand les enfants auront grandi, ils se trouveront de nouveau trop nombreux. Il y en aura qui devront partir.

Koumalo se tut, ne sachant que répondre. Il soupira.

– Vous êtes trop intelligent pour moi, dit-il enfin.

– Excusez-moi, umfundisi.

– Vous n'avez pas à vous excuser. Je vois que vous avez l'amour de la vérité.

– On me l'a enseigné, umfundisi. C'est un blanc

qui me l'a enseigné. Il n'y a même pas de bonne culture, disait-il, sans vérité.

– Cet homme était sage.

– C'est lui aussi qui m'a enseigné qu'on ne travaille pas pour des patrons, que l'on travaille pour son pays et son peuple. On ne travaille même pas pour l'argent, disait-il.

Koumalo fut touché et dit au jeune homme :

– Êtes-vous beaucoup à penser ainsi ?

– Je ne sais pas, umfundisi. Je ne sais pas s'il y en a beaucoup. Mais il y en a.

Il s'anima.

– Nous travaillons pour l'Afrique, dit-il, non pour tel ou tel homme. Pas pour un blanc, ni pour un noir, mais pour l'Afrique.

– Pourquoi ne dites-vous pas l'Afrique du Sud ?

– Nous le dirions si nous le pouvions, fit le jeune homme brièvement.

Il songea un moment.

– Nous parlons comme nous chantons, dit-il, car nous chantons *Nkosi Sikelel'i Afrika*.

– Il se fait tard, dit Koumalo. Il est temps d'aller nous laver.

– Il faut me comprendre, umfundisi, dit le jeune homme avec un grand sérieux. Je ne suis pas fait pour la politique. Ce n'est pas moi qui mettrai jamais de l'agitation dans votre vallée. Je désire la restaurer, c'est tout.

– Que Dieu réalise votre désir, dit Koumalo avec un égal sérieux. Mon fils, encore un mot.

– Oui, umfundisi.

– Je ne peux pas vous empêcher de penser ce que vous pensez. Il est bon qu'un jeune homme ait des idées aussi profondes. Mais ne haïssez personne et ne désirez de pouvoir sur personne. Car j'ai un ami qui m'a enseigné que le pouvoir corrompt.

– Je ne hais personne, umfundisi. Je ne désire de pouvoir sur personne.

– C'est bien. Il y a déjà bien assez de haine dans notre pays comme cela.

Le jeune homme entra dans la maison pour se laver, et Koumalo s'attarda un moment dans l'obscurité où les étoiles commençaient à briller au-dessus de la vallée qui serait restaurée. Et cela lui suffisait, car sa vie était près de son terme. Il était trop vieux pour des idées nouvelles et troublantes, et elles lui faisaient mal d'ailleurs, car elles frappaient trop de choses. Oui, elles allaient frapper l'homme silencieux et grave du Haut-Val qui, après une si profonde douleur, avait montré une si profonde charité. Il était trop vieux pour des idées nouvelles et troublantes. Un chien des blancs, c'était ainsi qu'on les appelait lui et ceux de son genre. Eh bien, c'est ainsi qu'il avait vécu et c'est ainsi qu'il mourrait.

Il se retourna et alla rejoindre le jeune homme dans la maison.

XXXVI

Le quatorzième jour du mois, Koumalo dit à sa femme :

– Je vais aller dans la montagne. Et elle répondit :

– Je te comprends. Car, deux fois déjà, elle l'avait vu agir ainsi : une fois lorsque Absalon, enfant, avait été malade à la mort, et une autre fois lorsqu'il pensait à quitter le ministère et à aller gérer un magasin indigène à Donnybrook pour le compte d'un blanc nommé Baxter qui lui aurait fait gagner beaucoup plus d'argent que l'Église ne lui en rapporterait jamais. Il y avait eu une troisième fois, mais elle ne l'avait pas su, car elle était absente à l'époque, où il avait été terriblement tenté de commettre le péché d'adultère avec une des maîtresses d'école de Ndotshéni qui était faible et seule.

– Veux-tu venir avec moi ? dit-il. Cela m'ennuie de te laisser.

Elle fut touchée et répondit :

– Je ne peux pas venir, car la petite est presque à terme et Dieu sait ce qui peut se passer. Mais vas-y, toi, ne t'inquiète pas.

Elle lui prépara une bouteille de thé, de celui qu'on obtient en faisant bouillir les feuilles, et elle enveloppa quelques lourds gâteaux de maïs. Il prit son manteau et son bâton et monta le sentier qui conduisait à la maison du chef. Mais, au premier carrefour, on tourne du côté de la main avec laquelle on mange et l'on gravit une autre colline vers d'autres huttes au pied même de la montagne. Là on tourne encore et l'on marche vers l'est le long de la montagne comme pour aller dans la lointaine vallée d'Empayéni, encore une vallée où les champs sont roux et nus, une vallée de vieillards, de femmes et d'enfants. Mais, lorsqu'on atteint l'endroit du chemin où il commence à descendre vers cette vallée, on le quitte pour monter dans la montagne elle-même. Cette montagne s'appelle Emoyéni ce qui signifie Dans-les-Vents et elle s'élève très haut au-dessus de Carisbrooke, plus haut encore du côté du versant qui regarde les vallées de Ndotshéni et d'Empayéni. Elle fait partie de la chaîne qui surplombe la grande vallée de l'Umzikulu et l'on a de là-haut une des plus belles vues de toutes l'Afrique.

Il faisait presque nuit à présent et il était tout seul dans la pénombre ; cela valait mieux, car on ne part pas publiquement pour un voyage de cette nature. Mais comme il commençait à grimper le sentier qui monte entre les grosses pierres, un homme à cheval s'arrêta et une voix lui dit :

– Est-ce vous, umfundisi ?

– C'est moi, umnumzana.

– Justement, j'allais chez vous, umfundisi. J'ai là dans ma poche une lettre pour les gens de votre Église. Il se tut un instant, puis ajouta :

– Les fleurs étaient d'une grande beauté, umfundisi.

– Je vous remercie, umnumzana.

– Et l'église, umfundisi ? Est-ce que vous avez envie d'une nouvelle église ?

Koumalo ne put que sourire en secouant la tête,

car il n'y avait pas de mots en lui. Et, bien qu'il eût l'air, en secouant la tête, de dire non, Jarvis le comprit.

– Vous allez bientôt recevoir les plans, et il faudra dire si c'est ce que vous désirez.

– Je les enverrai à l'évêque, umnumzana.

– Vous savez mieux que moi ce que vous devez faire. Mais je voudrais qu'on ne perde pas de temps, car je m'en vais bientôt d'ici.

Koumalo resta interdit à ces paroles désolantes. Et Jarvis s'en rendit compte malgré l'obscurité, car il se hâta d'ajouter :

– Je reviendrai souvent, vous savez que j'ai entrepris un travail à Ndotshéni. Dites-moi, comment est ce jeune homme.

– Il travaille nuit et jour. Il ne sait pas ce que c'est que le repos.

L'homme blanc rit doucement.

– C'est bien, dit-il. Puis il ajouta gravement :

– Je suis seul chez moi, c'est pourquoi je vais habiter à Johannesbourg avec ma fille et ses enfants. Vous connaissez le petit garçon ?

– Certes, umnumzana, je le connais.

– Est-ce qu'il lui ressemble ?

– Il lui ressemble, umnumzana. Puis Koumalo reprit :

– Vraiment, je n'ai jamais vu un enfant pareil. Dans l'obscurité, Jarvis se retourna sur son cheval, et l'on sentait une espèce de passion dans cet homme grave et silencieux.

– Que voulez-vous dire ? demanda-t-il.

– Umnumzana il y a en lui quelque chose de brillant.

– Oui, oui, c'est vrai. L'autre aussi était comme cela.

Et il ajouta comme un homme qui a faim :

– Vous vous rappelez ?

Et parce que cet homme avait faim, Koumalo, bien qu'il ne se le rappelât guère, répondit :

– Je me rappelle.

Ils restèrent quelque temps sans parler, puis Jarvis dit :

– Umfundisi, il faut que je m'en aille. Mais il ne s'en allait pas. Au contraire, il demanda :

– Où allez-vous à cette heure ?

Koumalo se sentit gêné et les mots fuyaient sa langue, mais il répondit :

– Je vais dans la montagne.

Comme Jarvis ne répondait rien, il chercha une explication à lui donner mais, avant qu'il eût parlé, l'autre lui dit :

– Je vous comprends, je comprends complètement.

Et comme il parlait avec compassion, le vieillard se mit à pleurer, et Jarvis demeura sur son cheval très gêné. Il aurait pu en descendre, sans doute, mais ce ne sont pas de ces choses qu'on fait facilement. Toutefois, il étendit la main au-dessus de la vallée noyée d'ombre et dit :

– Une chose s'achève, mais ici une autre ne fait que commencer. Et elle se poursuivra tant que je vivrai. Umfundisi, allez bien.

– Umnumzana !

– Quoi donc ?

– Ne partez pas avant que je vous aie remercié. Pour le jeune homme et pour le lait. Et maintenant pour l'église.

– J'ai connu un homme, dit Jarvis avec une espèce de sombre gaieté, qui était dans la nuit jusqu'à ce que vous l'ayez trouvé. Si c'est cela que vous faites, je donne bien volontiers.

Sans doute y avait-il quelque chose de bien

profond dans ces paroles, ou bien l'obscurité l'enhardit-elle, car Koumalo dit :

– Vraiment, de tous les hommes blancs que j'ai connus...

– Je ne suis pas un saint, interrompit durement Jarvis.

– Cela, je ne saurais le dire, mais Dieu a mis Ses mains sur vous.

Et Jarvis dit :

– Ça se peut, ça se peut. Puis, se tournant vivement vers Koumalo :

– Allez bien, umfundisi. Pendant toute cette nuit, allez bien.

Et Koumalo lui cria tandis qu'il s'éloignait.

– Allez bien, allez bien.

Il y avait certes d'autres choses, des choses profondes qu'il aurait pu lui crier, mais ce n'est pas facile. Il attendit que le bruit des pas du cheval se fût éteint, puis se mit à monter péniblement en se cramponnant aux grosses pierres, car il n'était plus un jeune homme. Il était las et haletant lorsqu'il atteignit le sommet, et il s'assit sur une pierre pour se reposer en regardant devant lui, par-dessus la vaste vallée, les montagnes d'Ingeli et d'East Griqualand sombres sur le ciel. Puis, reposé, il marcha encore un peu et retrouva l'endroit où il s'était arrêté en d'autres occasions graves de son existence. C'était un angle dans le roc, à l'abri des vents, avec une espèce de siège naturel où un homme pouvait s'asseoir, les jambes à l'aise. Il se rappelait très clairement la première fois qu'il était venu là, peut-être parce que c'était la première, peut-être parce qu'il y avait prié pour l'enfant qu'aucune prière aujourd'hui ne pouvait plus sauver. L'enfant ne savait pas écrire alors, mais, aujourd'hui, il y avait trois lettres de lui qui toutes trois disaient : Si je pouvais retourner à Ndotshéni je n'en partirais plus jamais. Et, dans un jour ou deux, ils recevraient la dernière qu'il écrirait jamais. Son cœur se gonfla d'une grande compassion pour le garçon qui devait mourir, qui avait promis à présent de ne plus pécher. S'il avait été le rejoindre plus tôt peut-être... Il fronça les sourcils au souvenir de ces questions atroces et inutiles, de ces réponses atroces et inutiles : C'est comme mon père veut, c'est comme mon père dit. A quoi aurait servi qu'il répondît : Mon père, je ne sais pas ?

Il se détourna de ces souvenirs stériles et commença sa veille dans l'ordre. Il confessa ses péchés, essayant de son mieux de se les rappeler depuis la dernière fois qu'il était venu dans ces montagnes. Il y en avait qu'il se rappelait clairement : le mensonge dans le train, le mensonge à son frère après lequel John lui avait fermé la porte au nez et l'avait jeté dans la rue, la perte de sa foi à Johannesbourg et son désir de faire du mal à la jeune femme, à l'enfant pécheresse et innocente. Il récapitula tout cela aussi complètement qu'il put et pria afin d'être absous.

Puis il se mit à remercier Dieu et se rappela avec une conscience aiguë qu'il avait de grands motifs de gratitude et pour beaucoup de choses. Il les prit une par une, remerciant pour chacune et priant pour chaque personne dont il lui souvenait. Avant tout, il y avait le bien-aimé Msimangu et son don généreux. Il y avait le jeune homme de la Maison de Redressement, disant avec un front furieux : Je vous demande pardon, umfundisi, de m'être laissé emporter par la colère. Il y avait Mme Lithébé qui répétait si souvent : C'est pour ça qu'on est là. Et le Père Vincent qui tendait ses deux mains et disait : Tout, tout ce que je pourrai, vous n'avez qu'à demander, je ferai n'importe quoi. Et l'avocat qui s'était chargé de l'affaire pour Dieu, et avait écrit pour annoncer que la grâce avait été refusée, avec des mots si pleins de bonté.

Puis il y avait son retour à Ndotshéni, sa femme et son ami venus à sa rencontre. Et la femme qui s'était couvert la tête de son tablier. Et les femmes qui l'attendaient à l'église. Et la joie de son retour, si grande qu'il en avait oublié sa douleur.

Il médita longuement là-dessus, car n'eût-il pas été possible qu'un autre homme rentrant dans une autre vallée n'eût rien trouvé de ces choses ? Pourquoi était-il accordé à un homme de voir sa peine transformée en bonheur ? Pourquoi était-il accordé à un homme d'avoir une telle conscience de Dieu ? Et n'eût-il pas été possible qu'un autre, n'ayant pas cette conscience, fût condamné à vivre dans une douleur sans fin ? Pourquoi avait-il senti l'appel de la prière pour la renaissance de Ndotshéni, et pourquoi y avait-il là un homme blanc pour faire en cette vallée ce qu'aucun autre n'eût fait ? Et pourquoi, parmi tous les hommes, le père de l'homme qui avait été tué par son fils ? Et n'était-il pas possible qu'un autre aussi eût senti l'appel de la prière et prié nuit et jour sans répit pour la renaissance de quelque autre vallée qui ne serait jamais restaurée ?

Mais son esprit ne pouvait aller plus loin. Cela n'était pas du domaine des connaissances humaines. Il écarta ces pensées, car c'était un mystère.

Et que dire de l'homme blanc Jarvis et de l'inkosikazi qui était morte et du petit garçon qui contenait quelque chose de brillant ? Là non plus, son esprit ne savait que répondre. Mais il trouvait là de quoi remercier Dieu jusqu'à la fin de ses jours. Et il commença sur l'heure à Le remercier.

Il s'éveilla en sursaut. Il faisait assez froid. Les autres fois, en cet endroit, il ne s'était pas endormi, mais il était vieux à présent, pas complètement fini, mais presque. Il songea à tous ceux qui souffraient, à Gertrude la faible, la folle, aux gens de Cabaneville et d'Alexandra, à sa femme en ce moment même. Mais, par-dessus tout, à son fils, Absalon. Était-il éveillé, pouvait-il dormir cette nuit d'avant son dernier matin ? Il cria tout haut :

– Mon fils, mon fils, mon fils !

Ce cri acheva de le réveiller, il regarda sa montre et vit qu'il était une heure. Le soleil se lèverait un peu après cinq heures, et c'est alors que cela se passerait, disait-on. Si le garçon dormait, qu'il dormît, cela valait mieux. Mais, s'il était réveillé, alors, ô Christ de miséricorde, sois avec lui. Il pria pour cela longuement et profondément.

Sa femme était-elle réveillée, pensait-elle à cela ? Elle serait venue avec lui, n'eût été la jeune femme. Et cette petite qu'il oubliait ! Elle dormait sans doute, non qu'elle ne fût aimante, mais ce mari lui avait donné si peu, pas plus que les autres.

Et il pensa à Jarvis en deuil de sa femme et de son fils, et à la belle-fille de Jarvis en deuil de son mari, et aux enfants de celle-ci en deuil de leur père, et, sur-tout, au petit garçon, le petit garçon brillant et rieur. Ce petit garçon était là devant ses yeux et il disait à Koumalo : Quand je partirai, quelque chose de bril-lant disparaîtra de Ndotshéni. Oui, je comprends, disait-il. Oui, je comprends. Il n'était ni timide ni confus, il disait : Oui, je comprends et riait de plaisir.

Et il songea à tous les gens d'Afrique, le pays bien-aimé. *Nkosi Sikelel'i Afrika*. Dieu protège l'Afrique, Dieu sauve l'Afrique. Mais il ne verrait pas ce salut. Le salut était loin parce que les hommes blancs en avaient peur. Parce que, à vrai dire, ils avaient peur de lui, Koumalo, de sa femme, de Msimangu, du jeune ingénieur. Pourtant, marcher la tête haute dans le pays où l'on était né, vouloir être libre de se nourrir des fruits de la terre, quel mal y avait-il à cela ? Cependant les hommes en avaient peur, d'une peur très profonde dans leur cœur, une peur si profonde qu'ils cachaient leur bonté ou bien l'exprimaient avec colère et dureté en fronçant les sourcils. Ils avaient peur parce qu'ils étaient si peu nombreux. Et c'était là une peur qui ne pouvait être chassée que par l'amour.

C'était Msimangu qui l'avait dit, Msimangu qui ne haïssait aucun homme. Je ne crains qu'une chose en mon cœur, c'est qu'un jour, quand ils se mettront à aimer, ils s'aperçoivent que nous nous sommes mis à haïr.

Oh ! les graves et sombres paroles.

Lorsqu'il se réveilla de nouveau, il y avait un léger changement à l'est et il regarda sa montre avec une espèce d'affolement. Mais il était quatre heures et il fut rassuré. Il était temps à présent de se réveiller, car peut-être réveillait-on son fils et lui criait-on de se préparer. Il se leva, mais eut du mal à se tenir debout sur ses pieds froids et engourdis. Il marcha jusqu'à un autre rocher d'où il pouvait voir l'orient, et si ce qu'on disait était vrai, quand le soleil apparaîtrait à l'horizon, ce serait fait.

Il avait entendu dire qu'on pouvait manger ce qu'on voulait ce matin-là. Il lui semblait bizarre qu'un homme pût désirer de la nourriture en un moment pareil. Le corps a-t-il faim, mû par une puissance profonde et obscure qui ne sait pas qu'il va mourir ? Le garçon est-il calme et s'habille-t-il tranquillement, songe-t-il à Ndotshéni en cet instant ? Les larmes lui viennent-elles aux yeux et les

essuie-t-il et se redresse-t-il comme un homme ?
Dit-il : Je ne veux pas manger, je veux prier ?
Msimangu est-il là-bas avec lui, ou le Père Vincent,
ou quelque autre prêtre dont c'est le devoir de le
réconforter et de le rassurer, car il a peur du
supplice ? Se repent-il ou bien n'y a-t-il de place en
lui que pour la peur ? N'est-il rien qu'on puisse faire
à présent, n'est-il pas un ange qui viendra et criera :
Cela regarde Dieu et non les hommes, viens, enfant,
viens avec moi ?

Il fixait ses yeux troubles vers la pâle lueur qui
grandissait peu à peu à l'est. Il se calma, sortit du
paquet les lourds gâteaux de maïs et la bouteille de
thé et les posa sur une pierre. Et il dit les grâces
et rompit les gâteaux et les mangea, et il but du thé.
Puis il s'abandonna à une profonde prière, et après
chaque demande, il levait les yeux vers l'est. Et l'est
s'éclairait de plus en plus et il sut que le moment
n'était plus éloigné. Et quand il lui parut tout à fait
proche, il se releva, ôta son chapeau qu'il posa par
terre et croisa les mains devant lui. Et tandis qu'il
était là, debout, le soleil se leva à l'est.

Oui, c'est l'aurore. Le titihoya s'éveille et
commence à jeter son cri mélancolique. Le soleil
touche de lumière les montagnes d'Ingeli et d'East
Griqualand. La grande vallée de l'Umzikulu est
encore plongée dans l'obscurité, mais la lumière y
pénétrera aussi. Car c'est l'aurore qui s'est levée
comme elle se lève depuis un millier de siècles sans
jamais y manquer. Mais, quand se lèvera l'aurore
de notre libération, celle qui nous délivrera de la
peur de l'esclavage et de l'esclavage de la peur, cela
est un secret.

Composition réalisée par MAURY - Imprimeur S.A. - 45330 Malesherbes

IMPRIMÉ EN FRANCE PAR BRODARD ET TAUPIN
Usine de La Flèche (Sarthe).
LIBRAIRIE GÉNÉRALE FRANÇAISE - 6, rue Pierre-Sarrazin - 75006 Paris.

ISBN : 2 - 253 - 00304 - 2   ✧ 30/0216/9